Microsoft® Office Project Server 2007

© LAVOISIER, 2007

LAVOISIER
11, rue Lavoisier
75008 Paris

www.hermes-science.com
www.lavoisier.fr

ISBN   978-2-7462-1456-9

Printed and bound in England by Antony Rowe Ltd, Chippenham, November 2007.

Microsoft® Office Project Server 2007

gérer des projets d'entreprise

Jean-François Bavitot

Lavoisier

COLLECTIONS SOUS LA DIRECTION DE NICOLAS MANSON

Collection Management et Informatique

Collection Etudes et Logiciels Informatiques

Collection Nouvelles Technologies Informatiques

Collection Synthèses Informatiques CNAM

La liste des titres de chaque collection se trouve en fin d'ouvrage.

TABLE DES MATIERES

INTRODUCTION

Pré-requis et objectifs de cet ouvrage

Ce livre est une introduction à l'utilisation de Microsoft Office Project Server, version 2007. Il traite exclusivement du produit Project Server, et suppose que le lecteur a une connaissance des principes de base de la gestion de projets, ainsi qu'une bonne pratique de MS Office Project Standard ou Professional (en monoposte, quelle qu'en soit la version). Une connaissance de base de Windows Server et de son Active Directory est un plus.

Ce livre traite de l'installation de base et des principaux paramétrages de Project Server, de la création et de l'utilisation des projets d'entreprise, de ses outils d'analyse. Il n'approfondit pas les questions liées à l'installation avancée, au déploiement sur plusieurs serveurs, à la gestion du portail SharePoint, ou à l'administration de la base de données SQL Server qui pourront faire l'objet d'autres développements.

Des compléments d'informations et des mises à jour seront disponibles sur le site de l'auteur *www.bavitot.com*.

Présentation de la solution EPM

Microsoft, avec les versions 2007, a profondément remanié Office, qui devient une véritable ligne de produits, complétée par des solutions serveurs. Project est fortement intégré dans cet environnement Office.

Microsoft Office Project est un logiciel dédié à la gestion de projets, à leur planification et à leur pilotage. Initialement produit monoposte, il s'est rapidement enrichi d'un produit serveur, permettant le travail collaboratif, en équipe, le partage de ressources et documents, et offrant des fonctionnalités d'analyse.

La solution EPM (Microsoft Office Enterprise Project Management) est fondée sur *Microsoft Office Project Server 2007*, et son architecture s'appuie sur de nombreux composants. Les points forts de cette structure sont les suivants :

– le chef de projet concevra son projet avec *Microsoft Office Project Professional 2007*, dont la licence devra être installée sur son poste (la version Project Standard ne convient pas, étant réservé à un usage monoposte) ;

– les membres de l'équipe du projet pourront consulter leurs tâches et en assurer le suivi avec *Project Web Access* (PWA), application web se contentant de la présence d'Internet Explorer (version 6 minimum) sur leur poste ;

– toujours grâce à Project Web Access, le chef de projet pourra superviser ce suivi, le responsable d'entreprise créera un pool de ressources communes et pratiquera analyses et synthèses chiffrées ;

– de plus, *Outlook* pourra être utilisé, par exemple par les membres de l'équipe, pour intégrer les tâches de leurs projets au tâches et calendrier d'Outlook ;

– installé sur un serveur Windows 2003, *Project Server 2007* offrira ses fonctionnalités aux clients Project Professional 2007, Project Web Access, Outlook. Il utilisera *SQL Server 2000* ou *2005* pour assurer le stockage des données, et les pages web de Project Web Access feront partie d'un site *Windows SharePoint Services* version 3 ;

– enfin, pour des organisations de grande taille, *Microsoft Office Portfolio Server 2007* permettra de consolider le contenu de plusieurs serveurs Project afin d'en présenter une vue d'ensemble synthétique.

Les avantages de cette solution sont nombreux :

– permettre à de nombreux utilisateurs, avec Project Web Access, d'accéder simultanément aux mêmes projets ;

– gérer de façon unique et centralisée un pool de ressources communes ;

– définir un environnement commun de calendrier, de champs personnalisés, d'affichages : le modèle d'entreprise ;

– offrir des fonctionnalités de rapports et d'analyse évoluées ;

– utilise un espace commun de gestion documentaire, de suivi de risque ou de problèmes identifiés.

Plan de l'ouvrage

La *première partie*, après une vue d'ensemble de l'architecture de Project Server, traite de l'installation en monoposte et de la création du site sur Windows SharePoint Services. Puis l'administration de Project Server concerne essentiellement la gestion des utilisateurs et la sécurité, ainsi que les questions de sauvegarde. Enfin, seront décrits les clients de Project Server, avec le paramétrage de Project Professional.

La *deuxième partie* concerne la gestion des projets d'entreprise. Elle aborde la mise au point du modèle d'entreprise, c'est-à-dire des éléments communs s'imposant à tous les projets des utilisateurs, ainsi que du pool de ressources (les ressources communes, partagées par l'ensemble des projets). Puis sont examinés, pour l'élaboration d'un projet par l'utilisateur, les éléments spécifiques au fonctionnement en serveur (la maîtrise de la gestion d'un projet en version monoposte étant supposée maîtrisée), ainsi que la gestion des affectations de ressources et le suivi de l'avancement.

La *troisième partie* porte sur les fonctions d'analyse et de reporting avec le cube OLAP, ainsi que de la communication avec l'espace de projet sur SharePoint.

PREMIERE PARTIE

Installation et administration

CHAPITRE 1

Vue d'ensemble
de Project Server 2007

1.1. Les fonctionnalités de la solution EPM

1.1.1. *Les quatre volets d'EPM*

On peut répartir les fonctionnalités de la solution EPM, dont Project Server 2007 est la pierre angulaire, selon quatre axes de travail, quatre volets distincts :

– la *gestion de projet*. Project Server 2007 enregistre dans une base de données centralisée SQL Server les données de planification (tâches, liens, durées), qui seront visualisées par les différents clients tels que Project Professional et Project Web Access. L'*Entreprise globale* permet de sauvegarder dans un modèle les paramètres constants, propres à l'ensemble des projets ;

– la *gestion des ressources*. Le centre de ressources de Project Server 2007 gère un pool de ressources, communes et utilisables par tous les projets. Le responsable des ressources pourra les cataloguer par compétences, ou niveaux hiérarchiques. Il pourra vérifier leur plan de charge synthétisé, tous projets confondus ;

– la *gestion collaborative*. Project Server 2007 offre un ensemble d'outils de communication entre les différents acteurs des projets : tâches, mises à jour, alertes par emails, rapports d'états ;

– *la gestion de documents*. Project Server 2007 propose une base documentaire, sous forme d'un portail permettant de stocker des documents communs (par exemple fichiers Word ou Excel), ainsi que des notes personnalisées sous forme de *Problèmes* ou *Risques*.

1.1.2. *Le cycle de vie du projet*

Un projet passera par plusieurs phases, de création, de maturité et d'archivage :

– dans une première réflexion, *Propositions* et *Plans d'activité*, entièrement gérés par Project Server 2007 et Project Web Access, permettent de créer un « projet de projet », aux fonctionnalités limités, mais permettant de tester un prototype du futur projet ;

– un véritable *Projet* sera ensuite créé à partir de Project Professional 2007, mais comme simple ébauche : seul le responsable du projet pourra le consulter et le modifier, il ne sera pas public ;

– lorsque ce projet sera mûr pour passer en phase d'exécution, il sera *publié* afin d'être visible et modifiable par tous les acteurs du projet, en fonction de leur degré d'autorisation ;

– les outils de *Reporting*, d'analyse, permettront à tout moment, et notamment à le fin du projet, d'obtenir des éléments chiffrés de synthèse, aussi bien sur les délais que les coûts ;

– enfin, le projet arrivé au terme de sa réalisation sera supprimé, bien sûr avec une possibilité de *Sauvegarde* pour permettre une réouverture éventuelle.

1.2. Pré-requis d'environnement

1.2.1. *Sur le poste serveur*

Pour l'installation en serveur unique, on doit disposer d'un processeur récent (Pentium IV 1,8 MHz, ou supérieur, recommandé, 32 ou 64 bits), 3 Go disponibles sur le disque dur pour l'installation seule (un disque de 100 Go est donc un minimum), et surtout une bonne mémoire vive (1 Go minimum, 2 Go recommandés).

Le système d'exploitation sera *Windows Server 2003*, quelle que soit l'édition, 32 ou 64 bits, mais SP1 minimum, ou R2. *Windows SharePoint Services version 3* sera si nécessaire installé par Project Server. Internet Explorer 6 (avec les derniers services packs) ou Internet Explorer 7 est requis.

La base de données sera gérée par :

– SQL Server Express Edition (l'ancien MSDE) pour une installation *standalone*, autonome, en mode monoposte. L'avantage est que la base de données ne nécessite pas l'achat d'une licence SQL Server. Cette option sera réservée à des phases de test ou d'évaluation ;

– pour une utilisation en phase de production réelle, *SQL Server 2000 (SP4) ou 2005*, SQL Server *Analysis Services* et *Reporting Services* étant optionnels (dans la même version que SQL Server).

Le *.Net Framework* version 2 ou version 3, ainsi que les *ASP.Net* version 2 devront être installés (ils le seront automatiquement si vous utilisez SQL Server 2005), IIS étant bien activé sur l'ordinateur. Le composant *Windows Workflow Foundation Component* (disponible dans le *.Net Framework 3*) sera aussi exigé pour démarrer l'installation.

Pour envoyer des notifications par e-mail, un serveur de messagerie *SMTP* devra être disponible, et pour en recevoir un client mail *POP3, IMAP4* ou autre.

1.2.2. *Sur les postes clients*

Les postes utilisateurs devront posséder :

– soit une licence *Project Professional 2007*, éventuellement accessible grâce à Terminal Server, avec Windows XP ou Vista ;

– soit le navigateur web *Internet Explorer*, versions 6 ou 7, pour utiliser Project Web Access. Des contrôles complémentaires seront téléchargés lors de la première utilisation ;

– *Outlook 2003 ou 2007,* associé ou non au serveur Exchange, pour intégrer leurs tâches au calendrier d'Outlook ;

– la présence d'*Excel 2007* est recommandée, et même nécessaire pour visualiser certains rapports.

Sur ces postes, une bonne mémoire vive (1 Go est maintenant la norme) devient plus importante que le type de processeur. Une véritable carte graphique performante (avec 125 ou 256 Mo de mémoire au moins) est un plus, à éviter les simples chipsets avec mémoire partagée.

1.3. Structure de Project Server 2007

1.3.1. *La partie cliente*

Nous avons déjà présenté *la partie cliente* : Project Professional, Project Web Access, sans oublier la possibilité d'utiliser des applications tierces, pouvant être proposées par d'autres éditeurs (telles que des ERP ou autres progiciels de gestion), ou développées spécifiquement.

Ces clients dialoguent avec Project Server grâce à son interface PSI (Project Server Interface) qui expose vers le client l'ensemble des objets métier de Project Server. Cette interface PSI sera indispensable au programmeur pour la création d'applications personnalisées.

1.3.2. *La partie serveur*

La partie serveur se décompose en trois niveaux distincts (voir figure 1.1) :

– la couche de présentation, avec le *serveur web frontal* : c'est lui qui, grâce à Windows SharePoint Services, va générer les pages de Project Web Access, utilisant la technologie ASP.Net 2.0. La gestion de documents, annexés au projet dans un espace de site web, sera assurée par Windows SharePoint Services ;

– la couche métier, avec la *partie applicative*, qui regroupe :

- Project Server Interface (PSI). C'est l'API (interface de programmation de l'application), chargée de faire la liaison entre les clients et Project Server, utilisable par le programmeur pour personnaliser Project Server 2007, et servant de point d'entrée aux applications tierces (ERP par exemple),

- la plate-forme Project Server proprement dite, cœur de l'application,

- des services Project Server, tels le service de file d'attente (gérant le flux de données d'entrées/sorties), un service d'événements (destinés aux programmeurs), un service de reporting ;

– la couche accès aux données, avec la *base de données*, gérée par SQL Server, et constituée de quatre bases distinctes (développées plus loin).

1.3.3. *Les topologies d'installation*

En fonction des besoins, de l'ampleur et du nombre de projets gérés, du nombre d'utilisateurs, l'installation de Project Server peut se faire sur un seul serveur, ou au contraire se répartir sur plusieurs serveurs spécialisés chacun dans une couche unique du modèle à trois niveaux.

1.3.3.1. *Le mode monoposte*

Le mode monoposte, ou mode autonome (*standalone*), ne permet pas à Project Server de travailler réellement en client serveur. Il sera réservé à des phases d'essais, de tests ou de prototypage. Son avantage est de ne pas nécessiter l'investissement de la licence SQL Server, mais en contrepartie ses performances sont très limitées.

Un seul ordinateur héberge les trois niveaux : le frontal web, l'application Project Server, la base de données. La base de données sera gérée par SQL Server Express 2005 (le moteur de base de données de bureau, successeur de l'ancien moteur MSDE), fourni avec Project Server ou disponible librement en téléchargement.

L'installation est simple à réaliser, le paramétrage de Project Web Access et du fournisseur de services partagés étant automatisé. Mais les mises à niveau vers une architecture plus complexe demanderont une migration de la base de données.

1.3.3.2. *Le serveur unique*

C'est l'installation de base, que nous décrirons plus loin, au paragraphe installation. Souple à mettre en œuvre, elle conviendra à un nombre limité de projets et d'intervenants, les temps de réponse pouvant rapidement se dégrader.

Les trois niveaux, comme dans le cas précédent, sont installés sur le même ordinateur. Mais la base de données sera SQL Server 2000 ou 2005, permettant ainsi un véritable mode client/serveur.

1.3.3.3. *Le serveur dédié à la base de données*

L'étape suivante consiste à utiliser deux machines serveur :

– l'une pour les niveaux frontaux de présentation et application Project Server ;
– l'autre dédiée à l'hébergement de la base de données SQL Server.

Cette solution répartira les charges les plus lourdes, en séparant le serveur web de la base de données. Elle sera vite préférée à un serveur unique. Microsoft indique que cette configuration peut supporter jusqu'à 500 utilisateurs.

1.3.3.4. *A chaque fonction son serveur*

Une gestion optimale des charges sera recherchée dans une véritable architecture à trois niveaux physiques, en utilisant trois ordinateurs distincts : un pour le frontal web, un pour l'application Project Server, un pour la base de données.

1.3.3.5. *Installation sur des serveurs multiples*

L'évolution de la solution précédente consistera, pour les organisations de très grande taille, à utiliser, pour chaque niveau, plusieurs machines, et en les configurant avec un mécanisme de répartition de charge (« *load balancing* »).

Ainsi, au niveau de la couche frontale web de présentation, on configurera plusieurs ordinateurs en serveur web, l'un d'entre eux pouvant être dédié à un serveur de recherche.

Au niveau de la couche application Project Server, un ordinateur se consacrera à Project Server, pendant qu'une autre machine sera configurée en ECS (Excel Calculation Services) nécessaire à la présentation des résultats chiffrés.

Au niveau de la couche base de données, SQL Server pourra être configuré en clusters, sur une ou plusieurs machines, permettant ainsi rapidité et sécurité.

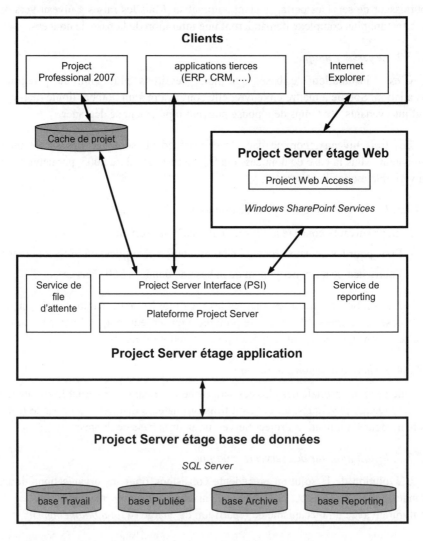

Figure 1.1. *La structure de Project Server*

1.4. Nouveautés de Project Server 2007

Les utilisateurs de Project Serveur 2003 trouveront de nombreuses évolutions dans cette version 2007. On remarque essentiellement un rôle accru du serveur, maintenant capable de gérer de façon autonome les champs personnalisés, disposant de son propre moteur de planification (le projet peut se recalculer sans recourir à Project Professional). Il peut même créer des projets sous forme des plans d'activité. L'autre axe d'évolution est la rapidité des temps de réponse, grâce au cache de projet.

1.4.1. *Les bases de données*

Project Server 2007 enregistre les données des projets dans quatre bases de données différentes, correspondant à différentes étapes de la vie du projet :

– la base de *Travail* : appelée aussi *Ebauche* (*Draft* en anglais), il s'agit de la première version du projet, dans sa phase de conception. Seul le responsable du projet peut voir son contenu. Cet état correspond à la commande *Fichier > Enregistrer* de Project Professional 2007. Puis, dans la vie du projet, toute modification sera d'abord enregistrée dans la base Travail ;

– la base *Publiée* : le projet est visible pour l'ensemble des acteurs du projet, et peut être visualisé dans Project Web Access. Cet état correspond à la commande *Fichier > Publier* de Project Professional. A chaque nouvelle modification du projet dans Project Professional, le chef de projet devra à nouveau publier la base pour rendre visibles ses modifications aux utilisateurs. Pour un projet donné, il est donc possible d'entretenir deux versions : celle de travail, contenant les dernières modifications et réservé au responsable de projet, et la version publiée, seule version « officielle » visible pour l'ensemble des utilisateurs, en fonction de leurs droits d'accès. La base de travail sera extraite de Project Server 2007 par le responsable de projet, à partir de Project Professional 2007, et il s'agit d'une ouverture en mode exclusif ;

– la base de *Reporting* : appelée aussi *Création de rapports*, elle est désormais alimentée en permanence (grâce au RDS, le *reporting data service*) par la base Publiée. Sa structure dénormalisée la rend particulièrement adaptée aux requêtes de reporting. Les cubes OLAP sont alimentés de façon incrémentielle (donc plus rapidement que dans les versions précédentes) à partir de cette base (grâce au CBS, le *cube building service*). Cette base supporte aussi les services de reporting et d'analyse de SQL Server ;

– la base *Archive* : elle est utilisée pour les opérations de sauvegarde et de restauration. Attention, il y a dans Project Professional une ambiguïté sémantique : lorsque Project Professional propose d'archiver le projet, il s'agit en réalité de le réintégrer (*check-in*) après l'avoir extrait (*check-out*) de Project Server, et aucun cas d'un transfert dans la base Archive. Seul l'administrateur a accès à la base archive par les opérations de *Sauvegarde* et *Restauration* ;

– au-delà des procédures de sauvegarde propre à Project Server, il est indispensable de pratiquer, depuis SQL Server, des opérations de sauvegarde planifiées à l'aide des outils propres à SQL Server. Ceci est le rôle de l'administrateur de SQL Server.

1.4.2. *Programmation de Project Server*

Project Server 2007 tire maintenant pleinement profit de la plate-forme .Net. C'est le PSI, *Project Server Interface*, qui permet aux applications externes, y compris Project Professional et Project Web Access, de communiquer avec le serveur. Des bibliothèques de méthodes et d'événements enrichies permettent au développeur de construire rapidement des compléments ou applications personnalisés.

Les données sont transmises entre Project Server et ses clients (Project Professional, Project Web Access ou toute autre application) grâce à des datasets[1] ADO.Net, rendant ainsi plus aisée la tâche du programmeur.

1.4.3. *Intégration à Windows SharePoint Services*

Project Server 2007 est fortement intégré à WSS (Windows SharePoint Services version 3). L'interface utilisateur de Project Web Access est une application WSS, personnalisable en utilisant les composants de WSS. La configuration du serveur, les processus d'authentification, les sauvegardes et restaurations sont des services partagés utilisés par WSS. Bien sûr, WSS peut être complété par le serveur Microsoft Office SharePoint Server (MOSS).

1.4.4. *Planification côté serveur*

Project Server 2007 intègre désormais un moteur de planification, qui était dans les versions précédentes réservé à Project Professional. Cela signifie que Project Server et capable, sans recourir à Project Professional, de recalculer l'ensemble d'un projet. Les allers-retours que le chef de projet était contraint d'opérer entre Project Server et Project Professional, notamment lors d'un suivi d'avancement par des membres de l'équipe, sont révolus.

---

1. Un dataset est un jeu d'enregistrements, et remplace l'ancien concept de recordset. ADO est une technique destinée à transmettre des données entre deux applications.

EXEMPLE.– Un membre de l'équipe rempli une feuille de temps, en constatant qu'il a démarré une tâche avec retard. La tâche doit donc être réagendée. Le chef de projet pourra valider cette saisie dans Project Web Access. Il constatera directement dans Project Web Access les nouvelles valeurs de dates de la tâche, recalculées directement par Project Server, sans avoir à ouvrir Project Professional.

Ainsi, le rôle de Project Web Access se trouve renforcé : de nombreuses modifications pourront être apportées au projet depuis cette interface web, et les conséquences en seront immédiatement visibles.

Une conséquence de cette capacité de Project Server à planifier de façon autonome est l'apparition des propositions et plans d'activité. Il s'agit de véritables projets, créés et suivis sous Project Web Access exclusivement, et pouvant ultérieurement être mis à niveau vers un projet classique, utilisable dans Project Professional.

1.4.5. *Champs personnalisés côté serveur*

Un des atouts de Project, c'est la possibilité pour l'utilisateur de créer des champs personnalisés : de type texte, date, numérique, pouvant contenir des formules ou indicateurs graphiques, et surtout champs hiérarchiques (par exemple, pour décrire des fonctions et retracer l'organigramme de l'entreprise). Dans les versions précédentes de Project Server, ces champs étaient définis dans le modèle de l'entreprise globale, et gérés par Project Professional. Désormais, ils ne font plus partie de ce modèle de l'entreprise globale et sont créés directement dans Project Server, en nombre illimité.

1.4.6. *Le cache de projet*

Lorsque l'utilisateur enregistre son projet depuis Project Professional, le temps de réponse du serveur est étroitement lié à la qualité de du réseau, notamment en cas d'accès distant, par exemple un VPN. Afin de fiabiliser cette transmission, et d'éviter un blocage de Project Professional en cas de temps de réponse trop long, les informations à enregistrer sont stockées dans un cache, un tampon distinct de Project Professional.

Lorsque l'utilisateur donne une commande d'enregistrement, Project Professional stocke dans un fichier temporaire local les informations à transmettre. L'utilisateur retrouve immédiatement « la main » sur Project Professional. Puis le cache de projet se charge, en tâche de fond, transparente pour l'utilisateur, de transmettre les informations au serveur, lequel gère la file d'attente des différents utilisateurs. En cas de coupure du réseau, ou même d'arrêt intempestif de l'ordinateur, les données étant conservées dans un fichier, elles ne seront pas perdues, et le cache pourra reprendre sa mise à jour lors du rétablissement de la liaison ou de la remise en route de l'ordinateur.

1.5. Compatibilité avec les anciennes versions

Compte tenu des importantes évolutions de Project Professional 2007 et Project Server 2007 (abandon de la communication *via* ODBC au profit des services Web, restructuration de la base de données…), la compatibilité avec les versions antérieures est limitée. Ainsi, le transfert des anciennes versions se fera par une véritable migration, et non pas une simple mise à jour.

1.5.1. *Compatibilité des fichiers*

Project Professional 2007 utilise (lorsqu'il enregistre le projet non pas sur le serveur, mais en tant que fichier autonome) un nouveau format de fichier (extension .mpp), lequel ne peut pas être relu par les versions précédentes. Cependant, il peut ouvrir les fichiers des anciennes versions 98, 2000, 2002, 2003. Mais il ne peut sauvegarder que dans les formats 2007 (par défaut), ou 2000/2003. A noter qu'une version 2003 ne peut pas relire les fichiers 2007.

Le client Project Professional 2007 ne peut communiquer qu'avec le serveur Project Server 2007. Le tableau ci-dessous permet de vérifier les compatibilités client/serveur.

Version cliente	Serveur compatible
Project 2000	Project Central
Project 2002	Project Server 2002
Project Standard 2003	Aucun
Project Professional 2003	Project Server 2003, Project Server 2002
Office Project Standard 2007	Aucun
Office Project Professional 2007	Office Project Server 2007

Tableau 1.1. *Compatibilité client/serveur*

1.5.2. *Cohabitation de versions différentes*

Project Professional 2007 peut résider sur le même ordinateur que Project Professional 2003. Une seule réserve, la règle est habituelle : installer les versions dans l'ordre chronologique, 2003 d'abord, 2007 ensuite.

Project Server 2003 et Office Project Server 2007 peuvent être installés sur le même serveur, ainsi que Windows SharePoint Services 2.0 et Windows SharePoint Services 3.0.

Il semble que la compatibilité linguistique ne soit pas bonne entre Project Professional 2007 et Project Server 2007. Ainsi, on conseillera d'éviter de connecter un client Project Professional 2007 en version anglaise avec un serveur Project Server 2007 en version française (ou réciproquement). Pour résoudre cette difficulté, il convient d'installer Project Server 2007 et Project Professional 2007 en version originelle anglaise, puis d'installer les « *language packs* » qui permettront un fonctionnement multilingue.

1.5.3. *Migration des anciennes versions de Project Server 2007*

L'installation de Project Server 2007 ne peut pas mettre à jour une ancienne version présente sur le serveur. Il conviendra donc, après l'installation de Project Server 2007, de procéder à une migration des données contenues dans les anciennes bases de données.

Un utilitaire de migration, fonctionnant en ligne de commande, est fourni avec Project Server 2007. Il doit être installé en même temps que Project Server 2007, en choisissant l'option installation personnalisée. Son installation peut se faire ultérieurement, par le menu *Démarrer > Ajout/Suppression de programmes* et une modification de *Microsoft Office Project Server 2007*. Une documentation complète est disponible sur le site TechNet de Microsoft (voir les liens sur le site de l'auteur, *www.bavitot.com*).

Cet utilitaire se chargera de transférer les données de Project Server 2003 vers Project Server 2007. Les données des versions plus anciennes devront faire l'objet de migrations successives, elles aussi prises en charge par l'utilitaire.

CHAPITRE 2

Installer Project Server

Nous traiterons de l'exemple de l'installation en serveur unique, sur un seul ordinateur serveur. Les trois étages (web, application et base de données SQL Server) seront installés sur la même machine. L'installation se déroulera en quatre étapes : les pré-requis, les comptes de sécurité, l'installation de Project Server, la configuration finale.

2.1. Les pré-requis

2.1.1. *Préparation de Windows Server*

Bien sûr, *Windows Server 2003* (SP1 minimum, ou R2, quelle que soit l'édition, et en attendant son remplaçant Longhorn) doit être installé sur le poste serveur. Il est préférable de travailler dans un environnement de domaine, et non pas de groupe de travail. Le poste concerné peut être lui-même contrôleur du domaine (avec Active Directory et serveur de DNS), mais il est conseillé d'attribuer ce rôle à un autre serveur afin de mieux répartir les charges de travail.

Un rôle de *serveur d'application* lui sera attribué, et *IIS* version 6 sera donc activé, avec les pages *ASP.Net*, mais *sans les extensions de Front Page*. Il convient aussi de désactiver la configuration renforcée d'*Internet Explorer*. De préférence, une IP statique sera attribuée à ce serveur, et il sera correctement inscrit sur un serveur de DNS, par exemple celui du contrôleur de domaine.

2.1.2. Installation de SQL Server

SQL Server (version 2000 SP 4 ou 2005 avec le plus récent Service Pack) sera préalablement installé avec en option *Analysis Services* (nécessaire pour la construction du cube OLAP et les fonctions d'analyse des données). En réponse aux questions de l'assistant, les choix les plus standard seront : instance par défaut, compte système par défaut, authentification mixte. Les bases de données proprement dites pourront être installées automatiquement par Project Server 2007.

Toutefois, les choix particuliers suivants sont nécessaires :

– les connections locales et distantes doivent être autorisées par TCP/IP et canaux nommés ;

– l'ordre de tri ne doit pas respecter la casse, mais doit respecter les accents, le jeu de caractères Kana et la largeur (longueur) des chaînes.

2.1.3. Composants complémentaires

Certains compléments sont indispensables, et seront d'ailleurs exigés lors de l'installation de Project Server, qui ne pourra pas s'exécuter s'ils sont absents.

Le *.Net Framework 2.0* est normalement être installé par les opérations précédentes : il est visible dans le *Panneau de configuration > Ajouter ou supprimer des programmes*. Si nécessaire, il est librement téléchargeable sur le site de Microsoft.

Vérifiez si *ASP.Net 2.0* est bien présent (il doit l'être après l'installation du .Net Framework 2.0), et activé : par le menu *Démarrer > Outils d'administration,* ouvrez le *Gestionnaire des servies Internet (IIS)*. Dans le panneau de gauche, sélectionnez l'ordinateur qui héberge votre serveur, dans le panneau de droite ouvrez les *Extensions de service Web*. L'extension *ASP.Net v2.0* doit être activée, dans le cas contraire un clic droit sur cette entrée permet d'en changer l'état.

Il convient aussi d'installer le *Workflow Foundation*, chargé de gérer les flux d'informations entre les différents composants de Project Server. Ce composant sera si nécessaire installé grâce au *Package redistribuable de Microsoft .NET Framework 3.0*, librement téléchargeable sur le site de Microsoft. La présence du Framework 3.0 est vérifiable dans le *Panneau de configuration > Ajouter ou supprimer des programmes*[1].

---

[1]. Ces informations correspondent à la première version commerciale de Project Server 2007, et sont sujettes à évolutions. Visitez le site de l'auteur *www.bavitot.com* afin de vérifier d'éventuelles mises à jour.

2.2. Les comptes de sécurité

Avant de commencer l'installation de Project Server, il est nécessaire de créer le ou les comptes permettant la gestion, l'administration, ainsi que l'accès aux données de la base SQL Server, aussi bien pour Project Server que pour Windows SharePoint Services. Ce ou ces comptes seront réservés à cet usage exclusif. Il est impératif de préciser à la création des comptes que le mot de passe n'expire jamais, et donc que l'utilisateur n'a pas à le changer à la première utilisation.

Dans le cadre d'une installation de portée limitée, sur un serveur unique avec une seule personne responsable de l'administration, un seul compte commun suffira, et facilitera le suivi. Ce compte devra être membre du groupe Utilisateurs du domaine. La version Bêta 2 de Project Server requiert qu'il soit membre du groupe Administrateurs, cette contrainte devant disparaître dans la version finale. Voici la présentation d'un tel compte (que nous avons ici appelé *ProjectAdmin*) à partir d'Active Directory.

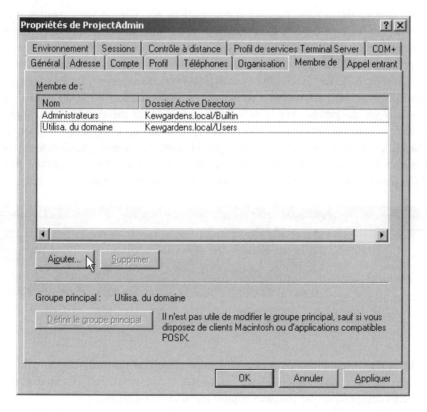

Figure 2.1. *Les groupes d'appartenance à la création du compte*

Les différents assistants d'installation et de l'administration centrale de Windows SharePoint Services ajouteront plus tard automatiquement d'autres groupes préprogrammés.

Membre de :	
Nom	**Dossier Active Directory**
Administrateurs	Pamplemousse.local/Builtin
IIS_WPG	Pamplemousse.local/Users
Utilisa. du domaine	Pamplemousse.local/Users
WSS_ADMIN_WPG	Pamplemousse.local/Users
WSS_RESTRICTED_WPG	Pamplemousse.local/Users
WSS_WPG	Pamplemousse.local/Users

Figure 2.2. *Modifications apportées par l'assistant d'installation*

Ce compte devra aussi disposer d'autorisations sur *SQL Server* : création d'une base de données et gestion de la sécurité. Bien que les assistants d'installation puissent les gérer automatiquement, il est conseillé de les paramétrer manuellement au préalable. Par le menu de Windows *Démarrer > Tous les Programmes > Microsoft SQL Server 2005*, ouvrez le *SQL Server Management Studio* (dans SQL Server 2000, c'était l'*Enterprise Manager*). Après vous êtes connecté au serveur, dans le volet de gauche, sur le serveur concerné, faites un clic droit sur l'option *Security > Logins* (*Sécurité > Connexions*) et choisissez de créer un nouveau compte. Dans la fenêtre de création, par la fonction *Search* (*Rechercher*) vous ajouterez le compte précédemment créé dans Windows. Dans les *Server Roles* (*Rôles du Serveur*), cochez les options *dbcreator* et *security admin*.

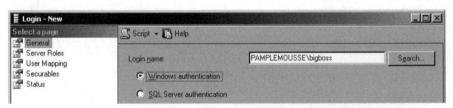

Figure 2.3. *Création du compte dans SQL Server Management Studio*

Dans des installations de portée plus importante (sur des ordinateurs multiples, ou partage des responsabilités sur plusieurs administrateurs), il faudra créer plusieurs comptes, un par fonction requise lors de l'installation.

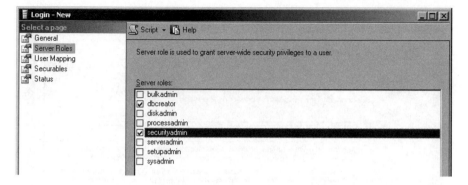

Figure 2.4. *Les autorisations dans SQL Server Management Studio*

2.3. Installation de Project Server

L'installation proprement dite de Project Server comporte deux étapes : copie des fichiers de Project Server 2007, puis mise en place de l'Administration centrale de Windows SharePoint Services 3. Pour lancer cette installation, la session utilisée doit être sur un compte administrateur.

2.3.1. *Installation des fichiers de Project Server*

Insérez le CD de Project Server 2007, le programme d'installation se lance automatiquement (sinon exécutez le fichier Setup.ini sur le CD) :

– entrez la clé du produit ;

– acceptez la licence ;

– choisissez le type d'installation : *De base* pour le mode autonome (avec le moteur de base de données SQL Express), sinon *Avancé* (avec la base de données SQL Server, à installer préalablement). Ici, choisissez *Avancé* ;

– pour le type d'installation du serveur, choisissez *Complète. Web frontal* installe uniquement le niveau présentation des données à l'utilisateur. *Autonome* est équivalent au choix *De base* de l'écran précédent, pour le mode autonome (« Standalone »), une seule machine avec le moteur SQL Express intégré.

L'onglet *Emplacement des fichiers* permet de changer le chemin d'accès par défaut, l'onglet *Commentaires* permet un retour d'information vers Microsoft des anomalies et dysfonctionnements rencontrés (le choix par défaut étant « *Je choisirai plus tard* », modifiable dans *SharePoint Central Administration*).

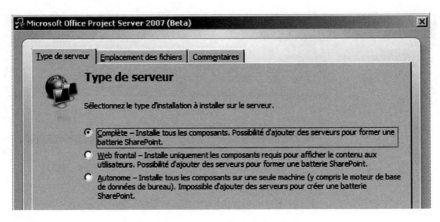

Figure 2.5. *Choisir le type de serveur*

Après un clic sur le bouton *Installer maintenant*, l'installation s'exécute (barre de progression), puis apparaît l'écran de confirmation d'installation réussie. Afin de pouvoir enchaîner directement sur l'installation de *SharePoint*, conservez bien la coche de « *Exécuter l'assistant Configuration des produits et technologies SharePoint* » et cliquez sur Fermer. Si un redémarrage de l'ordinateur est demandé, acceptez-le et lancez SharePoint par le menu ci-dessous.

Si vous décochez cette case, vous pourrez toujours relancer la configuration de SharePoint, dans Windows, par le menu *Démarrer > Tous les programmes > Microsoft Office Server > Assistant Configuration des produits et technologies SharePoint*.

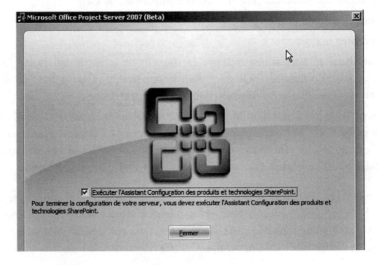

Figure 2.6. *Lancer l'assistant de configuration SharePoint*

2.3.2. Configurer l'administration centrale de SharePoint

Un écran d'accueil rappelle que, pour continuer, il faut connaître le nom du serveur de base de données SQL Server, et avoir créé un compte utilisateur destiné à gérer SharePoint, ayant des droits sur la base de données (l'assistant créera automatiquement les droits sur SQL Server, ou vous pouvez les définir vous-même à l'avance, voir plus haut).

Un écran d'avertissement indique que certains services (comme IIS) seront démarrés ou réinitialisés, validez par *Oui* (le choix *Non* ferait quitte l'installation).

L'écran suivant propose le choix de se connecter à une batterie de serveurs existante. Vous choisirez de créer une nouvelle batterie[2] de serveurs en cochant la deuxième option *Non, je veux créer...*

Figure 2.7. *Créer une nouvelle batterie de serveurs*

Il convient ensuite d'indiquer le nom du serveur de base de données (en général le nom du poste qui héberge SQL Server), le nom de la base de données (celui proposé par défaut convient parfaitement), le nom du compte d'utilisateur (voir plus haut) et son mot de passe[3]. Il s'agit de la base qui stockera les informations de configuration de SharePoint, et pas encore de celle qui stockera les données de Project Server. Cliquez sur Suivant.

Vous indiquerez ensuite le numéro de port utilisé par l'administration centrale de SharePoint. Le port proposé par défaut est le meilleur choix. Si vous le définissez manuellement, choisissez un numéro non utilisé, et en aucun cas le port 80. Notez

---

2. Une batterie de serveurs, en anglais « *server farm* », est un ensemble de sites web contrôlés par Windows SharePoint Services.

3. Dans les exemples qui suivent, nous utiliserons indifféremment l'un des deux couples suivants : soit Fleurdelotus pour le nom du poste serveur et Kewgardens pour le nom du domaine, soit Gardenia pour le serveur et Pamplemousse pour le domaine.

bien ce numéro. L'administration de SharePoint sera plus tard accessible à l'adresse http://nom_du_serveur:numéro_du_port, par exemple http://fleurdelotus:24406.

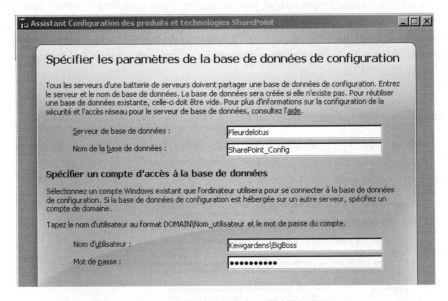

Figure 2.8. *Paramètres de la connexion à la base de données*

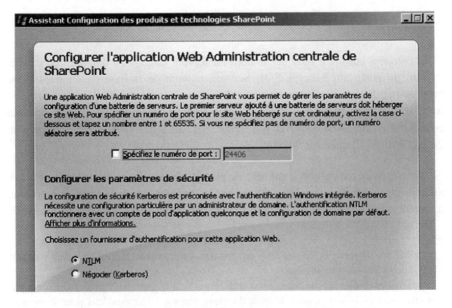

Figure 2.9. *Paramètres de l'administration centrale SharePoint*

Sur le même écran, deux protocoles d'authentification sont proposés :

– négocier (Kerberos), plus sûr en matière de sécurité implique que vous ayez la maîtrise de la mise en place de ce protocole et que votre domaine soit configuré en conséquence ;

– sinon, et c'est le cas le plus habituel, conservez le choix par défaut de NTLM (NT LAN Manager). Vous conserverez le choix effectué ici tout au long de la suite de la procédure.

Après avoir cliqué *Suivant*, un écran résume ces différents choix. Si tout est conforme, alors cliquez *Suivant* et patientez pendant l'installation de SharePoint : une barre de défilement vous fait patientez pendant le déroulement de 9 étapes. La page d'accueil de l'administration centrale de SharePoint doit alors s'ouvrir automatiquement.

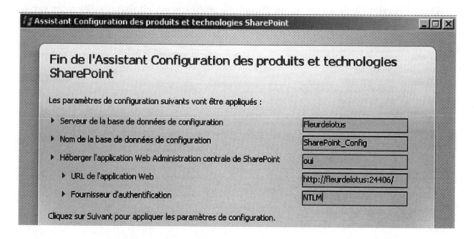

Figure 2.10. *Validation des paramètres SharePoint*

Si un nom d'utilisateur et un mot de passe sont demandés lors de cette ouverture, il sera nécessaire d'ajouter votre serveur dans la liste des sites approuvés d'Internet Explorer. Si vous utilisez un proxy, vous devrez cocher l'option autorisant les adresses locales l'onglet *Connexions* du menu *Options* d'Internet Explorer.

2.4. Configuration finale

A partir de l'administration centrale de SharePoint, vous allez activer l'installation de Project Server et de Project Web Access sur le serveur. Project Server sera installé sur un site non étendu. Ce site non étendu offrira ses services aux clients et au site étendu. Project Web Access sera installé sur un site étendu, frontal visible par les utilisateurs. Nous aurons à effectuer les opérations suivantes :

– activer les services (pour que le service Project Server soit démarré) ;

– créer un site (celui de Project Web Access), puis l'étendre dans une collection de sites ;

– créer un autre site (celui de Project Server 2007, non étendu) ;

– les deux sites étant créés, création du fournisseur de services partagés, qui permettra à Project Web Access d'utiliser les services de Project Server 2007.

2.4.1. *Activer les services sur la batterie de serveurs*

Dans l'onglet *Opérations*, dans *Topologie et Services*, choisissez *Services sur le serveur*.

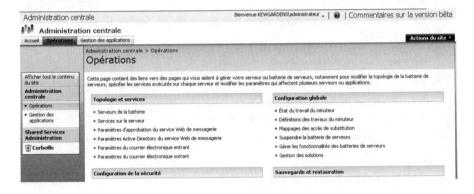

Figure 2.11. *Activer les services – 1*

Dans la liste des services disponibles, la colonne statut indique l'état actuel du service (*Démarré* ou *Arrêté*), la colonne action est son contraire et permet de changer cet état (*Démarrer* ou *Arrêter*). Vous choisirez dans la colonne action de *Démarrer* les services *Application Web de Windows SharePoint Services* et *Project Application Service (Service d'application Project Server)*. Selon les versions, il peut être nécessaire de choisir l'option Personnalisé pour obtenir l'affichage d'une liste complète. La page devrait se réactualiser d'elle-même, en cas de doute vous pouvez utiliser l'icône *Actualiser* d'Internet Explorer pour forcer son rafraîchissement. Puis revenez à la page d'accueil de l'administration centrale de SharePoint.

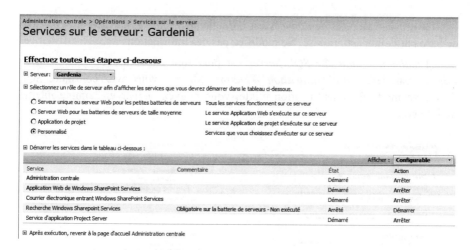

Figure 2.12. *Activer les services – 2*

2.4.2. *Créer un site étendu*

Ce site permettra d'héberger l'application Project Web Access. Il devra être étendu, c'est-à-dire posséder une collection de sites qui constituera l'interface utilisateur, l'espace de travail de Project.

Depuis la fenêtre d'accueil de l'administration centrale de SharePoint, dans l'onglet *Gestion des applications*, à la rubrique *Gestion des applications web SharePoint*, choisissez l'option *Créer ou étendre une application web*. Dans la page suivante, vous confirmerez l'option *Créer une application web*, ce qui ouvrira la page de paramètres de la nouvelle application :

– choisissez l'option *Utiliser un site web existant*, par défaut le *Site web par défaut*, proposé sur le port 80 ;

– vous pouvez aussi choisir de créer un *nouveau site web IIS*, de préférence sur le port 80, le port par défaut des pages web http (sinon les utilisateurs devront saisir eux-mêmes le numéro de port pour se connecter au serveur) ;

– continuez avec le même choix de fournisseur d'authentification que précédemment ;

– choisissez de créer un *nouveau pool d'applications*, avec l'option *configurable* ;

– indiquez le nom d'utilisateur, avec le mot de passe. Il est impératif d'indiquer le domaine avec l'utilisateur, dans la forme nom_domaine\nom_du_compte. Ce compte peut être le compte unique utilisé précédemment, ou un compte spécifique créé à cet effet ;

– si une option *Redémarrage automatique* d'IIS est proposée, conservez le choix *Manuel* ;

– le *serveur de base de données* est normalement indiqué par défaut et un nom de base par défaut est proposé. Ne modifiez pas ces informations ;

– l'*authentification sur SQL Server* est plus sûre en termes de sécurité avec l'option par défaut *Authentification Windows*. Mais si vous avez configuré SQL Server en mode d'authentification mixte, vous pouvez choisir un compte interne SQL Server.

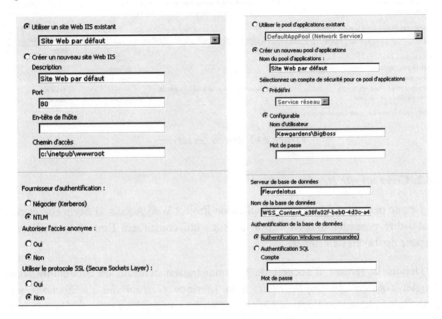

Figure 2.13. *Paramètres du site étendu*

Le processus de création sera lancé par le bouton OK en bas de la page, et peut être long. S'il se termine sur une erreur, la cause est souvent due à un problème d'authentification. Supprimez le site, qui aura sans doute été créé partiellement (voir le détail plus loin). Recommencez en vérifiant la validité et la saisie du compte utilisateur, et n'hésitez pas à recourir pour la base de données à une authentification interne SQL Server.

Une fois l'application créée avec succès, vous devrez relancer les services IIS : à partir de la fenêtre d'invite de commande[4], saisissez la commande *iisreset /noforce*. Puis vous choisirez d'étendre le site en faisant le choix *Créer une nouvelle*

---

4. Développez le menu *Démarrer* de Windows, sélectionnez *Exécuter…*, tapez *cmd* dans la zone *Ouvrir* et validez par *OK*.

collection de sites Windows SharePoint Services. Ceci afin de rendre les pages Project Web Access consultable par les utilisateurs sur Internet Explorer.

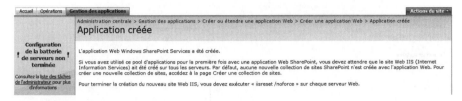

Figure 2.14. *Application créée avec succès, choix de créer une nouvelle collection*

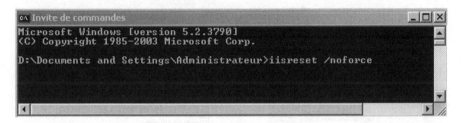

Figure 2.15. *La commande Iisreset pour relancer les services IIS*

2.4.3. *Créer la collection de sites*

Sur la page de création de la collection de sites :

– conservez l'*application web* crée par défaut, celle du site étendu, habituellement créée sur le port 80 ;

– donnez un *titre* à votre application, par exemple *Microsoft Project Web Access* ;

– dans la section *adresse de site web*, choisissez l'option *Créer le site à cette URL*, avec comme chemin la racine : ce sera le site principal. On laissera vide la liste de choix permettant de compléter l'URL, qui restera dans la forme *http://nom_du_serveur*, et que l'utilisateur complétera plus tard par le nom du site créé sur le port 80 ;

– vous pouvez aussi choisir un *modèle de présentation*, ou conserver le modèle par défaut (Site d'équipe) ;

– indiquez un *nom d'administrateur principal* (par exemple le compte unique utilisé précédemment) et *secondaire* (si une deuxième personne vous assiste dans la gestion du site). Indiquez bien l'appartenance au domaine. Testez la saisie grâce à l'icône à droite de la boîte de saisie ;

– cliquez sur *OK* pour confirmer la création.

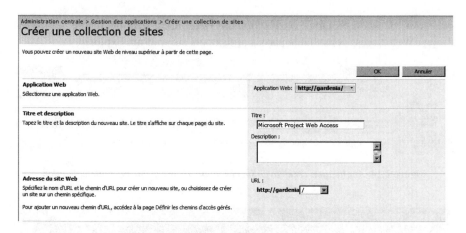

Figure 2.16. *Paramètres du site web étendu – 1*

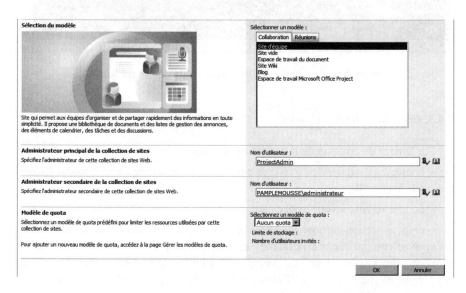

Figure 2.17. *Paramètres du site web étendu – 2*

A la fin du processus de création, qui peut être long, la page Site Web de niveau supérieur créé avec succès s'affiche. L'URL du nouveau site s'affiche, dans la forme http://nom_du_serveur. Il est encore trop tôt pour la tester, elle donnera plus tard accès au site SharePoint de Project Server, mais pas à Project Web Access. Cliquez sur OK pour retourner à la page de l'administration centrale de SharePoint.

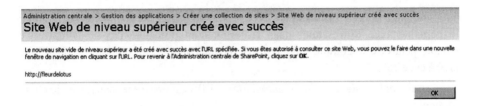

Figure 2.18. *Site Web supérieur créé avec succès*

2.4.4. *Créer un site non étendu*

Ce site permettra plus tard à Project Server d'offrir ses services et fonctionnalités aux différents clients. Dans l'onglet *Gestion des applications*, à la rubrique *Gestion des applications Web SharePoint*, choisissez l'option *Créer ou étendre une application web*.

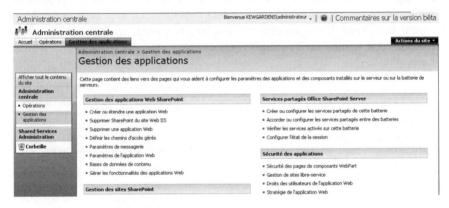

Figure 2.19. *Créer une application web – 1*

Dans la page suivante, vous confirmerez l'option *Créer une application web*, ce qui ouvrira la page de paramètres de la nouvelle application :

– choisissez l'option *Créer un nouveau site web IIS* ;

– choisissez et notez un numéro de port inutilisé (et surtout pas le port 80, qui sera utilisé ultérieurement), afin de sélectionner plus tard le bon site lors du paramétrage du fournisseur de services partagés ;

– continuez avec le même choix de fournisseur d'application que précédemment ;

– choisissez de créer un *nouveau pool d'applications*, avec l'option *configurable* ;

– indiquez le *nom d'utilisateur*, avec le mot de passe. Il est impératif d'indiquer le domaine avec l'utilisateur, dans la forme nom_domaine\nom_du_compte. Ce compte peut être le compte unique utilisé précédemment, ou un compte spécifique créé à cet effet ;

– si une option *Redémarrage automatique* d'IIS est proposée, conservez le choix *Manuel* ;

– le *serveur de base de données* est normalement indiqué par défaut et un nom de base par défaut est proposé. Ne modifiez pas ces informations ;

– l'*authentification sur SQL Server* est plus sûre en termes de sécurité avec l'option par défaut Authentification Windows. Mais si vous avez configuré SQL Server en mode d'authentification mixte, vous pouvez choisir un compte interne SQL Server.

Le processus de création sera lancé par le bouton OK en bas de la page, et peut être long. S'il se termine sur une erreur, la cause est souvent due à un problème d'authentification. Supprimez le site, qui aura sans doute été créé partiellement (voir le détail plus loin). Recommencez en vérifiant la validité et la saisie du compte utilisateur, et n'hésitez pas à recourir pour la base de données à une authentification interne SQL Server.

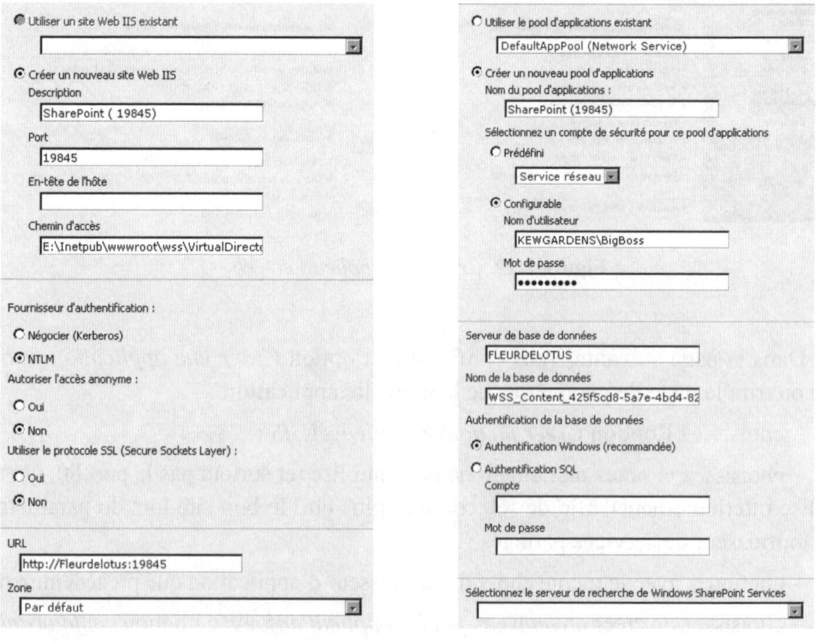

Figure 2.20. *Paramètres du site non étendu*

Une fois l'application créée avec succès, relancez une commande *iis/noforce* (voir *supra*). Après son exécution, vous choisirez de retourner à la page d'accueil, sans créer de collection de sites : ce site restera non étendu.

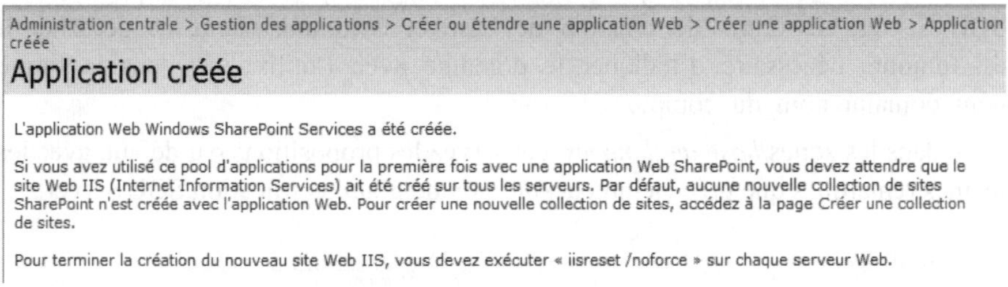

Administration centrale > Gestion des applications > Créer ou étendre une application Web > Créer une application Web > Application créée

Application créée

L'application Web Windows SharePoint Services a été créée.

Si vous avez utilisé ce pool d'applications pour la première fois avec une application Web SharePoint, vous devez attendre que le site Web IIS (Internet Information Services) ait été créé sur tous les serveurs. Par défaut, aucune nouvelle collection de sites SharePoint n'est créée avec l'application Web. Pour créer une nouvelle collection de sites, accédez à la page Créer une collection de sites.

Pour terminer la création du nouveau site Web IIS, vous devez exécuter « iisreset /noforce » sur chaque serveur Web.

Figure 2.21. *Application créée avec succès, choix de retour à l'accueil*

2.4.5. *Création du fournisseur de services partagés*

Le fournisseur de services partagés permettra de fournir à Project Web Access les services offerts par Project Server : interface utilisateur, administration. Sur la page d'accueil de l'administration centrale, sélectionnez l'onglet *Gestion des applications*. Dans la catégorie *Services partagés Office SharePoint Server*, prenez l'option *Créer ou configurer les services partagés de cette batterie*.

Sur cette fenêtre, vous choisirez de créer un *Nouveau fournisseur de services partagés*.

Administration centrale > Gestion des applications > Gérer les services partagés de cette batterie
Gérer les services partagés de cette batterie

Cette page vous permet de gérer les fournisseurs de services partagés. Ces derniers fournissent l'infrastructure (bases de données, services Web et pages d'administration) des pouvez créer des fournisseurs de services partagés, définir celui utilisé par chaque application Web et reconnecter les composants d'un fournisseur de services partagés dans le c

🔄Nouveau fournisseur de services partagés | 🔄Modifier le fournisseur de services partagés par défaut | 🏷Modifier les associations | 🔄Resta

Cet affichage ne contient aucun élément à afficher.

Figure 2.22. *Créer un nouveau fournisseur de services partagés*

Dans la fenêtre de création du nouveau service, faites les choix suivants :

– en dessous du *nom du fournisseur de services partagés* (conservez le nom par défaut), choisissez de la relier à l'application web correspond au site *non étendu* (précédemment créé, d'où la recommandation de noter son numéro de port, ici dans notre exemple le SharePoint 14618). Ne sélectionnez surtout pas un autre site, notamment celui ayant le port 80 ;

– dans la zone *nom d'utilisateur*, saisissez un nom de compte, qui peut être le compte unique utilisé précédemment. Ce compte devra disposer, dans SQL Server, de droits de création de base et d'administrateur de sécurité. Il est toujours nécessaire d'indiquer le domaine avec l'utilisateur, dans la forme nom_domaine\nom_du_compte ;

– dans les zones *base de données*, conservez les propositions par défaut, avec les mêmes remarques que précédemment sur le mode d'authentification SQL Server.

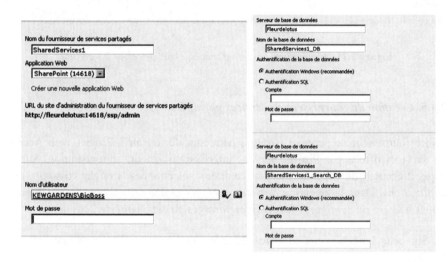

Figure 2.23. *Paramètres du fournisseur de services partagés*

Validez ces paramètres en cliquant sur le bouton OK. Le processus de traitement peut être long. La page *Opération réussie* apparaît, validez-la par le bouton *OK* pour revenir à la fenêtre *Gérer les services partagés de cette batterie*.

2.4.6. *Installation finale de Project Server et Project Web Access*

Cette dernière étape va permettre de créer l'instance Project Web Access sur la batterie de serveur et d'initialiser Project Server. Dans la fenêtre *Gérer les services partagés*, cliquez sur le nom du service partagé qui vient d'être créé. Ici, dans cet exemple, nous cliquons sur *SharedServices1* (le service partagé) et non pas sur SharePoint(80) (le nom du site).

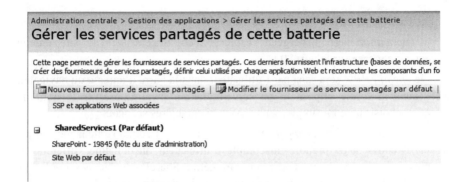

Figure 2.24. *Gestion des services partagés*

Sur la page d'accueil de l'*Administration des services partagés*, dans la section du service Project Server, cliquez sur *Project Web Access Sites* (si cette page d'accueil n'apparaît pas, cliquez dans la barre de navigation à gauche sur le nom du site de services partagés en dessous d'*Administration des services partagés*).

Figure 2.25. *Administration des services partagés*

Dans la fenêtre *Gérer les sites Project Web Access*, choisissez de *créer un site Project Web Access*.

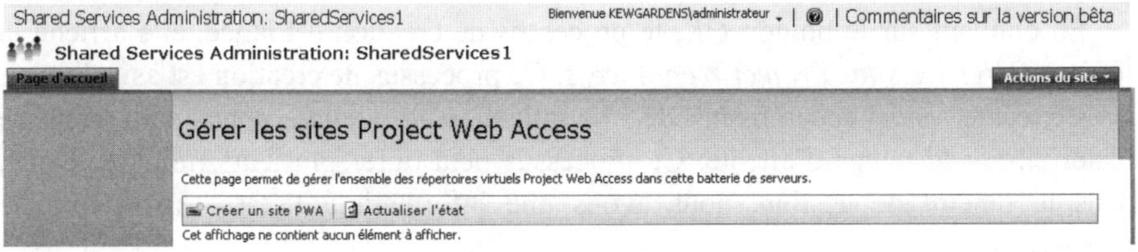

Figure 2.26. *Créer un site Project Web Access*

Les paramètres du site seront les suivants :

– l'*application web* hébergeant Project Web Access sera le site étendu, précédemment créé sur le port 80 ;

– le *chemin PWA* sera saisi par l'utilisateur dans la barre d'adresse du navigateur Web, dans la forme http://nom_du_serveur/chemin_pwa. Conserver le nom par défaut ou choisir un nom simple, sans espace ni caractères spéciaux ;

– le *compte d'administrateur* est destiné à être l'administrateur de Project Server. Il convient de prendre un compte d'utilisateur du domaine, différent des comptes utilisés jusqu'à présent pour paramétrer SharePoint. Ne pas oublier de rappeler le nom du domaine, dans la forme nom_du_domaine\nom_du_compte ;

– pour le *serveur de base de données primaire*, indiquez le nom du serveur de base de données, s'il est différent du nom proposé par défaut, et conservez le nom par défaut des trois bases de données : Draft (Travail ou Ebauche), Published (Publiée), Archive ;

– pour le serveur de base de données de *création de rapports* (reporting), vous pouvez conserver le serveur primaire. Pour améliorer les performances, il est possible de prévoir un deuxième serveur (sur un autre poste).

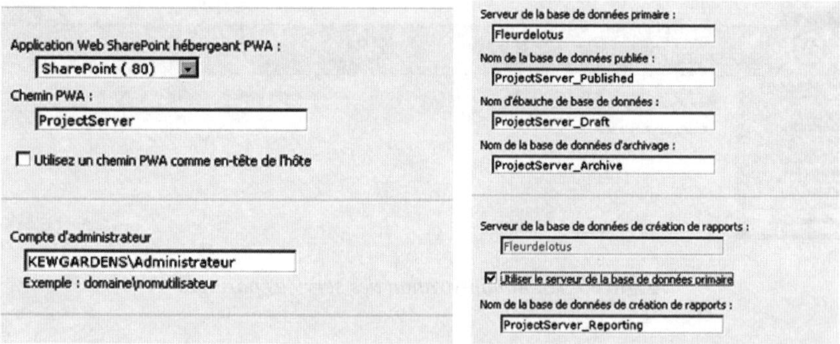

Figure 2.27. *Paramètres du site Project Web Access*

En cliquant sur le bouton *OK*, le processus de création est lancé, et s'affiche la fenêtre *Gérer les sites Project Web Access*. Ce processus de création est asynchrone, il s'exécute indépendamment de l'application actuelle, donc sans fenêtre matérialisant le temps d'attente. Ce processus peut durer plusieurs minutes. Donc, dans la fenêtre de gestion, nous avons une information d'état « *En attente de ressources* ».

Figure 2.28. *Création du site Project Web Access en cours*

Vous devrez réactualiser régulièrement la fenêtre par le bouton *Actualiser* l'état (ou l'icône Actualiser d'Internet Explorer) afin de constater l'état d'avancement. Après une étape de « *Création de bases* », puis « *Création du site* », le processus sera terminé avec succès lorsque l'état affichera « *Mis en service* » (en anglais *Provisioned*).

Project Server est maintenant opérationnel. Project Web Access est accessible depuis Internet Explorer à l'adresse *http://nom_du_serveur/PWA* (si vous avez conservé ce nom par défaut et conservé le port 80) ou *http://nom_du_serveur: NumeroPort/PWA* (si vous avez créé le site étendu sur un autre numéro de port). Le premier lancement peut être assez long. Il est aussi recommandé d'afficher, dans *Project Web Access*, le *Centre de Projets* au moins une première fois avant de tester la connexion depuis Project Professional. Lors de l'affichage du Centre de Projets, des contrôles ActiveX complémentaires devront être chargés, une connexion Internet active est donc nécessaire.

Pour que Project Web Access puisse être accessible, la session Windows doit être ouverte avec un compte autorisé dans Project Server. Donc, à la première utilisation, la session Windows doit être ouverte avec le compte prévu pour être l'administrateur de Project Server.

2.5. Supprimer une application web

En cas d'erreur lors de l'installation et de la configuration, par exemple en raison d'erreur de compte utilisateur ou de mot de passe, vous devrez recommencer l'étape ayant causé l'erreur. Cependant, malgré l'interruption du processus par l'erreur, il est très probable que le site concerné soit quand même créé, et néanmoins inutilisable. Il faut donc le supprimer.

Figure 2.29. *Supprimer une application web*

Dans l'*Administration centrale de SharePoint*, et dans la section *Gestion des applications Web SharePoint*, prenez l'option *Supprimer une application web*. Dans cette fenêtre, vous choisirez l'application concernée dans la liste déroulante *Application Web* (déroulez la liste et cliquez sur *Modifier*). Vous mettrez à *Oui* les options *Supprimer les bases de données de contenu* et *Supprimer les sites web* avant de valider par le bouton *OK*.

CHAPITRE 3

Les clients de Project Server

3.1. Le client Project Professional

Seule l'édition Project Professional 2007 peut se connecter à Project Server. La version Project Standard ne le peut pas, c'est même leur seule différence. Les versions antérieures à Project Professional 2007 ne peuvent pas non plus se connecter à Project Server 2007. La configuration du réseau en domaine, plutôt qu'en groupe de travail, amènera plus de facilité de connexion, plus de fiabilité, et est fortement recommandée.

3.1.1. *Créer les comptes Project Server*

A la première utilisation, Project Professional s'ouvrira en mode monoposte. Il faudra alors configurer le ou les comptes permettant de s'authentifier sous Project Server. A la prochaine ouverture, Project Professional pourra alors s'ouvrir en mode client/serveur.

Toujours à la première utilisation, si les comptes utilisateurs n'ont pas encore été créés par l'intermédiaire de Project Web Access, il convient d'utiliser le compte ayant servi à installer Project Server 2007, et qui est le compte de l'administrateur de Project Server 2007.

Dans Project Professional, choisir le menu *Outils > Options d'entreprise > Comptes Microsoft Office Project Server...*

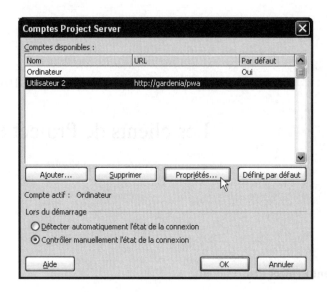

Figure 3.1. *Liste des comptes Project Server*

A la première ouverture, seul le compte *Ordinateur* est disponible. Il correspond au fonctionnement en mode monoposte, et ne peut être ni supprimé ni modifié. En cliquant sur le bouton *Ajouter*, la fenêtre de propriétés permet de créer un nouveau compte. La modification d'un compte existant se fera en sélectionnant le compte et en cliquant sur le bouton *Propriétés* (sauf pour le compte correspondant à la connexion active).

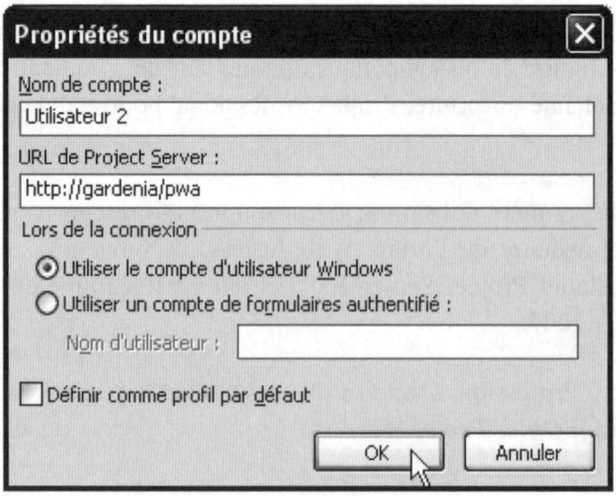

Figure 3.2. *Propriétés d'un compte*

Il convient de donner un nom au compte (librement choisi), puis d'indiquer l'URL de Project Server. Par défaut : http://nom_du_poste_serveur/pwa[1], ou http://nom_du_poste_serveur :numéro_de_port/pwa si vous avez choisi un autre port que le port 80 lors de la configuration du serveur.

En cas de difficulté de connexion (ou plus tard de refus d'ouverture d'un projet stocké sur Project Server 2007), vérifiez l'anti-virus du poste client, au besoin désactivez-le. Notamment, Project Professional 2007 est incompatible avec l'anti-virus Norton de Symantec (dans ce cas, il faut désactiver l'analyse des documents Microsoft Office dans les options de Norton). Il semble en être de même avec Bit Defender. Vérifiez aussi l'éventuel pare-feu (voir celui de Windows), et testez en le désactivant.

Avec le choix *Utiliser le compte d'utilisateur Windows*, ce compte pourra se connecter à Project Server grâce au compte ayant servi à ouvrir la session Windows sur le poste client. Dans un fonctionnement en domaine, il suffira que cet utilisateur soit créé dans Project Server (soit grâce à la synchronisation avec un groupe d'Active Directory, soit manuellement) avec le choix *Authentification Windows à l'aide du compte Windows*. Dans un fonctionnement en groupe de travail, le compte devra en plus être recréé à l'identique dans les utilisateurs Windows du poste du serveur.

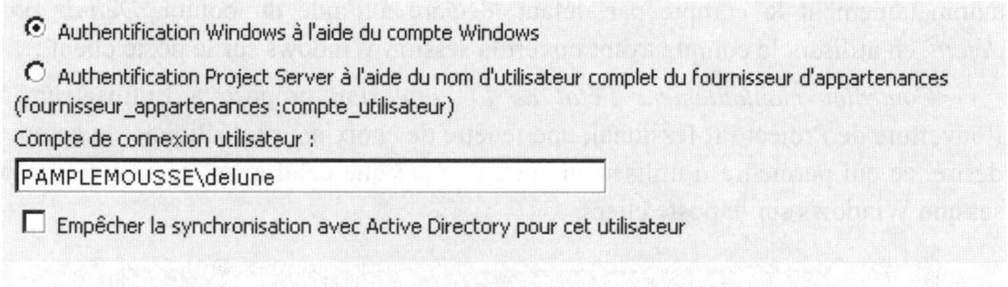

Figure 3.3. *Exemple d'une authentification Windows dans un compte utilisateur Project Server (voir le chapitre Administrer Project Server 2007)*

Avec le choix *Utiliser un compte de formulaires authentifié*, il sera possible d'utiliser la nouvelle méthode d'identification par formulaires, qui remplace les comptes d'utilisateurs propres à Project Server utilisés dans les versions précédentes. Cette méthode fait appel à un annuaire d'utilisateurs extérieur à Project Server 2007, et ne sera utilisée que s'il est nécessaire d'accueillir des utilisateurs ne

---

1. Pour mieux interpréter les copies d'écrans : en général dans ces exemples, gardenia est le nom du poste serveur et pamplemousse est le nom du domaine.

disposant pas de compte de domaine. Le nom du compte créé dans Project Server 2007 devra alors être indiqué dans le compte Project Professional 2007.

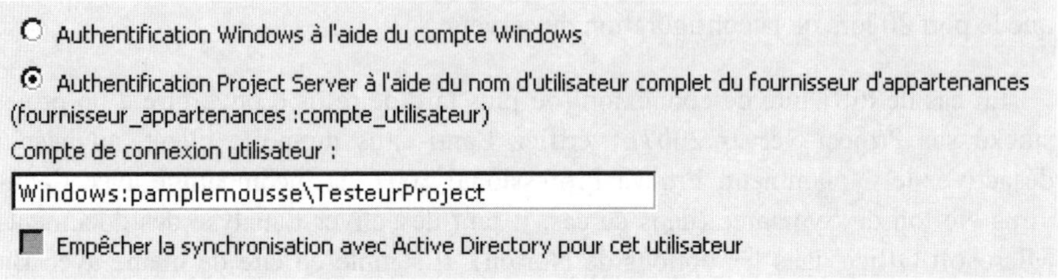

Figure 3.4. *Exemple d'une authentification par formulaire dans un compte Project Server (voir le chapitre Administrer Project Server 2007)*

En cochant l'option *Définir par défaut,* la connexion au serveur sera automatique à l'ouverture de Project Professional 2007. Cette option n'est pas recommandée si l'utilisateur souhait pouvoir se connecter à volonté sous des profils différents.

Après avoir validé la création ou modification du compte par le bouton *OK*, il reste à définir l'option *Lors du démarrage* :

– *Détecter automatiquement l'état de la connexion* permettra d'utiliser automatiquement le compte par défaut, déclaré à l'aide du bouton *Définir par défaut*, en utilisant le compte ayant ouvert la session Windows sur le poste client ;

– *Contrôler manuellement l'état de la connexion* propose à l'utilisateur, à l'ouverture de Project Professional, une fenêtre de choix pour sélectionner le compte désiré, ce qui permettra d'utiliser un autre compte que celui ayant servi à ouvrir la session Windows sur le poste client.

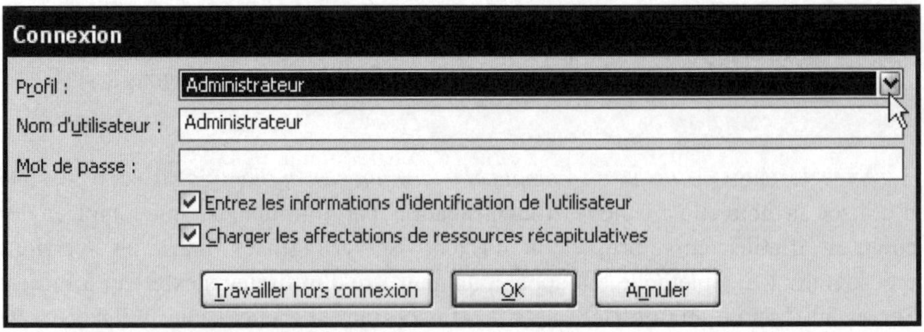

Figure 3.5. *La fenêtre de connexion à l'ouverture de Project Professional 2007 dans le cas du choix de contrôle manuel*

Avec cette dernière option, dans la fenêtre de connexion proposée au moment de l'ouverture de Project Professional 2007, après le choix d'un profil (un compte de Project Professional 2007) autre que l'ordinateur local, il faudra cocher la case *Entrez les informations d'identification de l'utilisateur* afin de pouvoir saisir le nom d'utilisateur et son mot de passe. L'options *Charger les affectations de ressources récapitulatives* permettra, lors d'une affectation, de connaître la disponibilité d'une ressource en tenant des l'ensemble des projets où elle est engagée. Option à ne décocher que dans le but d'accélérer le chargement du projet. Le bouton travailler hors connexion permet d'ouvrir Project sans se connecter, l'utilisateur pouvant ainsi commencer à travailler, par exemple créer un nouveau projet, et se connecter ultérieurement pour l'enregistrer.

3.1.2. *Le cache de projet local*

Le principe du cache de projet a été présenté plus haut au chapitre 1, dans les nouveautés de Project Server 2007. Son rôle est de servir de tampon, de *buffer*, dans la communication entre le client Project Professional 2007 et le serveur Project Server 2007, afin de la régulariser et la fiabiliser. Son fonctionnement est normalement entièrement transparent pour l'utilisateur. Il est néanmoins possible de le visualiser à partir de Project Professional par le menu *Outils > Cache de projet local*.

Le sous-menu *Paramètres du cache* permet de limiter sa taille (1 562 Mo par défaut), utile à augmenter dans le cas de transmissions aléatoires. L'emplacement du cache peut également être modifié, mais doit toujours rester sur un disque local, afin d'être en permanence accessible, sans dépendre de l'état du réseau.

Le sous-menu *Nettoyer le cache* permet de connaître son taux d'occupation et de purger sa file d'attente, par exemple en cas d'erreurs. Option à manier avec précaution, et ne pas oublier qu'en cas de coupure de communication le cache se reconnectera de lui-même au serveur à la prochaine connexion ou à la réouverture du poste de l'utilisateur, même si Project Professional est fermé, et sans perte d'information. Il convient aussi, dans la liste déroulante du filtre, de choisir si nécessaire l'option *Projets extraits pour vous* afin de sélectionner le projet et de le supprimer de la file d'attente (ce choix risquant de vous faire perdre toutes vos modifications).

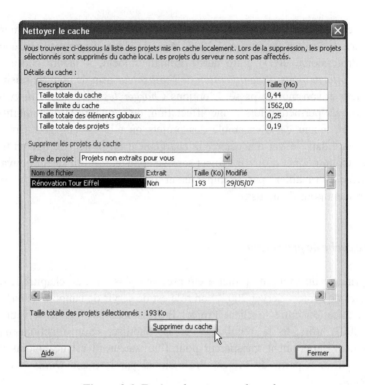

Figure 3.6. *Fenêtre de nettoyage du cache*

Ce nettoyage du cache peut conduire à garder le projet extrait du côté du serveur, et le rendre ainsi inaccessible. L'administrateur devra alors, à partir de Project Web Access, se rendre dans *Paramètres su serveur > Administration de base de données > Forcer l'archivage des objets d'entreprise* pour débloquer la situation (voir plus loin le chapitre Administrer Project Server).

Le sous-menu *Afficher l'état* permet de visualiser la file d'attente[2] du cache, l'état des différents travaux (en cours, réussi, échec...) et son deuxième onglet permet de consulter le journal des erreurs.

De plus, dans la barre d'état en bas de la fenêtre de Project Professional, un message informatif, avec l'indication des temps d'attente, apparaît lors de chaque nouvelle transaction du cache. Une icône nous indique si l'on est bien connecté au serveur, ou hors connexion en cas de défaillance du réseau. Un clic sur cette icône permet :

---

2. Pour une bonne compréhension de certains messages : en anglais *check-in* se traduit par archivé en français, et *check-out* par extrait.

– de se déconnecter pour travailler hors connexion ;
– d'afficher l'état du cache actif.

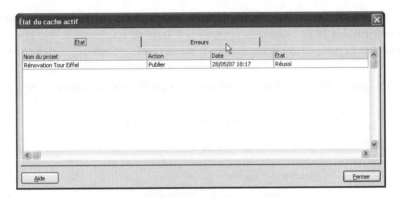

Figure 3.7. *Consulter l'état du cache*

Figure 3.8. *Le cache dans la barre d'état de Project Professional*

Le menu *Fichier* > *Travailler hors connexion* permet aussi d'interrompre la connexion avec le serveur, le projet restant extrait et indisponible pour les autres utilisateurs. Un nouveau clic sur le menu (ou sur l'icône de la barre d'état) permet de rétablir la connexion.

3.1.3. *Le menu Options d'entreprise*

Accessible par le menu *Outils* > *Options d'entreprise*, nous avons déjà vu les créations des comptes. Il permet aussi d'ouvrir et modifier l'entreprise globale ou le pool de ressources du serveur. Il dispose de deux assistants d'importation de projet ou de ressources vers le serveur. Ces options sont détaillées plus loin, dans la deuxième partie, gérer les projets d'entreprise.

3.1.4. *Le menu Collaborer*

Dans Project Professional 2007, le menu *Collaborer* regroupe un ensemble de fonctions qui permettent de visualiser une page Project Web Access à l'intérieur de

Project Professional. L'utilisateur pourra ainsi, sans quitter Project Professional, gérer directement des fonctions de Project Server.

En cas de difficulté à se connecter à Project Web Access (message demandant d'ajouter PWA à la liste des sites approuvés d'Internet Explorer), il sera plus facile de décocher l'option correspondante dans le menu *Outils > Options...*, onglet *Sécurité*.

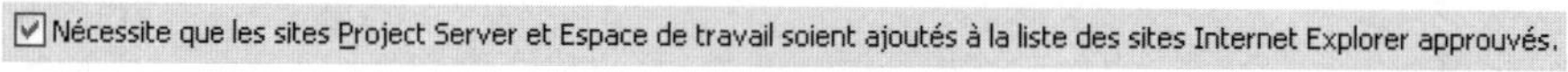

☑ Nécessite que les sites Project Server et Espace de travail soient ajoutés à la liste des sites Internet Explorer approuvés.

Figure 3.9. *Option de sécurité pour les sites Project Server*

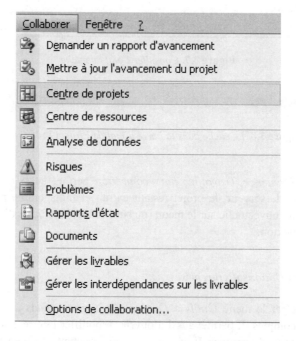

Figure 3.10. *Le menu Collaborer permet d'accéder aux affichages Project Web Access*

3.1.4.1. *Avancement du projet*

Avec *Demander un rapport d'avancement*, le chef de projet peut générer un mail (dont le texte standard peut être modifié) destiné à l'ensemble des ressources, et leur demandant de mettre à jour leurs tâches. En lançant cette fonction, une demande d'enregistrement et/ou de publication peut apparaître, il faudra bien sûr l'accepter.

L'envoi peut être restreint aux éléments (tâches ou ressources) préalablement sélectionnés dans cette fenêtre d'avancement. Un message, dont le texte est modifiable, est envoyé aux ressources concernées. Attention, ne pas oublier de paramétrer correctement le *serveur SMTP* dans Project Web Access (voir *Alertes et rappels* dans le chapitre *Administrer Project Server*), sinon les mails ne partiront jamais…

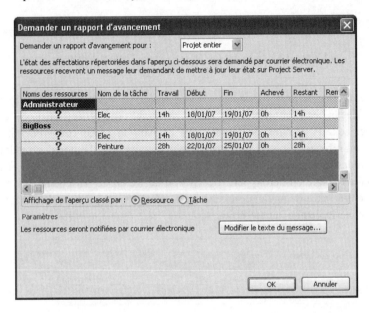

Figure 3.11. *La fenêtre Demander un rapport d'avancement*

Après confirmation par *OK*, une icône apparaît dans la colonne des *Indicateurs*, et ne disparaîtra qu'après validation de la mise à jour de la tâche par la ressource.

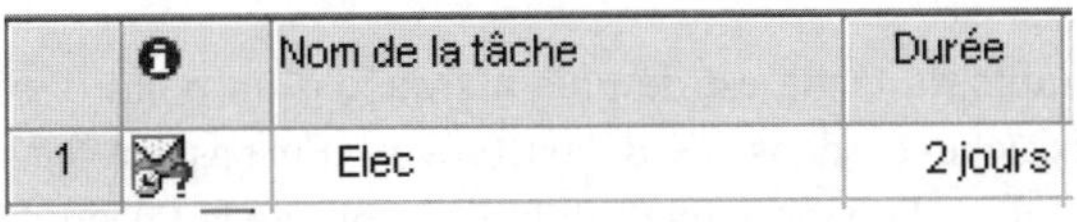

	❶	Nom de la tâche	Durée
1	✉?	Elec	2 jours

Figure 3.12. *L'indicateur de demande d'avancement*

De même, la ressource est informée de la demande par l'icône d'un point d'interrogation apparaissant dans sa liste des tâches vue depuis Project Web Access. Il lui faudra alors procéder aux mises à jour nécessaires, notamment de suivi. Ces mises à jour seront transmises au chef de projet en cochant la case à gauche de la tâche concernée, puis en cliquant le bouton *Soumettre la sélection*. Tant que la modification n'est pas soumise, un point d'exclamation rouge à côté du nom de la tâche rappelle l'oubli de cette soumission (notez que sa mise à jour peut être tardive).

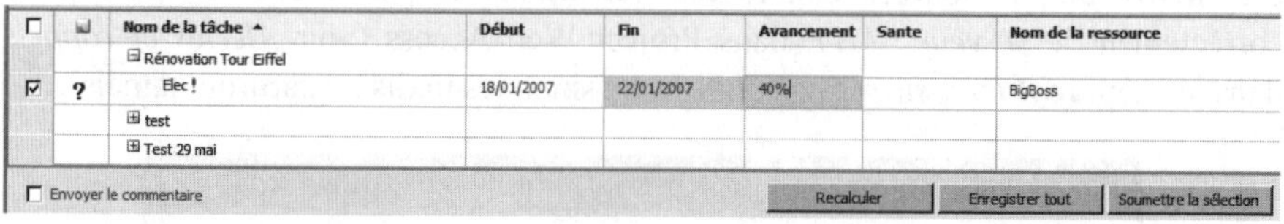

	⊞	Nom de la tâche ▲	Début	Fin	Avancement	Sante	Nom de la ressource
		⊞ Rénovation Tour Eiffel					
☑	?	Elec !	18/01/2007	22/01/2007	40%		BigBoss
		⊞ test					
		⊞ Test 29 mai					
☐ Envoyer le commentaire					Recalculer	Enregistrer tout	Soumettre la sélection

Figure 3.13. *Liste des tâches vue depuis Project Web Access*

Avec *Mettre à jour l'avancement du projet*, le responsable de projet peut consulter les mises à jour proposées par les ressources (en général saisie de temps de travail grâce aux feuilles de temps). En cochant la tâche concernée, il pourra accepter ou refuser la mise à jour proposée grâce aux deux boutons correspondants. Un détail des mises à jour peut être consulté en cliquant sur le nom de la tâche, qui se présente comme un lien hypertexte. Si l'on désire quitter la fenêtre sans accepter ou refuser, la barre de navigation verticale à gauche n'est plus active, il faut fermer la fenêtre par le lien en haut à droite.

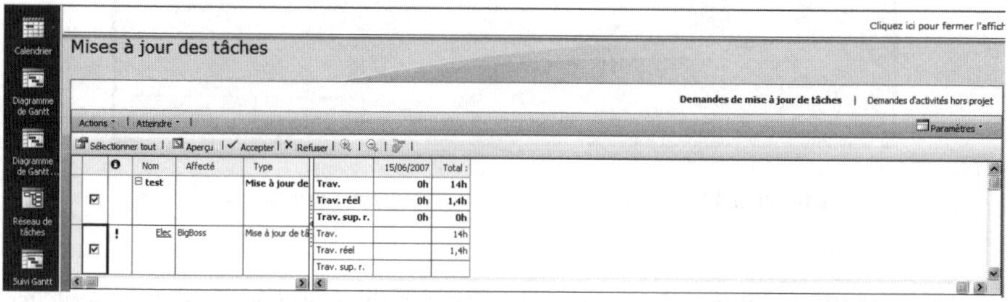

Figure 3.14. *Mises à jour des tâches depuis Project Professional*

Dans cet exemple, la tâche est de plus marquée d'un point d'exclamation rouge car elle n'est pas achevée dans les délais prévus. En passant sans cliquer avec la souris sur le point d'exclamation, une infobulle explique la raison de cette alerte.

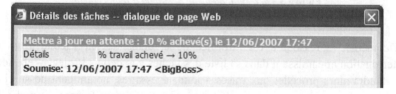

Figure 3.15. *Le détail d'une mise à jour*

Une fenêtre de confirmation demandera de valider l'acceptation, avec possibilité de saisie d'un message. Il sera ensuite nécessaire d'enregistrer définitivement les modifications dans le projet publié en demandant d'appliquer les mises à jour au plan. Cette opération peut être longue. Une fenêtre demandera d'enregistrer et fermer le projet, qui sera ensuite automatiquement rouvert.

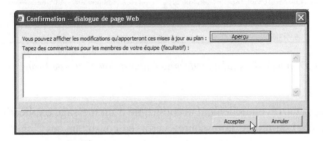

Figure 3.16. *Confirmation d'une mise à jour*

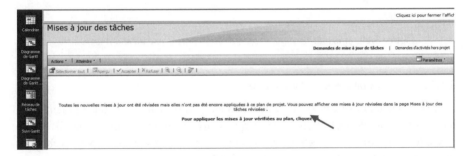

Figure 3.17. *Application définitive des mises à jour*

Figure 3.18. *Enregistrement et fermeture du projet*

Si des mises à jour sont disponibles au moment de l'ouverture du projet dans Project Professional 2007, alors une fenêtre proposera, avant l'affichage du projet, de vérifier immédiatement les mises à jour. L'option *Oui* ouvrira directement la fenêtre

Mettre à jour l'avancement du projet. L'option *Non* permettra de continuer l'ouverture normale du projet, et le responsable devra utiliser plus tard le menu *Collaborer*.

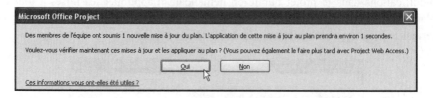

Figure 3.19. *Demande de validation de mise à jour à l'ouverture de Project Professional*

En cas de refus (éventuellement accompagné d'un message explicatif) de la mise à jour par le chef de projet, la ressource verra, en consultant ses tâches dans Project Web Access, une croix rouge devant le nom de la tâche l'informant de ce refus.

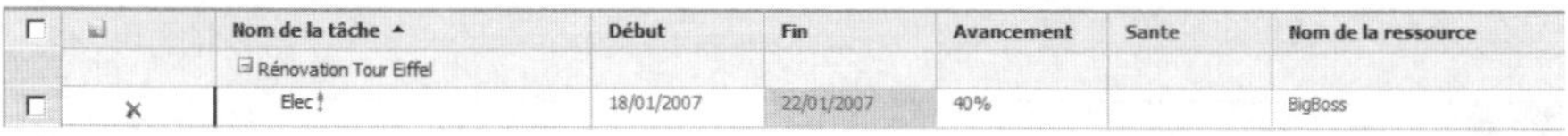

		Nom de la tâche ▲	Début	Fin	Avancement	Sante	Nom de la ressource
☐		⊟ Rénovation Tour Eiffel					
☐	✗	Elec !	18/01/2007	22/01/2007	40%		BigBoss

Figure 3.20. *Information dans Project Web Access d'une mise à jour refusée*

3.1.4.2. *Fenêtres de Project Web Access*

Les commandes suivantes du menu Collaborer correspondent en fait à l'identique à des fenêtres de Project Web Access, que nous examinerons plus loin. Il est ici possible de les afficher directement, toujours dans leur apparence de page web, mais intégrées au cadre de Project Professional 2007 :

– le *Centre de projets* ;

– le *Centre de ressources* ;

– l'*Analyseur de données* basé sur les cubes OLAP (qui, à la première utilisation, proposera un lien pour télécharger le composant *Office Web Components 2003*) ;

– les *Rapports d'état*.

3.1.4.3. *Fenêtres de l'espace de travail du projet*

Ces autres commandes correspondent elles aussi à l'identique à des fenêtres disponibles dans l'espace de travail SharePoint de chaque projet (accessible depuis la fenêtre d'accueil de Project Web Access) :

– les *Risques* ;

– les *Problèmes* ;

– les *Documents* (ceux du projet).

3.1.4.4. *Gestion des livrables*

Un *livrable* est un résultat, mesurable et vérifiable, résultant de l'achèvement d'une partie du projet ou de l'ensemble du projet. C'est souvent un jalon, une tâche de durée nulle, dont l'accomplissement est indispensable à la poursuite du projet (ou à sa clôture définitive). Project Server 2007 permet de gérer des livrables dans une liste annexe, indépendante des tâches du projet, à partir de l'espace de travail du projet dans Project Web Access. Un livrable est toujours rattaché à un projet, et éventuellement à une tâche de ce projet. Un projet peut se voir rattacher un livrable d'un autre projet.

Cette liste des livrables est aussi accessible depuis Project Professional 2007, par le menu *Collaborer > Gérer les livrables*. Une fenêtre verticale s'ouvre alors sur la gauche de l'affichage en cours du projet.

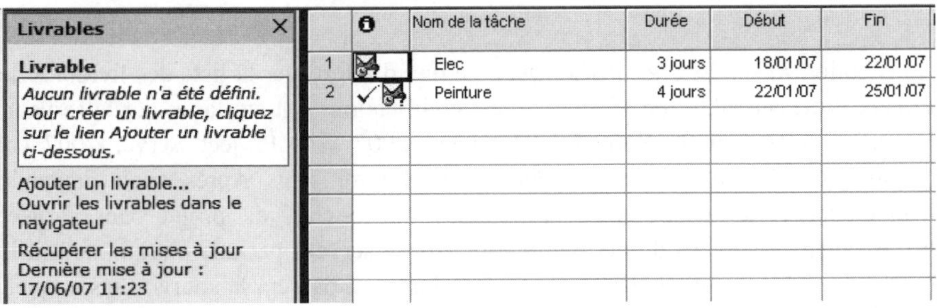

Livrables ✕		❶	Nom de la tâche	Durée	Début	Fin	
Livrable	1		Elec	3 jours	18/01/07	22/01/07	
Aucun livrable n'a été défini. Pour créer un livrable, cliquez sur le lien Ajouter un livrable ci-dessous.	2	✓	Peinture	4 jours	22/01/07	25/01/07	
Ajouter un livrable... Ouvrir les livrables dans le navigateur							
Récupérer les mises à jour Dernière mise à jour : 17/06/07 11:23							

Figure 3.21. *Gestion des livrables dans Project Professional 2007*

Le lien *Ajouter un livrable* permet de créer un nouveau livrable, qui sera aussitôt disponible dans l'espace de travail du projet accessible depuis Project Web Access. Le livrable doit avoir un nom, une date de début, une date de fin. Ces deux dates seront souvent identiques, et dans ce cas le livrable sera représenté graphiquement (dans l'espace de travail du projet, et pas dans Project Professional 2007) par le losange habituel des jalons. En option, le livrable peut être rattaché à la tâche actuellement sélectionnée, et apparaîtra dans le diagramme de Gantt sous forme d'un trait rouge superposé à la tâche concernée.

Après validation de la saisie par le lien *Terminé*, de retour dans la liste des livrables, le lien *Ouvrir les livrables dans le navigateur* permet d'ouvrir Internet Explorer et de consulter la fenêtre des livrables dans Project Web Access.

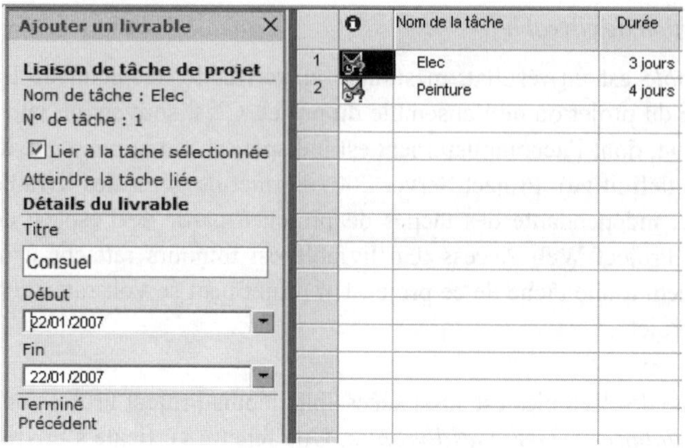

Figure 3.22. *Création d'un livrable*

L'option *Récupérer les mises à jour* permet d'interroger la liste des livrables de Project Professional, et de vérifier si des modifications ont été faites sur le serveur. En effet, si le lien de Project Professional 2007 vers Project Server 2007 est dynamique, il n'en va pas de même dans l'autre sens. Après avoir demandé manuellement de récupérer les mises à jour, le chef de projet dans Project Professional sera averti d'une modification sur le serveur par une marque devant le nom du livrable, et une bulle d'information lorsqu'il passera la souris, sans cliquer, sur le nom du livrable. S'il le désire, il devra alors faire un double clic ou un clic droit sur le nom du livrable, et choisir l'option *Accepter les modifications du serveur*.

Figure 3.23. *Information sur un livrable modifié*

Ces mêmes clics permettent aussi de modifier ou supprimer le livrable. La mise à jour sera automatique et immédiate sur le serveur. C'est donc le client (Project Professional) qui la priorité sur le serveur (Project Server), et l'autorité de gestion sur les livrables.

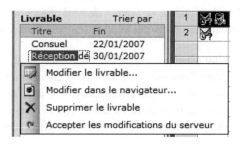

Figure 3.24. *Le menu du livrable*

Toujours dans le menu Collaborer de Project Professional 2007, le sous-menu *Gérer les interdépendances sur les livrables* permet de rattacher un livrable d'un autre projet au projet en cours, toujours avec l'option possible de le lier à une tâche spécifique.

3.1.4.5. *Options de collaboration*

Il s'agit en fait d'un raccourci du menu *Outils > Options*, onglet *Collaborer*. Les *Options de collaboration* rappellent les caractéristiques de la connexion et permettent d'autoriser ou non les ressources à réaffecter des tâches depuis Project Web Access.

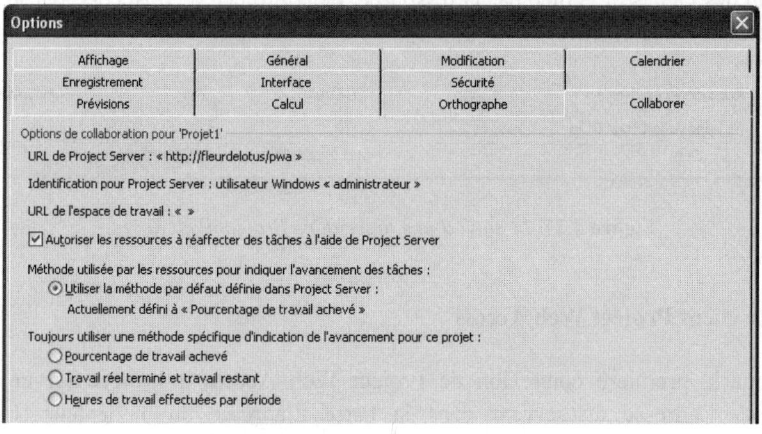

Figure 3.25. *Les options de collaboration de Project Professional 2007*

Les options suivantes permettent de modifier la méthode d'avancement des tâches utilisée par les ressources :

– soit conserver la méthode par défaut définie dans les options de Project Server ;

– soit choisir une des trois méthodes possibles : pourcentage travail achevé (*x %* *de la tâche*), travail réel et restant (*x heures de réel et facultativement y heures de restant*), heures de travail effectuées par période (*comme dans une feuille de temps*).

La méthode par défaut est sélectionnée par l'administrateur, au niveau de Project Server 2007, dans le menu *Paramètres du serveur > Gestion du temps et des tâches > Paramètres et affichage des tâches*. L'administrateur peut aussi choisir de forcer les responsables de projet à utiliser la méthode par défaut, et dans ce cas, dans Project Professional 2007, les options de choix ne sont plus accessibles.

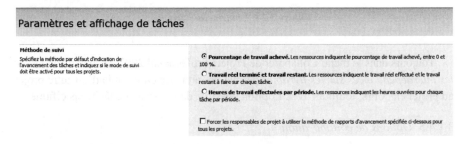

Figure 3.26. *Paramétrage de la méthode de suivi dans Project Server 2007*

Ces méthodes de suivi s'appliquent non pas aux feuilles de temps, mais à la gestion des tâches effectuée par la ressource, dans Project Web Access, par le menu *Mon travail > Mes tâches*.

	Nom de la tâche ▲	Début	Fin	Avancement
	⊟ Rénovation Tour Eiffel			
	Elec	18/01/2007	22/01/2007	10%

Figure 3.27. *Le suivi d'une tâche dans Project Web Access*

3.2. Le client Project Web Access

Pour la première connexion de Project Web Access à Project Server 2007, saisissez l'adresse du serveur dans la barre d'adresse du navigateur (Internet Explorer requis). Adresse du type *http://nom_du_serveur/pwa* (selon le nom que vous avez donné à la création du site). Prenez soin d'établir cette première connexion à partir du compte utilisateur Windows utilisé pour la mise en place de Project Server 2007, celui de l'administrateur de Project Server.

A l'ouverture de la page d'accueil de Project Web Access, le chargement de contrôles ActiveX sera nécessaire. Il vous faudra sans doute les autoriser, un message apparaissant dans un bandeau au-dessus de la page web.

3.2.1. *Project Web Access pour l'administrateur*

L'administrateur de Project Server 2007 pourra l'utiliser pour gérer les paramètres du serveur, consulter l'ensemble des projets, gérer l'entreprise globale ou le pool de ressources. Ainsi, une fois connecté à Project Web Access, vous pourrez créer de nouveaux comptes utilisateurs, ou demander une synchronisation avec Active Directory. Ces fonctionnalités sont décrites au chapitre suivant.

3.2.2. *Project Web Access pour le dirigeant d'entreprise*

Il s'agit essentiellement d'un rôle de consultation, avec une vue sur l'ensemble des projets de l'entreprise ou du centre des ressources, sans droits de création ou de modifications. Il aura par contre un plein accès à l'analyseur de données pour obtenir rapports et états statistiques.

3.2.3. *Project Web Access pour le responsable de projet*

Il pourra y consulter les projets dont il est propriétaire, suivre les éléments en attente de son approbation, consulter le centre de ressources, créer des rapports avec l'analyseur de données. Ces fonctionnalités sont décrites dans la deuxième partie.

3.2.4. *Project Web Access pour les ressources*

Les ressources pourront y consulter leurs listes de tâches, vérifier leurs nouvelles affectations, remplir leurs feuilles de temps, mettre à jour leurs tâches, consulter les rapports d'état en cours et visualiser la liste des projets dans lesquels elles sont impliquées. Ces fonctionnalités sont de même décrites plus loin.

3.3. Les autres moyens d'accès

3.3.1. *Windows SharePoint Services*

Windows SharePoint Services (fourni avec Project Server 2007, ou bien sûr Office SharePoint Server 2007, le produit complet) est indispensable pour héberger

Project Server 2007 et présenter le site Project Web Access. Il servira aussi à héberger les espaces de travail de projets, contenant notamment les documents associés à chaque projet, les listes (problèmes, risques…), les discussions d'équipe.

Ces fonctionnalités seront abordées dans la troisième partie.

3.3.2. Programmation et applications tierces

Nous avons vu dans la vue d'ensemble que l'interface PSI (Project Server Interface) permet au programmeur de développer des applications personnalisées. Ces aspects ne seront pas développés ici.

De même, des applications tierces (système de gestion, ERP, CRM, etc.) ont capacité à se connecter à Project Server 2007, et à exploiter les données contenues dans le centre de projets.

CHAPITRE 4

Accès et sécurité de Project Server

L'administration de Project Server s'effectue à partir de l'interface de Project Web Access. Elle est réservée au compte administrateur de Project Server, qui a été déclaré dans l'étape finale d'installation. Seul ce compte aura accès, dans Project Web Access, à l'ensemble des fonctionnalités du menu *Paramètres du serveur* sur la fenêtre d'accueil, sauf à créer un autre compte avec les privilèges d'administrateur. Le bouton *Actions du site* est lui aussi réservé aux administrateurs, alors que le menu *Bienvenue...* (suivi du nom de l'utilisateur) reste à la disposition de chaque utilisateur. Le bouton *Accueil* (en haut à gauche) permet de revenir à tout moment à l'accueil de Project Web Access.

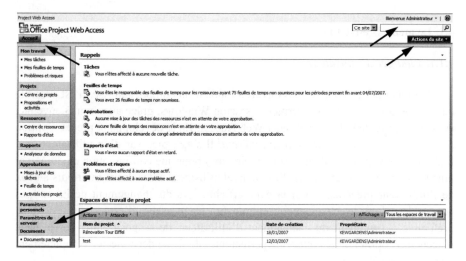

Figure 4.1. *L'administration de Project Server 2007*

Dans ce chapitre, nous examinerons les fonctionnalités relatives aux droits d'accès et à la gestion de la sécurité de Project Server 2007 :

– le menu *Bienvenue* (suivi du nom de l'utilisateur en cours), en haut à droite de la fenêtre Project Web Access, permettant de changer d'utilisateur ;

– la section *Sécurité*, dans la page *Paramètres du serveur*, pour gérer les utilisateurs et les droits d'accès.

Les autres sections de la page Paramètres du serveur seront examinées au chapitre suivant, *Administrer Project Server*.

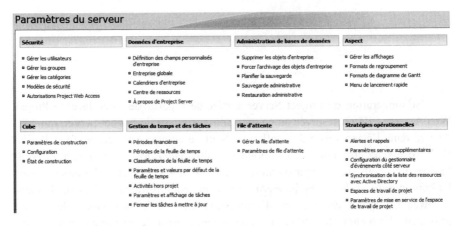

Figure 4.2. *Les paramètres de Project Server 2007*

4.1. Le menu Bienvenue

4.1.1. *Changer d'utilisateur*

Une fois Project Web Access ouvert à l'aide d'un compte autorisé, il est possible de changer d'utilisateur sans fermer la session Windows, grâce au menu Bienvenue, en haut à droite de la fenêtre Project Web Access. En le développant, prenez l'option *Se connecter en tant qu'utilisateur différent*. Il s'agit bien sûr d'un utilisateur créé d'abord dans Windows (dans l'Active Directory pour une configuration en domaine) puis validé dans Project Server. Si le nouvel utilisateur a des droits inférieurs à ceux de l'utilisateur précédent, et si la page affichée lors du changement ne lui est pas accessible, alors le changement entraînera un message d'erreur : il est donc préférable, au moment du changement d'utilisateur, de se positionner sur la page d'accueil. L'option *Se déconnecter* permettant elle de se déconnecter complètement du site Project Web Access.

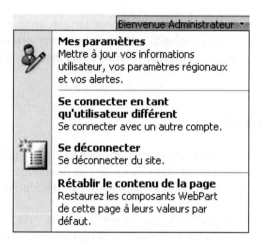

Figure 4.3. *Le menu Bienvenue*

4.1.2. *Personnaliser son compte*

Le choix *Mes paramètres* permet de mettre à jour des informations personnalisées :

– le compte peut être complété (*Modifier l'élément*) d'une adresse de messagerie, d'un texte de présentation, d'une photo ;

– *Mes paramètres régionaux* permettent de déroger aux paramètres régionaux standard (tri, heure, type de calendrier ou de semaine…) définis dans les Actions du site. Il suffit de décocher la case *Toujours respecter* les paramètres web pour avoir accès aux options personnalisées ;

– *Mes alertes* permettent de créer des alertes personnalisées, notamment en cas de modifications ou ajout sur des documents partagés des espaces de travail de projet.

4.1.3. *Personnaliser cette page*

Les pages de Project Web Access sont constituées de composants externes, des briques élémentaires, les WebParts. Par exemple, dans une page du menu *Rapports* > *Analyseur de données*, vous visualisez un graphique ou un tableau d'analyse croisée : ces éléments sont empruntés à Excel, *via* un composant WebPart.

Chaque utilisateur peut modifier à volonté l'apparence de chaque page Project Web Access, modifications qui lui restent propres, sauvegardée dans une version personnelle de la page. Cette fonction propose d'ajouter les composants, choisis dans une bibliothèque de référence, et ce pour chaque de la page, structurée en forme de tableau. A ne pas confondre avec, sur le bouton *Action du site*, l'option *Modifier la page* : c'est bien la même fonctionnalité, mais qui s'appliquera à tous les utilisateurs.

4.2. La section Sécurité

Accessible depuis le menu *Paramètres du serveur*, c'est sans doute le point le plus important, et le plus délicat, dans les opérations de configuration du serveur. Il s'agit de définir les droits d'accès et les permissions attribués à chaque utilisateur.

Les autorisations Project Web Access permettent de définir des autorisations globales, s'imposant à tous les utilisateurs, lors de l'utilisation du site web Project Web Access. Ensuite, seront créés les comptes des utilisateurs (en reprenant éventuellement les comptes de l'Active Directory de Windows), chaque utilisateur pouvant être rattaché à un ou plusieurs groupes. Il sera en effet plus facile de gérer collectivement le groupe, plutôt que d'agir individuellement au niveau utilisateur (ce qui reste toujours possible).

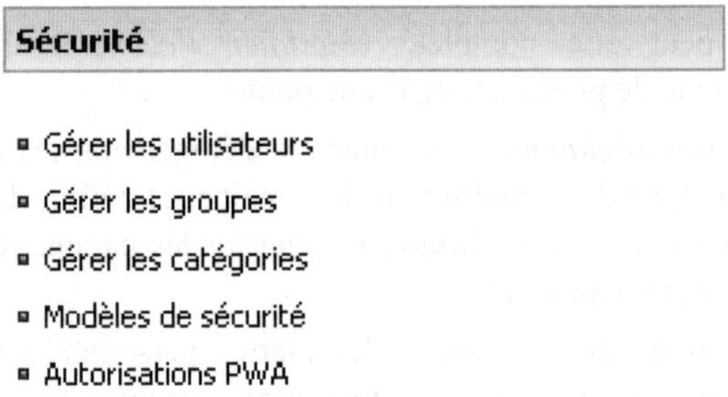

Sécurité

- Gérer les utilisateurs
- Gérer les groupes
- Gérer les catégories
- Modèles de sécurité
- Autorisations PWA

Figure 4.4. *La section Sécurité*

Le groupe permet de définir des autorisations d'accès à des fonctionnalités, et correspond en général à un rôle bien défini dans la structure hiérarchique des différents intervenants. Par exemple, il y aura un groupe pour les responsables de projets (qui peuvent créer un nouveau projet), et un groupe pour les membres de l'équipe (qui ne peuvent pas créer de nouveaux projets).

L'utilisateur ou le groupe se verront ensuite attribués à une ou plusieurs catégories. Les catégories permettent de définir des permissions d'accès aux données. Par exemple, le groupe responsable de projets donne le droit d'afficher le

Centre de projets (c'est la fonctionnalité). Ce groupe appartient à la catégorie Mes projets, seuls les projets créés par cet utilisateur seront affichés, et pas les autres (c'est l'accès aux données).

Les modèles permettent de disposer d'une bibliothèque de schémas types d'autorisations. Ensuite, un groupe ou catégorie pourra se construire en appelant un modèle lui servant de base de départ.

Le système de sécurité de Project Server est une matrice qui permet d'attribuer un utilisateur à plusieurs groupes, et chaque groupe peut être rattaché à plusieurs catégories. Ainsi, l'administrateur dispose d'un maximum de flexibilité pour construire un modèle de sécurité parfaitement adapté sur mesure à chaque entreprise. Bien entendu, les schémas d'autorisations proposés par défaut sont parfaitement opérationnels, correspondent à une organisation type de base, et seront utilisés en l'état pour une phase de test ou une première mise en route.

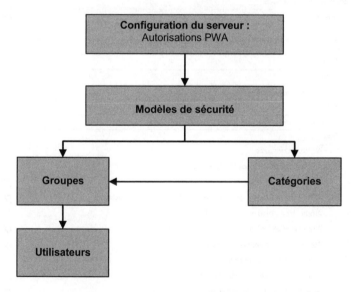

Figure 4.5. *Diagramme du modèle de sécurité de Project Server*

4.2.1. *Autorisations Project Web Access*

En amont du modèle de sécurité, on trouve les Autorisations PWA. Gérées depuis Project Web Access, elles déterminent les autorisations globales, générales, sur Project Server, donc pour tous les utilisateurs de Project Web Access et de

Project Professional. Les choix faits ici s'appliqueront à tous les comptes utilisateurs, en appliquant les règles suivantes :

– si une fonctionnalité est autorisée par les *Autorisations Project Web Access*, il faudra aussi que cette fonctionnalité soit autorisée par les autorisations personnalisées de l'utilisateur, de son groupe ou de sa catégorie ;

– si une fonctionnalité n'est pas autorisée par les *Autorisations Project Web Access*, alors personne ne pourra utiliser cette fonctionnalité, quels que soient les réglages personnels de l'utilisateur.

Par défaut, l'ensemble des fonctionnalités, classées par grandes catégories, sont activées. Dans l'exemple ci-dessous, l'autorisation *Nouvelle ressource* a été désactivée : personne ne pourra créer de nouvelle ressource. Il s'agit donc d'une décision d'entreprise, s'imposant à l'ensemble des utilisateurs.

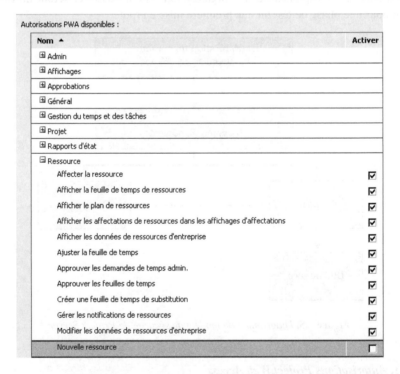

Figure 4.6. *Les autorisations globales sur Project Server*

Les choix ayant été faits, il faut les valider en cliquant sur le bouton *Enregistrer*. Seul l'administrateur, en revenant sur cette page, pourra réactiver la fonctionnalité.

4.2.2. Modèles de sécurité

Les modèles ne font pas partie de façon active du système de sécurité de Project Server, mais servent de bibliothèques préprogrammées. A la création d'une nouvelle catégorie, ou d'un nouveau groupe, l'administrateur choisira un modèle qui servira de base de départ pour la construction des autorisations de cette catégorie ou de ce groupe. Les utilisateurs peuvent aussi être rattachés directement à un modèle, bien que cette pratique ne soit pas conseillée (il est préférable de respecter la hiérarchie *Modèle > Groupe > Utilisateur*). Le modèle est recopié dans la catégorie ou le groupe, il n'y a donc pas de lien dynamique : un changement ultérieur dans le modèle ne modifiera pas les catégories ou groupes utilisant ce modèle.

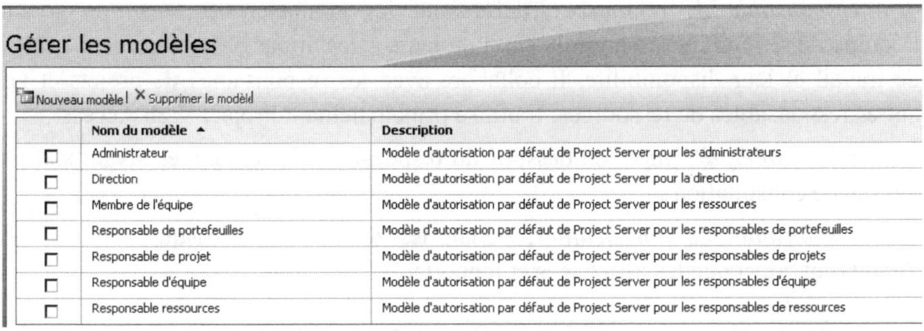

Gérer les modèles

Nouveau modèle ! × Supprimer le modèle

	Nom du modèle ▲	Description
☐	Administrateur	Modèle d'autorisation par défaut de Project Server pour les administrateurs
☐	Direction	Modèle d'autorisation par défaut de Project Server pour la direction
☐	Membre de l'équipe	Modèle d'autorisation par défaut de Project Server pour les ressources
☐	Responsable de portefeuilles	Modèle d'autorisation par défaut de Project Server pour les responsables de portefeuilles
☐	Responsable de projet	Modèle d'autorisation par défaut de Project Server pour les responsables de projets
☐	Responsable d'équipe	Modèle d'autorisation par défaut de Project Server pour les responsables d'équipe
☐	Responsable ressources	Modèle d'autorisation par défaut de Project Server pour les responsables de ressources

Figure 4.7. *Les modèles de sécurité*

Avant de commencer le paramétrage de la sécurité de Project Server, il est nécessaire de définir les différents rôles joués par les utilisateurs. Chacun de ces rôles se concrétisera par la mise au point d'un modèle, puis d'un groupe utilisant ce modèle. Par défaut, Project Server comporte 7 rôles et 7 modèles (un de ces modèles est utilisé dans deux groupes, il y a donc 8 groupes par défaut). Les rôles essentiels et indispensables étant les suivants :

– *administrateur*, ayant tous les pouvoirs, chargés de déployer et gérer Project Server, ainsi que les applications tierces. L'administrateur est responsable des accès au serveur et à la base de données. Les outils d'administration lui sont fournis par Project Web Access, ainsi que par Windows Server et les interfaces de SQL Server ;

– *direction*, consultant tous les projets, et ayant accès au reporting à partir de Project Web Access ;

– *responsable de projet*, pouvant créer et modifier des projets, mais ne pouvant consulter et travailler que les projets qu'il a lui-même créé. Il détermine la chronologie générale du projet, assigne les ressources aux tâches, assure le suivi en validant les mises à jour des équipiers, et construit les rapports. Il travaille principalement avec Project Professional ;

– *membre de l'équipe*, ou équipier, pouvant consulter les tâches et remplir les feuilles de temps des projets auxquels il participe en tant que ressource. Il peut déléguer et ajouter des tâches, soumettre et répondre à des problèmes ou risques en lien avec leurs projets, soumettre des rapports d'état, communiquer avec d'autres équipiers et échanger des documents. Il utilise Project Web Access, ainsi qu'Outlook (e-mails, notifications, calendrier).

Dans des structures plus importantes en nombre d'intervenants, des rôles supplémentaires seront nécessaires :

– *responsable de ressources*, définissant les compétences, créant et gérant l'équipe de ressources, assurant le suivi de leurs affectations, contrôlant leur charge de travail et leur disponibilité. Il collabore avec les responsables de projets et les autres responsables de ressources. Il utilise principalement Project Web Access ;

– *responsable d'équipe*, en dessous du responsable de ressources, ayant surtout un rôle de consultation ;

– *responsable de portefeuilles*, gérant les documents et risques sur le site SharePoint, ainsi que les affichages et rapports.

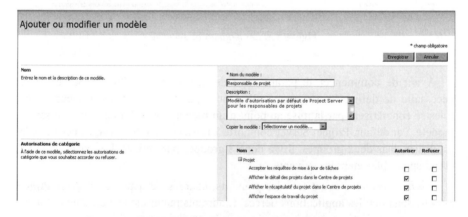

Figure 4.8. *Ajouter ou modifier un modèle*

La liste des modèles est ouverte depuis le menu *Paramètres du serveur > Modèles de sécurité*. Un clic sur le nom d'un modèle permet d'ouvrir la fenêtre de modification du modèle, ou alors le bouton *Nouveau modèle* ouvre cette même fenêtre en mode de création. Il convient de donner un nom au modèle, qui sera souvent le même que le nom du groupe utilisant ce modèle. La description est facultative, et une liste déroulante permet, en cas de création, de recopier un modèle existant pour servir de base de départ.

La liste des autorisations se divise en deux parties : d'abord les autorisations de catégories (utilisées lors de la création ou modification de catégories), puis les autorisations globales (utilisées lors de la création ou modification de groupes).

Pour autoriser l'utilisation d'une fonctionnalité, il suffit de cocher la case de la colonne *Autoriser*. Pour empêcher l'utilisation d'une fonctionnalité, il y a deux possibilités de portée différente :

– ne rien cocher (ni *Autoriser*, ni *Refuser*) n'active pas la fonctionnalité concernée, mais cette fonctionnalité pourra être autorisée dans un autre modèle, catégorie ou groupe. La portée de l'interdiction est donc relative, car pouvant par ailleurs être contournée ;

– cocher la case de la colonne *Refuser* empêche de façon absolue l'utilisation de cette fonctionnalité, même si par ailleurs cette même fonctionnalité est autorisée.

La « table de vérité » ci-dessous résume la situation. On suppose qu'un utilisateur appartient à deux groupes différents, l'un construit sur le modèle n° 1, l'autre construit sur le modèle n° 2. Quelles seront au final les autorisations de cet utilisateur, en prenant l'exemple de trois fonctionnalités différentes ?

	Fonctionnalité A		Fonctionnalité B		Fonctionnalité C	
	A	**R**	**A**	**R**	**A**	**R**
Modèle n° 1	☑	☐	☐	☐	☑	☐
Modèle n° 2	☐	☐	☐	☐	☐	☑
Autorisation finale	Autorisée		Refusée		Refusée	

Tableau 4.1. *Table de vérité Accepter/Refuser*

Dans le cas de la fonctionnalité C, il faut bien comprendre que le fait d'avoir autorisé la fonctionnalité dans le modèle n° 1 ne suffit pas, car le refus coché dans le modèle n° 2 est prioritaire, bloquant au final la fonctionnalité. Le fait de cocher la case *Refuser* est donc à n'utiliser qu'avec précaution, et peut être à l'origine d'apparentes anomalies difficiles à diagnostiquer.

Une fois le modèle préparé, la page se referme par le bouton *Enregistrer* ; de retour dans la liste des modèles, un modèle peut se supprimer en cochant la case à gauche de son nom, puis en cliquant sur le bouton *Supprimer le modèle*.

4.2.3. *Gérer les groupes*

Comme pour l'Active Directory de Windows, les groupes permettent de définir des profils types d'utilisateurs, afin de faciliter la création de nouveaux comptes, et leur maintenance ultérieure. Même si vous avez peu d'utilisateurs, il est fortement conseillé d'utiliser les groupes, et d'éviter autant que possible les réglages personnalisés au niveau utilisateur. La liste des groupes est ouverte depuis le menu *Paramètres du serveur > Gérer les groupes*.

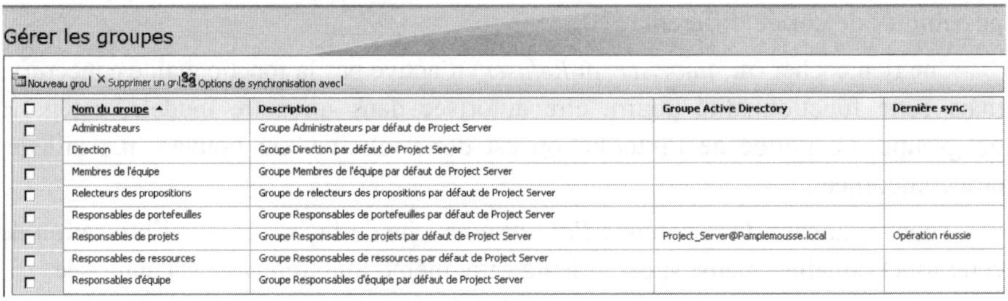
Gérer les groupes

Nouveau grou | Supprimer un gr | Options de synchronisation avec

Nom du groupe	Description	Groupe Active Directory	Dernière sync.
Administrateurs	Groupe Administrateurs par défaut de Project Server		
Direction	Groupe Direction par défaut de Project Server		
Membres de l'équipe	Groupe Membres de l'équipe par défaut de Project Server		
Relecteurs des propositions	Groupe de relecteurs des propositions par défaut de Project Server		
Responsables de portefeuilles	Groupe Responsables de portefeuilles par défaut de Project Server		
Responsables de projets	Groupe Responsables de projets par défaut de Project Server	Project_Server@Pamplemousse.local	Opération réussie
Responsables de ressources	Groupe Responsables de ressources par défaut de Project Server		
Responsables d'équipe	Groupe Responsables d'équipe par défaut de Project Server		

Figure 4.9. *La liste des groupes*

La création d'un groupe se fait par un clic sur le bouton *Nouveau groupe*, la modification en cliquant sur le nom d'un groupe. La suppression se fait en cochant la case à gauche du nom du groupe, puis en cliquant le bouton *Supprimer un groupe*. La fenêtre *Ajouter ou modifier un groupe* se divise en quatre sections, que l'on peut développer ou réduire par les signes + ou – devant le nom de la section. Après avoir paramétré le groupe dans cette fenêtre, ne pas oublier de cliquer sur le bouton *Enregistrer*.

4.2.3.1. *Informations du groupe*

Le groupe porte un nom, choisi librement. Il est d'usage de donner à un groupe le même nom que le modèle de sécurité qui a servi à sa construction. La description est facultative. Le groupe peut (c'est facultatif) être synchronisé à un groupe Active Directory (l'annuaire des utilisateurs et des groupes de Windows dans une configuration en domaine[1]). Pour cela, il faut cliquer sur le bouton *Rechercher un groupe*, et saisir le nom d'un groupe Active Directory dans la nouvelle fenêtre *Rechercher un groupe*. Un clic sur la flèche à côté de la zone *Nom* validera le nom

1. L'utilisation d'Active Directory est supposée connue, et ne fait pas partie de cet ouvrage. Pour information, dans Windows Server 2003, et sur le serveur où l'AD est installé, la gestion de l'AD se fait par le menu *Démarrer > Outils d'administration > Utilisateurs et ordinateurs Active Directory*.

du groupe en listant toutes les réponses correspondantes. Il faudra sélectionner la bonne option dans la liste avant de fermer cette fenêtre par le bouton *OK*.

Figure 4.10. *Ajout ou modification d'un groupe*

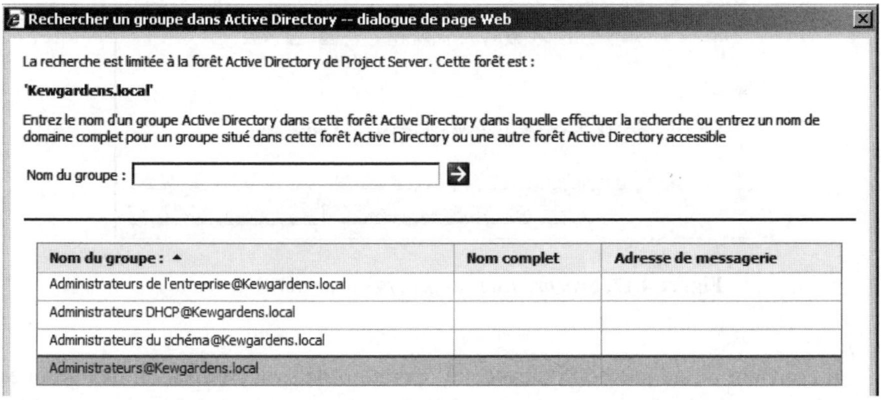

Figure 4.11. *Rechercher un groupe dans Active Directory*

Désormais, chaque fois qu'un utilisateur Windows sera, dans Active Directory, déclaré membre de ce groupe, alors il sera automatiquement créé dans les utilisateurs de Project Server et affecté au groupe Project Server concerné. De même, en cas de désactivation de l'utilisateur dans Windows, il sera désactivé dans Project Server. Il est recommandé de créer dans Active Directory des groupes similaires aux groupes Project Server (Responsable de projets, Membre de l'équipe...) afin de rendre la structure de sécurité plus lisible, et facile à maintenir.

Un ou plusieurs groupes Project Server ayant été reliés à un ou plusieurs groupes Active Directory, il convient d'activer la synchronisation. Dans la fenêtre *Gérer les groupes*, cliquez sur le bouton *Options de synchronisation* avec Active Directory, puis indiquez la fréquence de synchronisation, validez par le bouton *Enregistrer et synchroniser maintenant* pour lancer immédiatement l'opération, qui peut être longue. Il est possible de cliquer ce bouton *Enregistrer et synchroniser* maintenant sans cocher la case de planification, et sans indiquer de fréquence de mise à jour : la synchronisation sera exécutée une seule fois, et ne sera pas renouvelée automatiquement.

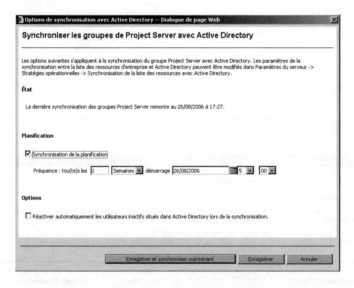

Figure 4.12. *Synchroniser les groupes avec Active Directory*

Il convient de ne pas confondre cette opération de synchronisation des groupes avec la même opération, mais réservée à la liste des ressources (voir plus loin dans la section *Stratégies opérationnelles > Synchronisation de la liste des ressources avec Active Directory*). Si l'on se contente de la synchronisation de la liste des ressources, il faudra alors manuellement adapter le choix des groupes pour chaque utilisateur. La synchronisation à partir des groupes est un plus pour automatiser l'opération, mais ne créera pas l'utilisateur en tant que ressource. Les deux synchronisations sont donc nécessaires.

Vous devez faire attention au fait que si, dans Active Directory, le groupe est supprimé du profil de l'utilisateur, alors cet utilisateur sera désactivé dans Project Server 2007 lors de la prochaine synchronisation.

4.2.3.2. *Utilisateurs*

Le bouton *Ajouter* permet de faire passer l'utilisateur sélectionné dans la liste de gauche (la liste complète des utilisateurs disponibles) vers la liste de droite (ceux qui appartiennent au groupe. Le bouton *Supprimer* permet de retirer un utilisateur du groupe.

4.2.3.3. *Catégories*

Le choix des catégories s'effectue sur le même principe : catégories disponibles à gauche, le bouton *Ajouter* permet de faire passer la catégorie sélectionnée dans la liste du groupe à droite. Dans cette liste de droite, lorsqu'une catégorie est sélectionnée (donc mise en surbrillance), la liste des autorisations attachées à cette catégorie se développe en dessous.

L'exemple ci-dessous présente le groupe *Responsable de projets*. La catégorie *Mes Projets* lui est par défaut attachée. Cette catégorie prévoit l'autorisation *Ouvrir un projet*, car la case *Autoriser* est cochée. Il s'agit ici d'autoriser ou non l'accès à une fonctionnalité gérée par la catégorie, d'une façon générale. Les règles de fonctionnement des cases *Autoriser/Refuser* sont exposées au paragraphe précédent des modèles, voir le tableau correspondant. Les autorisations sont classées en deux chapitres : autorisations de projet et autorisations de ressources. La case en face de la tête de chapitre permet de cocher en bloc l'ensemble des autorisations du chapitre.

Mais en plus la catégorie *Mes Projets* prévoit par défaut que seuls les projets ayant été créés par l'utilisateur seront autorisés : c'est le contrôle de l'accès aux données, qui ne peut être modifié qu'en accédant à l'écran de gestion des catégories. L'utilisateur aura donc bien l'accès au bouton *Ouvrir un projet*, mais il ne pourra ouvrir que les projets créés par lui, sauf modification personnalisée de la catégorie.

Cette modification est rendue possible en cliquant sur la catégorie sélectionnée, ce qui développe une liste des autorisations de la catégorie. Au bas de la liste des autorisations de catégorie, une liste déroulante permet de choisir un modèle, à valider par le bouton Appliquer. Les autorisations de catégorie, personnalisée pour le groupe, seront ainsi modifiées pour ce groupe seulement, et non enregistrée dans la catégorie elle-même.

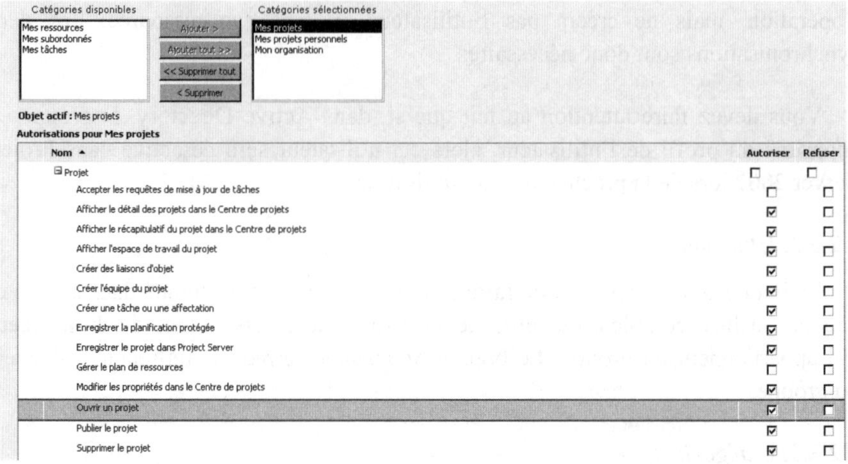

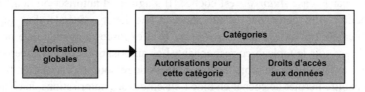

Figure 4.13. *Les autorisations liées à une catégorie, ici Mes Projets*

4.2.3.4. *Autorisations globales*

La dernière section permet de contrôler les autorisations générales, non gérées par les catégories. Le mécanisme *Autoriser/Refuser* est le même, ainsi que la possibilité d'appeler un modèle. L'interaction des autorisations globales et des catégories peut se résumer dans le schéma suivant.

Figure 4.14. *Complémentarité des autorisations globales et des catégories*

Par exemple, pour le rôle du responsable de projet, les autorisations globales prévoient l'affichage du centre de projets (et la capacité à se connecter à Project Server depuis Project Professional). Ensuite, la catégorie *Mes projets* prévoit la capacité d'ouvrir un projet (grâce aux autorisations de cette catégorie). Mais pas n'importe lesquels, uniquement ceux qui appartiennent à cet utilisateur, et pas les autres (par le contrôle des droits d'accès aux données).

En quittant cette fenêtre de gestion des groupes, il ne faut pas oublier de valider les modifications en cliquant sur le bouton *Enregistrer*.

4.2.4. *Gérer les catégories*

Les catégories gèrent les droits d'accès aux données. Pour une même fonctionnalité (par exemple, ouvrir un projet), ce sont les catégories qui permettront de ne montrer à l'utilisateur que les données qui le concernent (par exemple, les projets que l'utilisateur a créé et pas les autres). La liste des catégories est ouverte depuis le menu *Paramètres du serveur > Gérer les catégories*.

Gérer les catégories

	Nom de catégorie ▲	Description
☑	Mes projets	Catégorie Mes projets par défaut de Project Server
☐	Mes projets personnels	Catégorie par défaut Project Server Mes projets personnels
☐	Mes ressources	Catégorie Mes ressources par défaut de Project Server
☐	Mes subordonnés	Project Server adopte par défaut la catégorie Mes subordonnés
☐	Mes tâches	Catégorie Mes tâches par défaut de Project Server
☐	Mon organisation	Catégorie Mon organisation par défaut de Project Server

Figure 4.15. *Gestion des catégories*

La création d'une catégorie se fait par un clic sur le bouton *Nouvelle catégorie*, la modification en cliquant sur le nom de la catégorie concernée. La suppression se fait en cochant la case à gauche du nom de la catégorie, puis en cliquant le bouton *Supprimer les catégories*.

La fenêtre *Ajouter ou modifier une catégorie* se divise en cinq sections (après la zone *Nom et description*), que l'on peut développer ou réduire par les signes + ou – devant le nom de la section. Après avoir paramétré la catégorie dans cette fenêtre, ne pas oublier de cliquer sur le bouton *Enregistrer*.

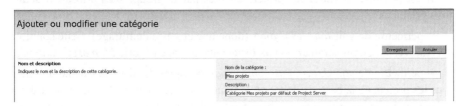

Figure 4.16. *Création ou modification d'une catégorie*

Le nom de la catégorie est librement choisi, mais l'emploi du possessif *Mes* (ou *Mon*, ou *Ma*) est le moyen mnémotechnique pour rappeler l'idée de sélection des données réservées à l'utilisateur. La description est facultative.

4.2.4.1. *Utilisateurs et groupes*

La colonne de gauche liste tous les groupes (le nom du groupe est précédé d'un astérisque) et tous les utilisateurs de Project Server. Les boutons *Ajouter* et *Supprimer* permettent de construire dans la colonne de droite la liste de ceux qui sont affectés à cette catégorie. Il est préférable de travailler avec les groupes plus qu'avec les utilisateurs, afin de simplifier le suivi et la maintenance ultérieure. Il est indifférent de faire cette opération d'affectation depuis cette fenêtre des catégories, ou depuis la fenêtre de gestion des groupes.

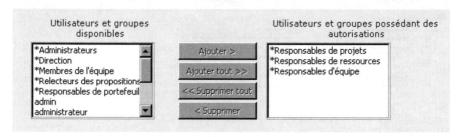

Figure 4.17. *Les utilisateurs d'une catégorie*

Comme précédemment, le clic sur un utilisateur ou groupe sélectionné permet de développer la liste de se autorisations, et de la personnaliser pour le groupe ou utilisateur concerné seulement. Il est indifférent de pratiquer cette personnalisation depuis la catégorie ou depuis le groupe.

4.2.4.2. *Projets*

Il est possible de filtrer les projets visibles par le groupe ou l'utilisateur selon trois principes :

– permettre de voir *tous les projets* (donc une absence de filtrage). Cette solution est réservée à l'administrateur ou aux dirigeants, par la catégorie *Mon organisation* ;

– permettre de voir *des projets nommément désignés*. La liste de gauche présente tous les projets de la base de données, le bouton *Ajouter* permet de faire passer dans la liste de droite les projets accessibles. Cette solution est rigide, et demande un suivi de maintenance. Elle sera réservée à des projets de caractère général ou administratif ;

– indiquer un ou plusieurs *critères de filtre* (en plus des projets désignés dans l'option précédente), donc une solution souple et adaptable :

   - l'utilisateur est le propriétaire du projet : il verra les projets qu'il a créé lui-même,

   - l'utilisateur est dans l'équipe de projet, il verra les projets dans lesquels il est une ressource,

- le propriétaire du projet est un descendant de l'utilisateur *via* RBS : cela suppose qu'un champ hiérarchique personnalisé, nommé RBS, a été créé. Alors, un utilisateur pourra voir tous les projets créés par ses subordonnés dans la hiérarchie de l'entreprise,

- une ressource de l'équipe du projet est un descendant de l'utilisateur *via* RBS : cela signifie qu'un utilisateur pourra voir tous les projets dans lesquels ses subordonnés du champ RBS sont des ressources,

- le propriétaire du projet possède la même valeur RBS que l'utilisateur. *Exemple* : si un utilisateur a comme valeur du champ RBS *Marketing.France*, alors il verra les projets de tous les autres utilisateurs qui appartiennent à la division *Marketing.France*.

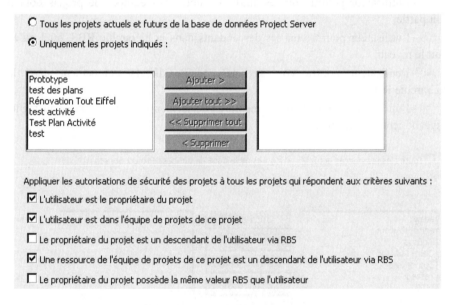

Figure 4.18. *Les projets de la catégorie Mes projets*

Cette application du champ RBS, *resource breakdown structure*, ou codes hiérarchiques des ressources, montre l'importance dans Project Server des codes hiérarchiques, et la nécessité de prévoir un champ strictement nommé « RBS ». Sa création est décrite dans la deuxième partie, au chapitre des champs personnalisés.

4.2.4.3. *Ressources*

Le principe de sélection des ressources est le même que pour les projets. Les utilisateurs raccordés à cette catégorie pourront voir les ressources ainsi filtrées :

– permettre de voir *toutes les ressources* (donc une absence de filtrage). Cette solution est réservée à l'administrateur ou aux dirigeants, par la catégorie *Mon organisation* ;

– permettre de voir *des ressources nommément désignées*. La liste de gauche présente toutes les ressources de la base de données, le bouton *Ajouter* permet de les faire passer dans la liste de droite afin de les rendre accessibles. Cette solution est rigide, et demande un suivi de maintenance. Elle sera réservée à des ressources très généralistes ;

– indiquer un ou plusieurs *critères de filtre* (en plus des ressources désignées dans l'option précédente), donc une solution souple et adaptable :

- l'utilisateur est la ressource, et pourra se voir lui-même,

- l'utilisateur pourra voir les autres membres des équipes de projets dont il fait partie,

- l'utilisateur pourra voir ses descendants dans la hiérarchie RBS, quel qu'en soit le niveau,

- l'utilisateur pourra voir ses descendants directs uniquement dans la hiérarchie RBS,

- l'utilisateur pourra voir les membres de la hiérarchie RBS situés au même niveau hiérarchique que lui.

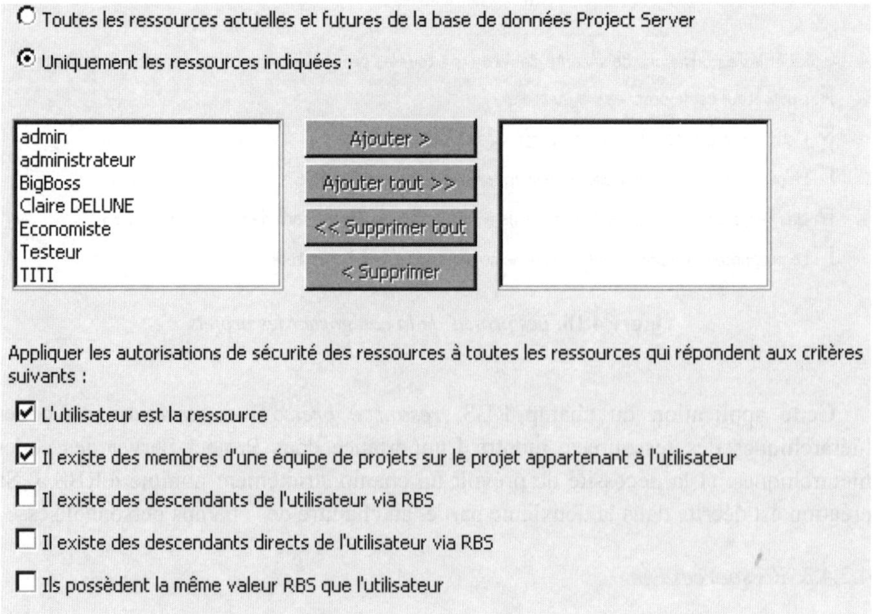

Figure 4.19. *Sélection des ressources dans une catégorie*

4.2.4.4. *Affichages de la catégorie*

La dernière section (à développer si nécessaire en cliquant sur le signe +) permet d'attacher des fenêtres d'affichage à une catégorie. Ces affichages sont classés par familles, à développer toujours en cliquant sur un signe +. Il suffit de cocher ou décocher l'affichage concerné. Il est possible, en cochant en face du nom de la famille, de sélectionner tous les affichages de la famille.

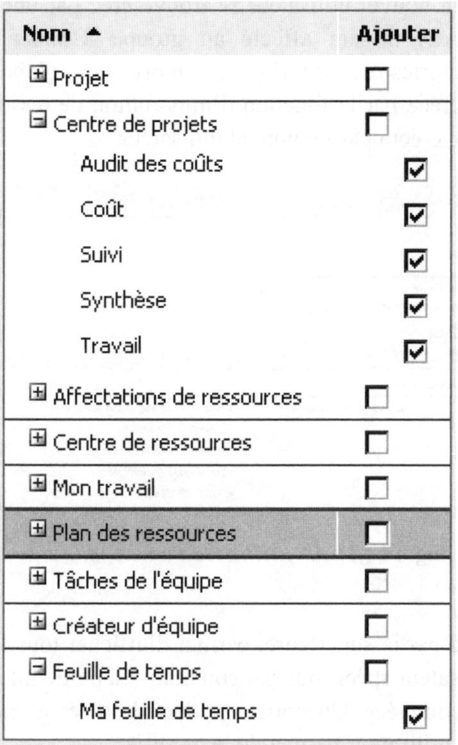

Nom ▲	Ajouter
⊞ Projet	☐
⊟ Centre de projets	☐
Audit des coûts	☑
Coût	☑
Suivi	☑
Synthèse	☑
Travail	☑
⊞ Affectations de ressources	☐
⊞ Centre de ressources	☐
⊞ Mon travail	☐
⊞ Plan des ressources	☐
⊞ Tâches de l'équipe	☐
⊞ Créateur d'équipe	☐
⊟ Feuille de temps	☐
Ma feuille de temps	☑

Figure 4.20. *Les affichages liés à une catégorie*

En quittant cette fenêtre de gestion des catégories, il ne faut pas oublier de valider les modifications en cliquant sur le bouton *Enregistrer*.

4.2.5. *Gérer les utilisateurs*

Cette fenêtre permet de créer, modifier ou supprimer les utilisateurs de Project Server 2007. Bien sûr, à ne pas confondre avec le pool de ressources : un utilisateur n'est pas obligatoirement une ressource, et réciproquement. La gestion d'un utilisateur peut être réalisée manuellement, ou déclenchée automatiquement par une synchronisation avec Active Directory (AD), prévue au niveau de son groupe d'appartenance, ou au niveau des ressources. Dans ce dernier cas, le statut du compte dans Active Directory s'imposera : de nouveaux utilisateurs seront créés, des utilisateurs anciens seront désactivés.

A noter que si un nouvel utilisateur se trouve créé par une synchronisation des ressources avec l'AD, il sera affecté au groupe *Membre de l'équipe*, et ne comportera ni catégories de sécurité, ni autorisation globale. Par contre, une nouvelle ressource créée par la fonction d'importation de ressources depuis Project Professional 2007 ne créera pas de nouvel utilisateur.

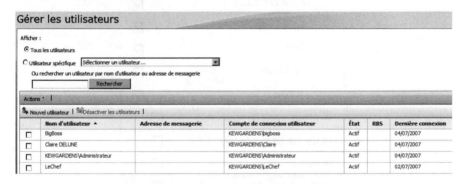

Figure 4.21. *La fenêtre Gestion des utilisateurs*

Un filtre, dans la partie supérieure, permet d'afficher tous les utilisateurs, ou de sélectionner un utilisateur spécifique par son nom. La partie inférieure affiche la liste des ressources sélectionnées. Un bouton permet de créer un nouvel utilisateur. Un clic sur le nom d'un utilisateur permet de le modifier.

En cochant la case à gauche du nom d'utilisateur, il est possible de le désactiver à l'aide du bouton *Désactiver* : cet utilisateur ne pourra plus se connecter, mais son nom sera toujours visible dans les projets où il est impliqué, ou dans les statistiques. Pour supprimer définitivement un utilisateur (opération dangereuse, car entraînant la perte d'historique), l'administrateur devra se rendre dans le menu *Paramètres du serveur > Administration de la base de données > Supprimer les objets d'entreprise*.

Un nouvel utilisateur sera créé par un clic sur le bouton *Nouvel utilisateur*. Un utilisateur existant sera modifié par un clic sur son nom, qui représente un lien ouvrant sa fiche.

Lorsque l'utilisateur est aussi une ressource, un certain nombre des paramètres suivants, communs entre l'utilisateur et la ressource, sont aussi réglables depuis le centre de ressources, dans la fenêtre modifier la ressource.

4.2.5.1. *Informations d'identification*

Il s'agit d'informations générales sur l'utilisateur. En plus de son nom et de son adresse de messagerie, il possible ou non d'autoriser son utilisation comme ressource. Le compte peut aussi être rendu inactif (c'est l'option de désactivation vue au paragraphe précédent), ou au contraire être réactivé, par la liste déroulante *Etat du compte* (*Actif/Inactif*).

L'utilisateur peut être rattaché à un niveau hiérarchique *RBS* (*resource breakdown structure*), à condition que ce champ hiérarchique ait été préalablement personnalisé (voir la deuxième partie, *Gérer les projets d'entreprise*).

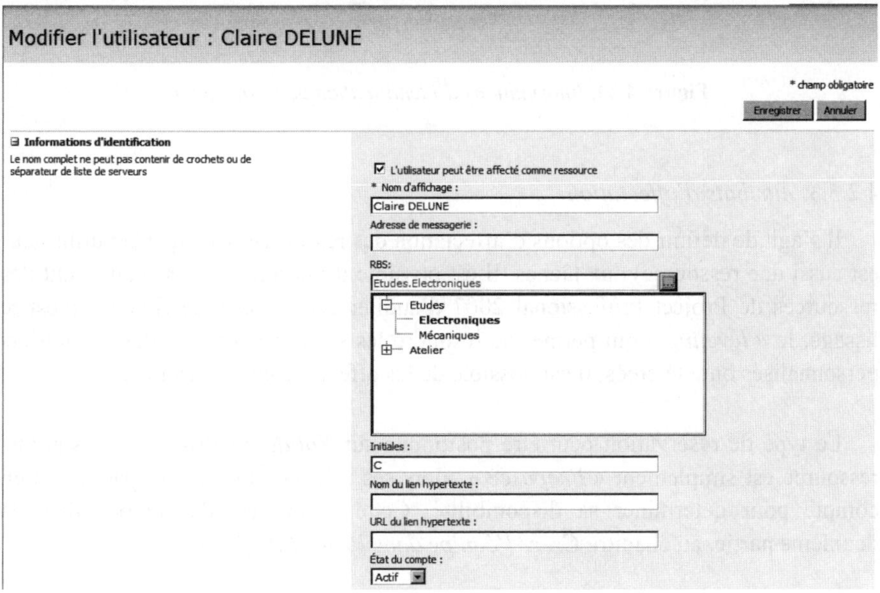

Figure 4.22. *Informations d'identification de l'utilisateur*

4.2.5.2. *Authentification de l'utilisateur*

Le choix par défaut est celui d'une authentification Windows, donc à l'aide des comptes utilisateurs de Windows, ou plutôt d'Active Directory. Il est recommandé de travailler en domaines. En cas de configuration en groupe de travail, il pourra être nécessaire de créer, sur l'ordinateur client, un compte strictement identique au compte créé sur le serveur. Le compte de connexion sera indiqué dans la forme *Nom_de_domaine\Nom_d'utilisateur*. Une option permet d'empêcher la synchronisation de ce compte avec Active Directory, empêchant ainsi des modifications incontrôlées.

Project Server 2007 ne propose plus de système d'identification intégré. En conséquence, si l'on ne désire pas utiliser l'authentification Windows, il sera nécessaire un fournisseur, base de données ou annuaire externe, et de créer un formulaire de connexion.

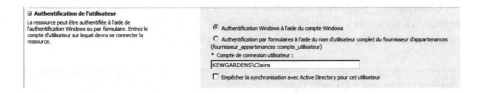

Figure 4.23. *Informations d'identification de l'utilisateur*

4.2.5.3. *Attributs d'affectation*

Il s'agit de définir des options d'affectation des ressources (lorsque cet utilisateur est aussi une ressource) aux tâches. Il est possible d'interdire à l'assistant Audit des ressources de Project Professional 2007 d'auditer cette ressource (l'audit, c'est le lissage, le « *leveling* » qui permet de résoudre les surutilisations. Si des calendriers personnalisés ont été créés, il est possible de les affecter à cette ressource.

Le type de réservation peut être positionné sur *Validé* ou *Proposé*. Lorsqu'une ressource est simplement « *Proposée* », alors ses affectations ne sont pas prises en compte pour déterminer sa disponibilité. Cette notion est développée dans la deuxième partie, au chapitre *Créer l'équipe dans Project Professional*.

Le responsable de la feuille de temps sera chargé de son approbation. Le propriétaire de l'affectation, la ressource elle-même ou un responsable d'équipe, pourra modifier les affectations de cette ressource. Les deux lignes de dates de disponibilité permettent de donner une fourchette de dates avant et après lesquelles la ressource ne peut pas faire l'objet d'affectations.

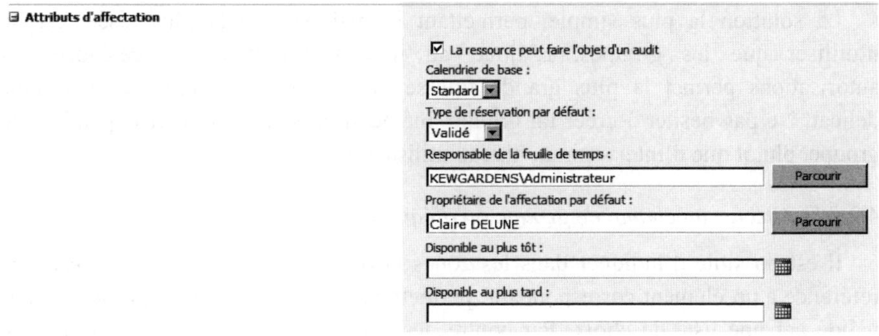

Figure 4.24. *Les attributs d'affectation*

4.2.5.4. *La sécurité*

Il est nécessaire de raccorder l'utilisateur à au moins un groupe de sécurité. Donc, implicitement, à une ou plusieurs catégories. Mais il est éventuellement possible, pour des retouches ponctuelles du profil, de raccorder directement l'utilisateur à une catégorie, court-circuitant ainsi la notion de groupe. On peut aller plus loin en accordant des autorisations globales directement pour cet utilisateur. Ne pas oublier que le refus explicite d'une autorisation (en cochant la case *Refuser*) sera prioritaire sur une autorisation donnée par ailleurs, et sera donc bloquant.

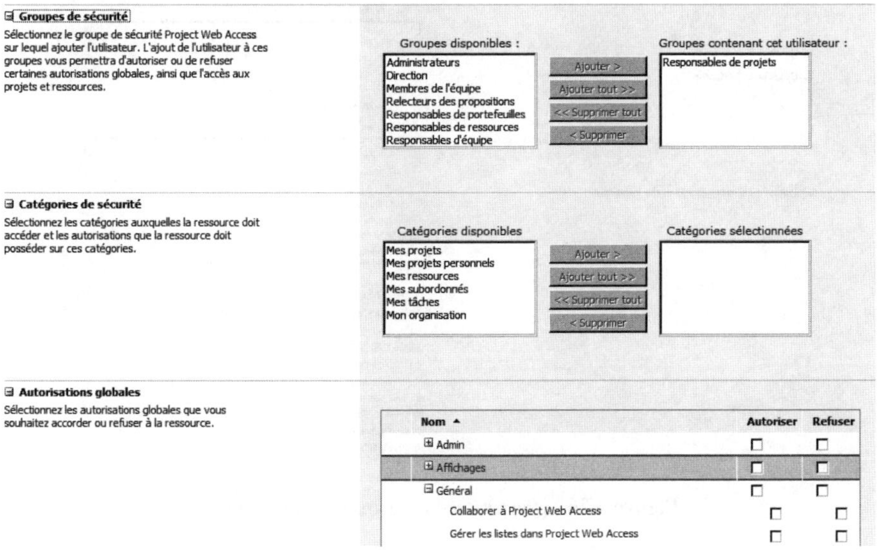

Figure 4.25. *Gestion de la sécurité*

La solution la plus simple, permettant la maintenance la plus aisée, est de n'utiliser que les groupes. L'ajout, au niveau utilisateur, de catégories et autorisations permet la plus grande finesse de gestion, mais rend le suivi plus délicat. Ne pas hésiter à créer un groupe, même si un seul utilisateur dépend de ce groupe, plutôt que d'intervenir au niveau utilisateur.

4.2.5.5. *Affecter un champ de groupe ou d'équipe*

Il est possible d'indiquer dans les zones *Groupe*, *Code* et *Centre de coûts* une référence à un élément correspondant, permettant tris et filtres, mais qui ne sera pas validé par une liste de choix. Par contre, les champs *Type de coût* et *Nom équipe* doivent faire référence à des champs personnalisés, pour lesquels une table de choix aura été construite (voir la deuxième partie).

Enfin, les données d'identification donnent le GUID (identifiant unique) attribué par le système, qui permet la synchronisation avec l'AD. Un numéro externe peut être attribué librement. Les dates de création et de mise à jour sont indiquées, et surtout la date et l'auteur de la dernière extraction.

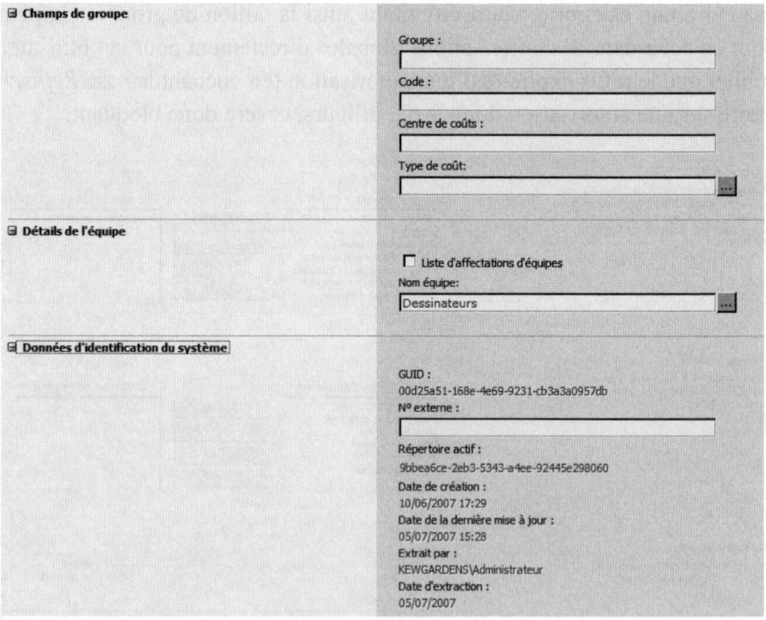

Figure 4.26. *Affectation à un groupe ou une équipe*

4.2.5.6. *Modifier un utilisateur*

En cliquant sur le nom de l'utilisateur, on accède à la page *Modifier l'utilisateur*. La modification de certains éléments, comme l'adresse mail, peuvent entraîner un conflit avec les valeurs d'Active Directory. Il sera alors proposé, au moment de l'enregistrement de la page, de désactiver la synchronisation pour cet utilisateur en cliquant sur le bouton *OK*. Un clic sur le bouton *Annuler* validera les modifications, mais celles-ci risquent d'être écrasées lors de la prochaine synchronisation.

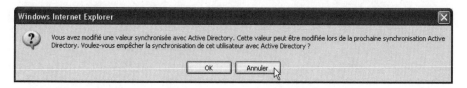

Figure 4.27. *Affectation à un groupe ou une équipe*

CHAPITRE 5

Administrer Project Server

Dans ce chapitre, nous examinerons les autres fonctionnalités d'administration de Project Server 2007 :

– le bouton *Actions du site,* en dessous du menu *Bienvenue,* pour la gestion du site Project Web Access dans SharePoint (création de nouvelles bibliothèques, listes ou administration des paramètres du site) ;

– sur la page *Paramètres du serveur,* la section *Administration de bases de données* : suppression, archivage (le contraire de l'extraction), sauvegardes ;

– la section *Aspect,* pour gérer les affichages de Project Web Access (modification d'affichages existants, personnalisation de formats graphiques ou création de nouveaux affichages) ;

– la section *File d'attente,* un spooler qui gère les entrées/sorties de Project Server ;

– la section des *Stratégies opérationnelles,* pour des paramétrages complémentaires.

Les autres sections de la page *Paramètres du serveur* seront examinées plus loin :

– la section *Données d'entreprise,* pour personnaliser les projets à l'aide d'un cadre commun, et qui sera traitée en deuxième partie (*Gérer les projets d'entreprise*) ;

– la section *Gestion du temps et des tâches,* pour gérer le découpage des périodes de temps, et régler les options de suivi, elle aussi vue en deuxième partie ;

– la section *Cube*, pour la création du cube OLAP, construit sur la base de données Reporting, et utilisé dans les fonctions d'analyse de données (voir la troisième partie de ce livre).

5.1. Le bouton Actions du site

Figure 5.1. *Le bouton Actions du site*

5.1.1. *Créer*

Cette option permet de créer sur le site web de Project Web Access de nouveaux éléments, tels que bibliothèques, calendrier, tâches (indépendantes d'un projet), forums ou nouvelles pages web (voir la troisième partie de cet ouvrage).

5.1.2. *Modifier la page*

Cette fonction est identique à l'option Personnaliser cette page du menu Bienvenue. Seule différence, elle s'applique globalement pour cette page à tous les utilisateurs, et non pas à la seule version réservée à l'utilisateur connecté.

5.1.3. *Paramètres du site*

Ils permettent de gérer l'ensemble du site web de Project Web Access, et non pas les fonctionnalités de Project Server. Les points importants en sont :

– la gestion des utilisateurs, dans la colonne *Utilisateurs et autorisations*, permettant de définir des autorisations spécifiques, par utilisateur, au site Project Web Access, se superposant aux autorisations de Project Server ;

– le contrôle de l'apparence visuelle du site, par les colonnes *Aspects* et *Galeries*. Ainsi, le thème général peut être changé, ou un accès à la liste des composants WebPart permet de les personnaliser ;

– la colonne *Administration du site* permet notamment de modifier globalement, pour tous les utilisateurs, les paramètres régionaux. Il convient surtout d'adapter la semaine de travail au calendrier de l'entreprise globale. Il est particulièrement important :

- d'indiquer que la première semaine de l'année est la première semaine de 4 jours (sinon, la numérotation des semaines sera décalée…),

- et de synchroniser les heures de début et de fin avec le calendrier (le début égal ou plus tôt que le début du calendrier, la fin égale ou plus tardive que le calendrier).

5.2. La section Administration de bases de données

Cette section permet de gérer les objets stockés dans la base de données SQL Server : projets, ressources, etc., en les supprimant, en forçant l'archivage, en les sauvegardant.

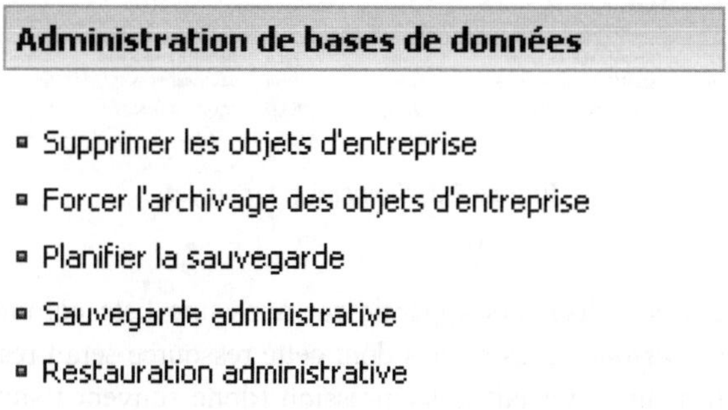

Administration de bases de données

- Supprimer les objets d'entreprise
- Forcer l'archivage des objets d'entreprise
- Planifier la sauvegarde
- Sauvegarde administrative
- Restauration administrative

Figure 5.2. *La section Administration des bases de données*

5.2.1. *Supprimer les objets d'entreprise*

Objet est terme générique qui désigne un élément à l'intérieur de Project Server. Tout est objet : un projet est un objet, une ressource, une tâche sont des objets, etc. Cette option permet à l'administrateur la suppression d'un objet, en général impossible aux autres utilisateurs. Le type d'objet souhaité se sélectionne par les options de la partie supérieure : projets, ressources et utilisateurs, réponses de rapports d'état, feuilles de temps. Puis l'objet lui-même doit être sélectionné en cochant la case à gauche, dans la liste des objets, et en cliquant sur le bouton *Supprimer*.

Pour supprimer un *projet*, il faudra cocher le projet concerné, et choisir la ou les bases de données visées : *Travail* (avant-projets), *Publiée*, *Archive* (i.e. Sauvegarde, ne pas confondre avec l'archivage d'un projet extrait) avant de cliquer sur le bouton *Supprimer*. Il est aussi nécessaire de cocher la case *Supprimer les sites Windows SharePoint Services associés* (qui conservent les documents liés au projet), devenus sans objet si le projet est entièrement détruit. Si un projet est extrait par un utilisateur, il faudra au préalable forcer l'archivage du projet.

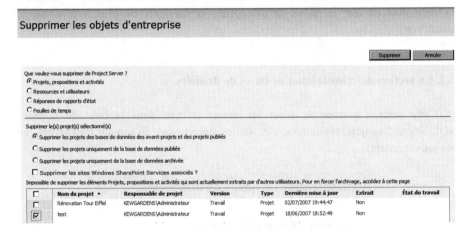

Figure 5.3. *Supprimer un projet*

Les ressources et utilisateurs apparaissent dans une liste commune. En cas de suppression d'une *ressource*, les projets dont cette ressource serait responsable seront attribués à l'utilisateur ayant fait la suppression (donc souvent l'administrateur). Si une ressource supprimée avait des affectations dans des projets, la ressource sera bien supprimée du pool de ressources de Project Server, mais elle subsistera dans le projet concerné en tant que ressource locale, et conservera ses affectations.

Il est aussi possible de supprimer des *réponses de rapports d'état* ou des *feuilles de temps* ayant dépassé une date de fin qui est à saisir.

Une opération de suppression est lourde de conséquence, car elle ne peut pas être annulée. Pour retrouver l'état antérieur, il faudrait pratiquer une restauration soit de la base *Archive* de Project Server, soit d'une sauvegarde propre à SQL Server.

5.2.2. *Forcer l'archivage des objets d'entreprise*

Lorsque, depuis Project Professional, l'utilisateur ouvre un objet de type projet, ressource, champ personnalisé, table de choix, calendrier, cet objet est *extrait* de Project Server et verrouillé au profit exclusif de cet utilisateur. Cela est vrai aussi pour l'entreprise globale et la liste des ressources d'entreprise. Les autres utilisateurs seront contraints de l'ouvrir en lecture seule. L'opération inverse de fermeture et de déverrouillage, qui rend la main aux autres utilisateurs, s'appelle *l'archivage*. A ne pas confondre avec la sauvegarde ou avec le classement définitif du projet ! Les termes anglais de *check-out* et *check-in* sont moins ambigus.

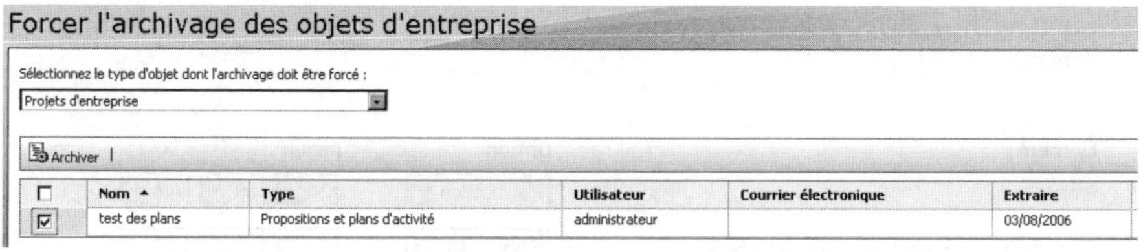

Figure 5.4. *Forcer l'archivage*

Il arrive souvent que par accident (oubli, perte du réseau, ou tout simplement l'utilisateur distrait qui répond « *Non* » à la question « *Voulez-vous archiver ?* » à la fermeture du projet) un objet reste en position extrait, bloquant toute nouvelle ouverture en lecture/écriture. L'intervention de l'administrateur peut être nécessaire pour débloquer la situation. A noter que l'utilisateur peut lui-même forcer l'archivage de ses projets à partir de centre de projets, menu *Atteindre > Archiver mes projets*.

La liste déroulante permet de choisir le type d'objet : projet, ressource, champ personnalisé, calendrier, table de choix, plan des ressources. Après avoir coché l'objet concerné dans la liste, il suffit de cliquer sur le bouton *Archiver*. La colonne *Etat du travail* permet de visualiser le déroulement du processus, sous réserve de réactualiser la page par l'icône *Actualiser* d'Internet Explorer.

5.2.3. *Gérer les sauvegardes des données*

La sauvegarde permet d'enregistrer dans la base de données SQL Server une ou plusieurs copies de certains éléments (projets, ressources…). En cas de nécessité, la version en cours de ces éléments pourra être remplacée par une version sauvegardée.

Il ne faut pas oublier que ces sauvegardes ne sont pas une garantie en cas de défaillance de SQL Server : elles ne remplacent donc pas une politique de sauvegarde propre à SQL Server, à mettre en place par l'administrateur de SQL Server, sur des supports physiquement différents.

La sauvegarde s'exécute soit de façon automatique, planifiée, soit sur demande de l'utilisateur. La restauration permet de choisir quelle sauvegarde (elles sont toutes horodatées) et quel élément seront récupérés.

5.2.3.1. *Planifier la sauvegarde*

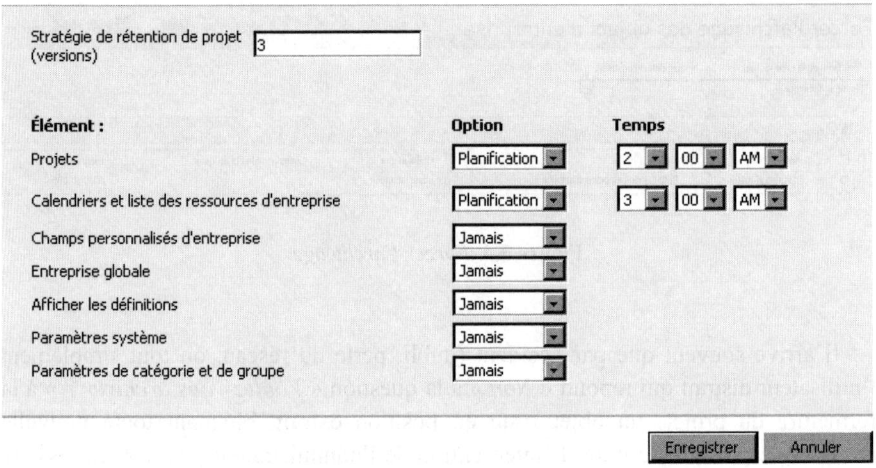

Figure 5.5. *Planifier la sauvegarde*

La stratégie de rétention permet de définir combien de sauvegardes différentes seront enregistrées. Quand la limite est atteinte, alors la sauvegarde la plus ancienne sera écrasée par le plus récente. Deux à trois sauvegardes suffisent, afin de limiter la taille de la base de données Archive.

Les éléments (les objets) à sauvegarder sont sélectionnés en choisissant *Planification* dans la colonne *Option*. L'heure de la sauvegarde quotidienne sera sélectionnée dans la colonne *Temps*, dans l'exemple à 2 h du matin pour les projets et à 3 h pour les ressources. Bien sûr, veillez à ce qu'aucun autre job ne vienne à cette heure-là rendre le serveur indisponible... Validez par le bouton *Enregistrer*.

5.2.3.2. Sauvegarde administrative

Éléments à sauvegarder :

- ☑ Projets
- ☐ Calendriers et liste des ressources d'entreprise
- ☐ Champs personnalisés d'entreprise
- ☐ Entreprise globale
- ☐ Afficher les définitions
- ☐ Paramètres système
- ☐ Paramètres de catégorie et de groupe

Sauvegarder   Annuler

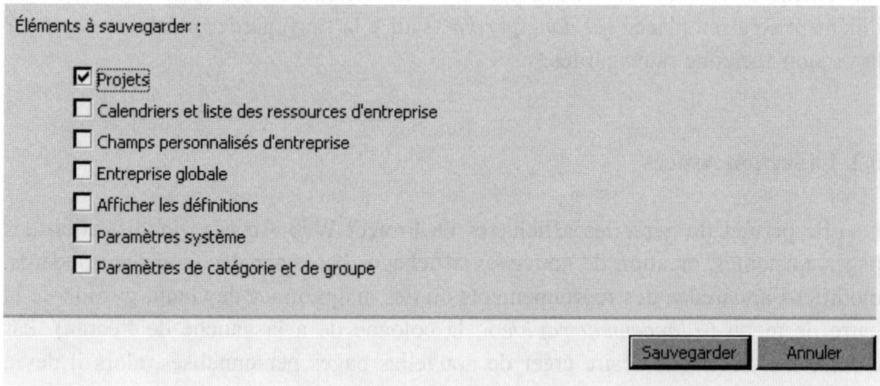

Figure 5.6. *Sauvegarde administrative sur demande*

La sauvegarde administrative permet simplement de déclencher manuellement, à la demande, une opération de sauvegarde unique. Choisissez l'élément (l'objet) à sauvegarder, et cliquez sur *Sauvegarder*. La sauvegarde est mise en file d'attente, consultable dans le menu *Paramètres du serveur > File d'attente > Gérer la file d'attente* (curieusement, sous le type de travail *Archiver* et non pas *Sauvegarder*, à ne pas confondre avec le type *Archivage* qui correspond au *check-in…*), puis exécutée dès que possible (quelques minutes de délai peuvent être nécessaires).

5.2.3.3. Restauration administrative

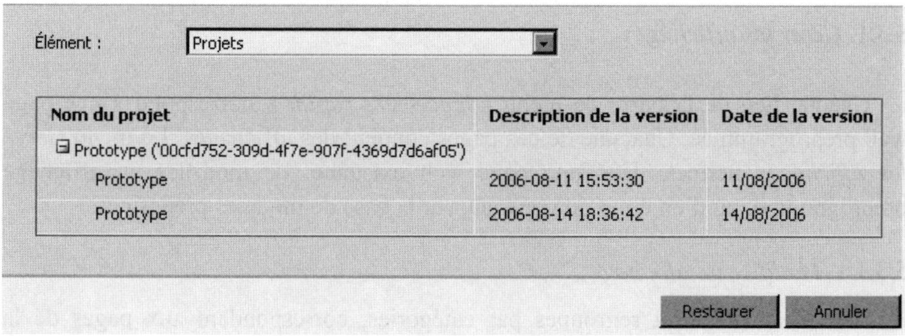

Élément :   Projets

Nom du projet	Description de la version	Date de la version
⊟ Prototype ('00cfd752-309d-4f7e-907f-4369d7d6af05')		
Prototype	2006-08-11 15:53:30	11/08/2006
Prototype	2006-08-14 18:36:42	14/08/2006

Restaurer   Annuler

Figure 5.7. *Restaurer un élément sauvegardé*

Choisissez le type d'élément à restaurer (projet, ressource…), sélectionnez la sauvegarde à restaurer et validez par le bouton *Restaurer*. La version en cours de l'élément sera remplacée (*et donc perdue*, sauf à la sauvegarder préalablement) par la version ancienne sauvegardée.

5.3. La section Aspect

Elle permet de gérer les affichages de Project Web Access : modification des pages existantes, création de nouveaux affichages basés sur des modèles standards, modifier l'apparence des regroupements ou des diagrammes de Gantt, gestion de la barre de menu (« *lancement rapide* », la colonne de à la gauche de l'écran). Par contre, si l'utilisateur désire créer de nouvelles pages personnalisés, alors il devra recourir aux fonctions de création de Windows SharePoint Services accessibles par le bouton *Actions du site*.

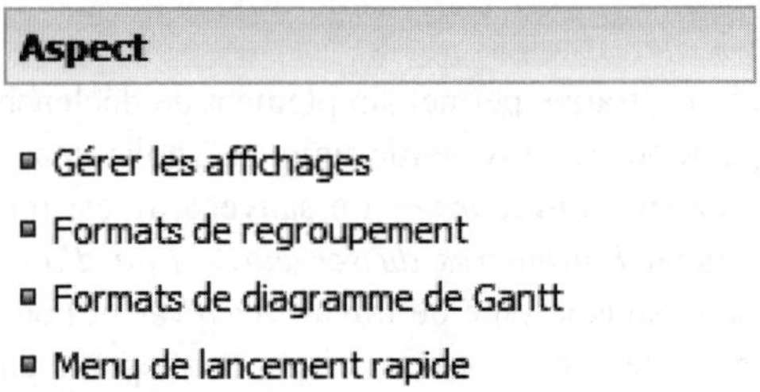

Aspect

- Gérer les affichages
- Formats de regroupement
- Formats de diagramme de Gantt
- Menu de lancement rapide

Figure 5.8. *Le menu de la section Aspect*

5.3.1. *Gérer les affichages*

Chaque lien de la barre de menu « *lancement rapide* » correspond à une page web préprogrammée. Chacune de ces pages contient des affichages. Le menu *Gérer les affichages* permet, dans une page web existante, de modifier un affichage préprogrammé, ou d'en créer un nouveau, sur la base de modèles prédéfinis.

5.3.1.1. *Modifier un affichage*

Les affichages sont regroupés par catégories, correspondant aux pages de la barre de menu « *lancement rapide* ». Un affichage existant sera modifié en cliquant sur son nom, ou supprimé en sélectionnant sa ligne, et en cliquant sur le bouton *Supprimer*.

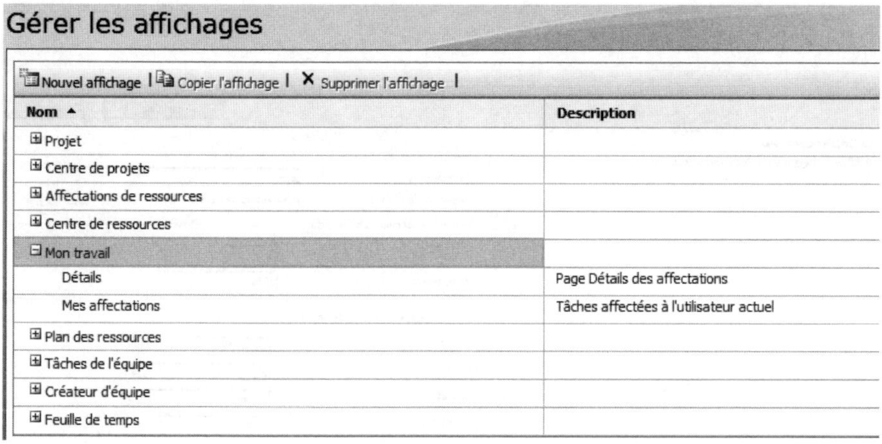

Gérer les affichages

Nom ▲	Description
⊞ Projet	
⊞ Centre de projets	
⊞ Affectations de ressources	
⊞ Centre de ressources	
⊟ Mon travail	
Détails	Page Détails des affectations
Mes affectations	Tâches affectées à l'utilisateur actuel
⊞ Plan des ressources	
⊞ Tâches de l'équipe	
⊞ Créateur d'équipe	
⊞ Feuille de temps	

Nouvel affichage | Copier l'affichage | ✗ Supprimer l'affichage |

Figure 5.9. *Liste des affichages*

Par exemple, dans la catégorie *Mon travail*, l'affichage *Mes Affectations* correspond au lien *Mon travail > Mes tâches* de la barre de menu, alors que l'affichage *Détails* correspond au détail de la tâche obtenu en cliquant sur la tâche. Ces affichages sont prédéfinis : le premier pour être présenté sous forme de tableau, l'autre dans une colonne unique. L'utilisateur ne peut pas modifier cette apparence générale, mais peut choisir les champs qui seront affichés. Par exemple, en modifiant l'affichage *Détails*, il est possible de rajouter un quatrième champ, *le % achevé* pour cet exemple.

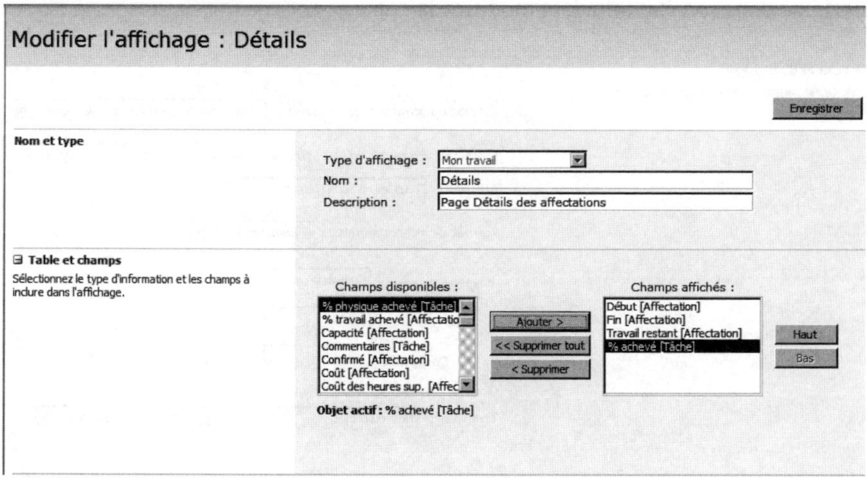

Modifier l'affichage : Détails

Figure 5.10. *Ajout d'un champ*

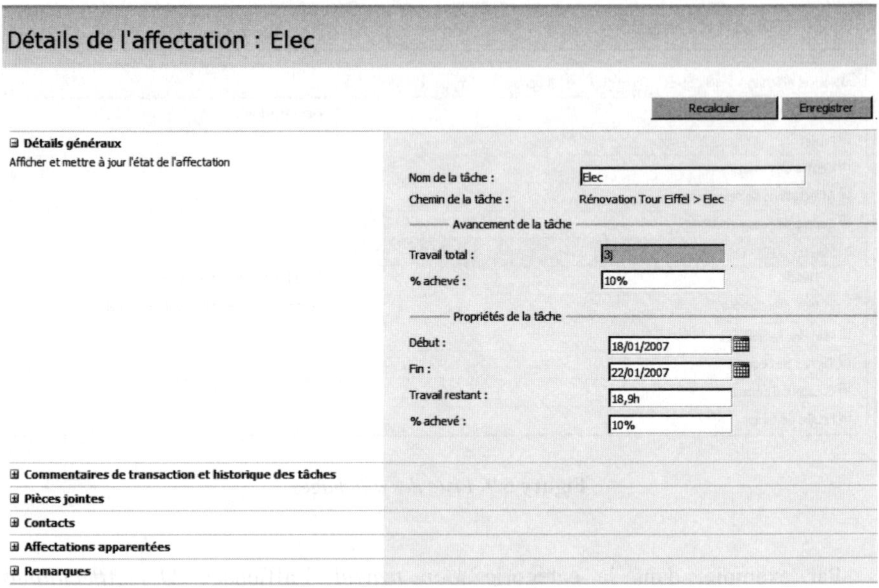

Figure 5.11. *Apparence de l'affichage modifié*

On constate dans cet exemple que seule la zone *Propriété de la tâche* peut, dans la page web, être ainsi modifiée. Il est possible, par le bouton *Copier l'affichage*, de faire une copie d'un affichage existant, en lui donnant un nouveau nom. Cette pratique est conseillée, surtout dans la phase de prise en main : conservez l'affichage d'origine dans son état initial, et modifiez la copie.

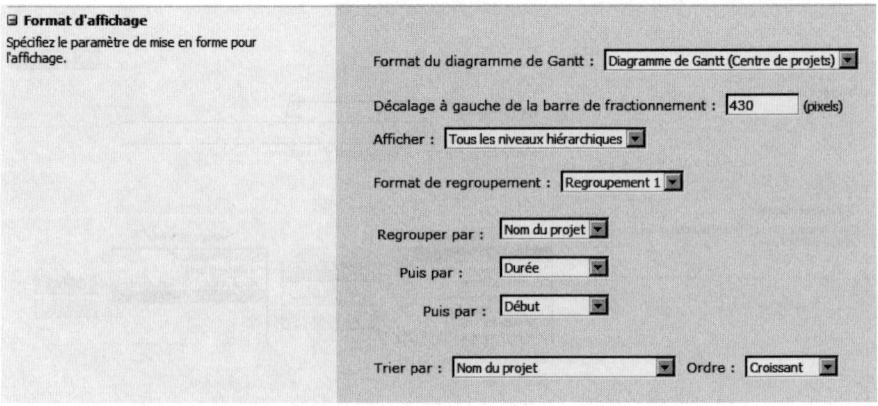

Figure 5.12. *Formats d'affichage (affichage Synthèse du centre de projets)*

Certains affichages proposent des options de format par défaut : choix d'un diagramme de Gantt, limitation de l'affichage des niveaux hiérarchiques, choix d'un format de regroupement ou d'un critère de tri.

On peut aussi pour certains affichages disposer d'options de filtre. En cliquant sur le bouton *Filtrer...*, une fenêtre permet de programmer des critères de filtre. Cette options est délicate à manier, car elle s'appliquer définitivement à l'affichage concerné, et ceci à l'insu de l'utilisateur. Il peut donc obtenir, sans être averti, une réponse filtrée et donc incomplète. Dans l'exemple ci-dessous, le centre de projet ne montrera que les projets commençant pour une année donnée, sans que l'utilisateur ait connaissance de l'application du filtre.

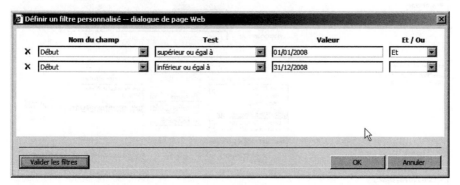

Figure 5.13. *Programmer un filtre*

Pour supprimer un critère, ou supprimer l'ensemble des critères (donc supprimer le filtre), il faut rappeler cette fenêtre, et cliquer sur la croix rouge, à la gauche de chaque ligne de critère. Ne pas oublier après avoir fait *OK* de valider en cliquant sur le bouton *Enregistrer*.

5.3.1.2. *Créer un nouvel affichage*

Il est possible de créer un nouvel affichage, en cliquant sur le bouton *Nouvel affichage* dans la page *Gérer les affichages*. On choisira alors un type d'affichage, en relation avec la page web dans laquelle on souhaite le rendre disponible. On lui donnera un nom (obligatoire) et une description (facultative). Il faudra ensuite choisir une table (options disponible pour certains types seulement, le choix étant entre les trois tables principales de Project : tâches, affectations, ressources), puis les champs (sélectionner le champ dans la colonne de gauche, et le faire basculer à droite par le bouton *Ajouter*).

On terminera en choisissant une catégorie de sécurité, afin de rendre cet affichage disponible pour tel ou tel groupe d'utilisateurs : dans notre exemple, nous choisissons *Mon organisation* : seuls les administrateurs, les membres de la direction, et les responsables de projets ou de ressources auront accès à cet affichage. Après un clic sur le bouton *Enregistrer*, l'affichage sera visible dans la liste des affichages.

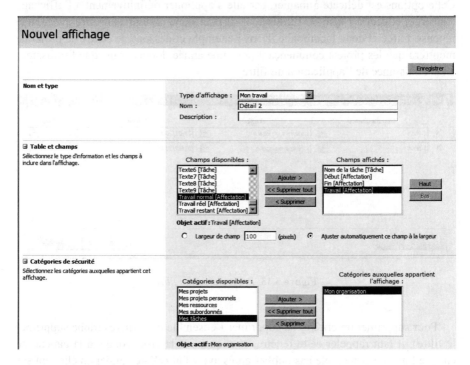

Figure 5.14. *Création d'un nouvel affichage*

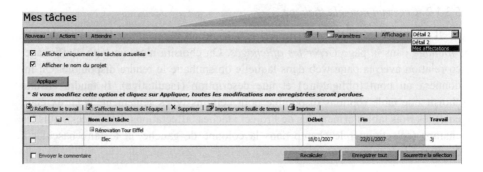

Figure 5.15. *Utilisation d'un affichage*

Pour utiliser cet affichage, il faudra choisir dans la barre de menu le lien correspondant au type de l'affichage. Dans notre exemple, *Mon travail > Mes tâches*. L'affichage personnalisé sera disponible dans la liste de choix *Affichage* (en haut à gauche).

5.3.2. Formats de regroupement

Dans beaucoup d'affichages, notamment de type Gantt, l'utilisateur peut développer le bouton *Paramètres*, et choisir des options de filtre ou de regroupement. Il lui est alors proposé une grille de saisie pour rentrer ses choix, le Gantt s'adaptant au fur et à mesure de sa saisie. Dans le cas d'un regroupement (exactement comme dans Project Professional 2007), les têtes de groupes apparaissent hiérarchisés et surtout avec une mise en couleur. Dans l'exemple ci-dessous, la page du détail d'un projet applique le groupe standard appelé *Affichages* : jaune pour la 1re clé, vert clair pour la 2e, bleu azur pour la 3e.

Figure 5.16. *Le regroupement standard*

Le menu *Formats de regroupement* ne permet pas de créer de nouveaux formats, il convient de personnaliser l'un des 11 formats proposés. Les deux premiers, *Affichages* et *Feuille de temps*, sont déjà utilisés par défaut dans les pages de projets, de ressources et de feuilles de temps. Les formats de *Regroupements 1* à *Regroupement 9* sont laissés à libre disposition de l'utilisateur.

Pour modifier un format, il convient de sélectionner la ligne de niveau hiérarchique voulu, puis de choisir une couleur de cellule (celle de la ligne récapitulative du regroupement), un modèle de cellule (en fait un fond plein ou tramé), une couleur et un style de police. Ne pas oublier de valider par le bouton *Enregistrer*.

Pour renommer un format, il faut préalablement sélectionner ce format dans liste de choix *Formats de regroupement*. Le bouton *Renommer* devient alors accessible.

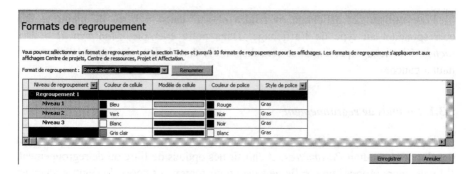

Figure 5.17. *Modifier les formats de regroupements*

Pour rendre le format de regroupement personnalisé disponible dans une page, un seul format étant proposé par page, il faut se rendre dans le menu *Paramètres du serveur > Aspect > Gérer les affichages*, puis choisir l'affichage concerné afin de modifier le format par défaut. Dans la section *Format d'affichage*, le format de regroupement sera choisi dans une liste déroulante, et des critères par défaut peuvent éventuellement être indiqués.

5.3.3. *Formats de diagramme de Gantt*

A certains affichages, est associé un diagramme de Gantt et un seul. Nous avons vu plus haut que le format de ce diagramme par défaut peut être changé, à partir d'une liste des diagrammes de Gantt disponibles. Après personnalisation, il faudra donc raccorder le diagramme personnalisé à l'affichage désiré.

Le menu Formats de diagramme de Gantt permet de les personnaliser. Il n'est pas possible de créer un nouveau diagramme. Les modèles déjà utilisés dans les affichages sont les *Diagrammes de Gantt*, le *Gantt personnel*, le *Gantt d'approbations*, les *Gantt de suivi*, le *Gantt détaillé* et *l'Audit du Gantt*[1]. Les autres modèles, *Infos d'affectation de Gantt* (numérotés de 1 à 4) et *Gantt* (numérotés de 1 à 11) permettent à l'utilisateur une personnalisation en toute liberté.

Le diagramme à personnaliser peut être choisi dans une liste déroulante. Le bouton *Renommer* devient alors disponible (éviter de renommer les modèles déjà utilisés, mais renommez de façon explicite les modèles passe-partout numérotés). La personnalisation s'effectue ensuite exactement comme dans le menu *Format > Style*

---

1. Rappelons que l'Audit est en fait le *Leveling*, le lissage destiné à solutionner une surutilisation des ressources.

des barres de Project Professional 2007. Pour chaque type de barre, choisir une forme, une couleur et un motif (tramage) du point de début, de la barre de milieu, du point de fin. Comme d'habitude, il est utile de déplacer vers la droite la barre verticale séparant la partie table de gauche et la partie graphique de droite afin de dévoiler toutes les colonnes de la table. Ne pas oublier de valider les modifications en cliquant sur le bouton *Enregistrer*.

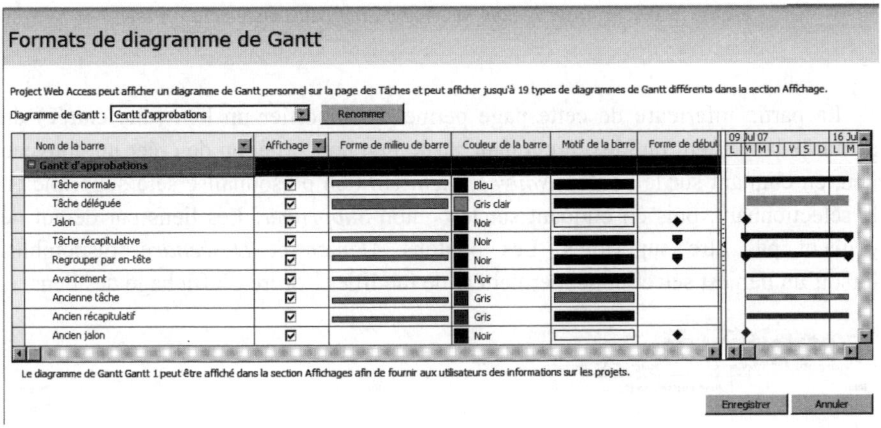

Figure 5.18. *Modifier les formats de diagrammes de Gantt*

5.3.4. *Menu de lancement rapide*

Le menu de lancement rapide est la colonne de gauche présente sur chaque page de Project Web Access, permettant une navigation (il s'agit en fait de liens hypertextes) entre les différentes fonctionnalités de Project Server. Ce menu se divise en plusieurs sections (dont l'affichage est subordonné au niveau d'autorisation de l'utilisateur connecté). Par défaut, ces sections sont toujours développées. Il est possible de restreindre ce développement à la section active, en cours de consultation, seulement.

Certains liens pointent vers de fonctionnalités, non pas de Project Server 2007, mais dépendantes de Windows SharePoint Services. Il est possible de les désactiver : par exemple, la section *Documents*. Pour que ces modifications deviennent visibles après un clic sur le bouton *Enregistrer*, il est souvent nécessaire de réactualiser la page (par le bouton *Actualiser* d'Internet Explorer ou la touche F5) : ne pas oublier qu'il s'agit de pages web, pouvant rester en cache dans le navigateur.

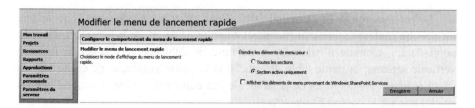

Figure 5.19. *Modifier le comportement du menu Lancement rapide*

La partie inférieure de cette page permet de modifier un lien (une entrée) du menu de lancement rapide, en cliquant sur le lien concerné, ou de créer un nouveau lien, en cliquant sur le bouton *Nouveau lien*. Un lien personnalisé sera supprimé en le sélectionnant, puis en cliquant sur le bouton *Supprimer*. Les liens par défaut ne peuvent pas être supprimés. Les boutons *Monter* et *Descendre*, disponibles lorsqu'un lien est sélectionné, permettent de modifier l'ordre d'affichage des liens.

Nom	Nom personnalisé	URL personnalisée	Masqué
⊞ Mon travail			Faux
⊟ Projets			Faux
Centre de projets			Faux
Propositions et activités			Faux
Test lien perso	Test lien perso	http://fleurdelotus/pwa/Documents%20partages/test_web_part.aspx	Faux
⊞ Ressources			Faux
⊞ Rapports			Faux
⊞ Approbations			Faux
⊟ Paramètres personnels			Faux
⊟ Paramètres du serveur			Faux

Figure 5.20. *Gestion de la liste des liens*

La page *Ajouter ou modifier le lien* permet :

– de donner un nom au lien ;

– d'indiquer l'adresse de la page web que doit ouvrir ce lien (voir plus loin la création d'une page web) ;

– en cas d'ajout d'un nouveau lien, de le rattacher à un titre de section (dans notre exemple, le nouveau lien *Test lien perso* est rattaché à la section existante *Projets)* ;

– de choisir si ce lien sera affiché dans le menu de lancement rapide (utile dans une phase de construction). Choisir *Oui* (devenant *Vrai*) pour le masquer, *Non* (devenant *Faux*) pour le rendre visible.

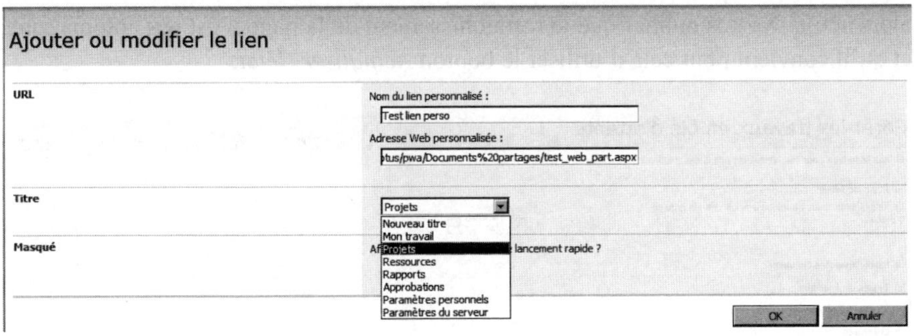

Ajouter ou modifier le lien

URL	Nom du lien personnalisé : Test lien perso Adresse Web personnalisée : tus/pwa/Documents%20partages/test_web_part.aspx
Titre	Projets Nouveau titre Mon travail Projets Ressources Rapports Approbations Paramètres personnels Paramètres du serveur
Masqué	Af ... lancement rapide ?

OK   Annuler

Figure 5.21. *Ajouter un nouveau lien*

5.4. La section File d'attente

Les entrées/sorties de Project Server 2007 de et vers ses clients (notamment Project Professional 2007 avec le cache de projet) sont gérées par un système de file d'attente permettant de placer les différents travaux dans un spooler et de les exécuter en fonction des disponibilités du réseau et de la base de données SQL Server.

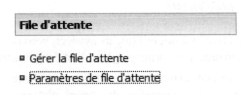

Figure 5.22. *La section File d'attente*

5.4.1. *Gérer la file d'attente*

Le *Type de filtre* montrera tous les travaux avec l'option *Par état* et servira plus en fait de critère de tri. L'*Historique des travaux* permet de limiter la liste à une plage de dates. Il est possible de filtrer la liste sur certains *Types de travaux*, ou d'*Etats d'achèvement*. La liste pourra être formatée en sélectionnant les champs voulus grâce à l'option *Colonnes*.

La partie inférieure de la page montre la liste des travaux en attente, avec notamment les indications d'heures, de type, d'état et de pourcentage d'achèvement. Il est possible de sélectionner un travail en cochant la case sur la gauche de la ligne du travail. Les boutons permettant de *Réessayer* et *Annuler* le travail deviennent alors actifs. Ne pas oublier que le rafraichissement de la page n'est pas automatique, et qu'il convient pour cela d'utiliser le bouton *Actualiser l'état*.

Figure 5.23. *Exemple de travaux en file d'attente*

5.4.2. *Paramètres de file d'attente*

Ces réglages sont réservés à des utilisateurs avancés, nous ne les détaillerons pas dans le cadre de cet ouvrage. Leur principe général est de permettre :

– dans un environnement manquant de performances (lenteurs réseau, réponses longues de SQL Server), l'augmentation des temps d'attentes ou du nombre de tentatives d'interrogation de la base de données ;

– au contraire, dans un environnement performant (par exemple serveur unique), la réduction de ces mêmes valeurs.

En bas de cette page, un bouton permet de restaurer les valeurs par défaut.

5.5. Les stratégies opérationnelles

Il s'agit d'un ensemble de réglages et paramétrages très divers, dont l'utilisation n'est pas indispensable lors d'une phase de prise en main (hormis le paramétrage des alertes de messagerie). Nous ne parlerons pas de la *Configuration du gestionnaire d'événements*, dont l'utilisation est réservée aux programmeurs développent des applications personalisées.

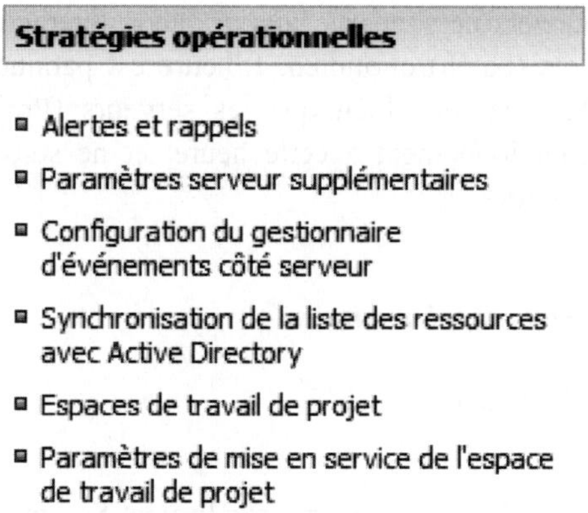

Stratégies opérationnelles

- Alertes et rappels
- Paramètres serveur supplémentaires
- Configuration du gestionnaire d'événements côté serveur
- Synchronisation de la liste des ressources avec Active Directory
- Espaces de travail de projet
- Paramètres de mise en service de l'espace de travail de projet

Figure 5.24. *La section des Stratégies opérationnelles*

5.5.1. *Alertes et rappels*

Afin de permettre à Project Server 2007 d'envoyer notifications et messages par mail (rappels de tâches, demandes de rapport d'état...), il est indispensable de paramétrer correctement un serveur de messagerie SMTP (c'est-à-dire capable d'acheminer le courrier sortant). Ce serveur peut être un serveur Exchange. Bien sûr, les messages ne partiront que vers les utilisateurs ou ressources dont l'adresse mail aura été correctement renseignée...

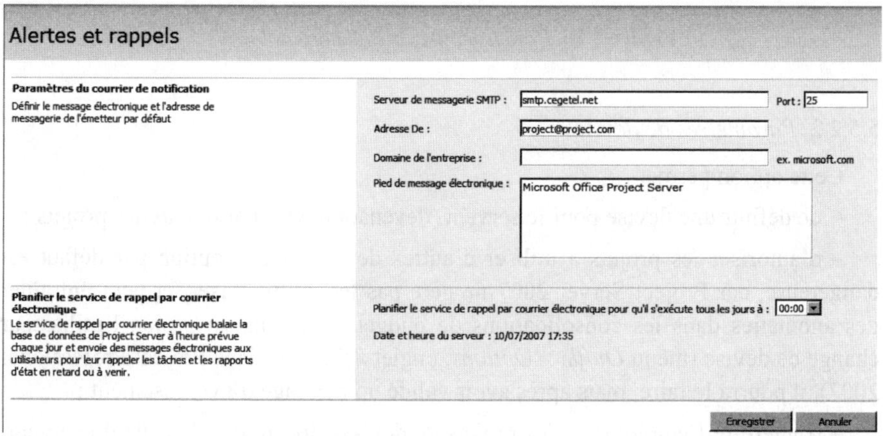

Alertes et rappels

Paramètres du courrier de notification	
Définir le message électronique et l'adresse de messagerie de l'émetteur par défaut	Serveur de messagerie SMTP : `smtp.cegetel.net` Port : `25`
	Adresse De : `project@project.com`
	Domaine de l'entreprise : `_____` ex. microsoft.com
	Pied de message électronique : `Microsoft Office Project Server`

Planifier le service de rappel par courrier électronique	
Le service de rappel par courrier électronique balaie la base de données de Project Server à l'heure prévue chaque jour et envoie des messages électroniques aux utilisateurs pour leur rappeler les tâches et les rapports d'état en retard ou à venir.	Planifier le service de rappel par courrier électronique pour qu'il s'exécute tous les jours à : `00:00`
	Date et heure du serveur : 10/07/2007 17:35

Enregistrer   Annuler

Figure 5.25. *Paramétrer le serveur SMTP*

Ces envois de courriers ne sont pas faits de façon interactive, mais sous forme d'un traitement par lots (batch) quotidien. L'heure est paramétrable, proposée par défaut à 0 heure. Assurez-vous bien que les serveurs (Project, SQL Server et Exchange) sont en fonctionnement à cette heure, et ne seront pas perturbés par d'autres jobs ou sauvegardes.

5.5.2. Paramètres serveur supplémentaires

5.5.2.1. Paramètres d'entreprise

Ils permettent :

– aux projets maîtres d'être enregistrés sur Project Server 2007. Si dans Project Professional 2007, vous utilisez une structure multi-projet (un projet principal contenant des sous-projets), cette option doit être cochée. Dans les versions précédentes, l'utilisation de projets maîtres entrainait des anomalies dans le calcul de la charge de travail des ressources affectées aux tâches des sous-projets. Ce problème semble réglé dans la version 2007, l'option est donc maintenant active par défaut ;

– d'utiliser dans les projets des calendriers locaux, créés au niveau du projet. Cette option est dangereuse, susceptibles d'entraîner des conflits. Elle est donc désactivée par défaut.

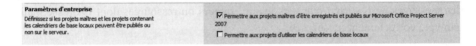

Figure 5.26. *Projets maîtres et calendriers locaux*

5.5.2.2. Paramètres de devises

Cette option permet :

– de définir une devise pour le serveur, devenant devise par défaut des projets ;

– d'autoriser les projets à utiliser d'autres devises. Cette option par défaut est dangereuse, car Project Server 2007 ne gère pas les multidevises, et peut entraîner des anomalies dans les consolidations de budgets. Si, dans un projet, l'utilisateur change de devise (menu *Outils > Options*, onglet *Affichage* dans Project Professional 2007), il pourra le faire, mais après avoir validé un message d'avertissement ;

– d'interdire l'emploi dans les projets de devises différentes de celle du serveur, solution moins risquée. L'option n'est pas rétroactive sur les projets existants (du moins jusqu'à leur prochaine publication), et un tableau signale les projets non conformes.

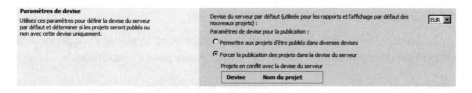

Figure 5.27. *Choix de la devise*

5.5.2.3. *Paramètres de capacité des ressources*

Il s'agit de limiter les données concernant l'utilisation des ressources lorsqu'elles sont enregistrées dans la base de reporting. La fourchette de dates par défaut est de un mois dans le passé (par rapport à la date de l'ordinateur) et de douze mois pour le futur. On enregistrera un total de 13 mois, et aucune statistique ne pourra demandée aux cubes OLAP en dehors de cette fourchette. Une augmentation importante de cette fourchette entraînera un accroissement important de la taille de la base de données. Ce traitement s'effectuera quotidiennement, à l'heure indiquée.

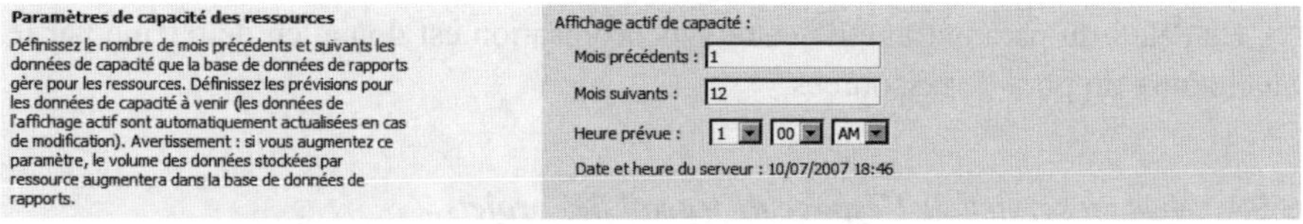

Paramètres de capacité des ressources

Définissez le nombre de mois précédents et suivants les données de capacité que la base de données de rapports gère pour les ressources. Définissez les prévisions pour les données de capacité à venir (les données de l'affichage actif sont automatiquement actualisées en cas de modification). Avertissement : si vous augmentez ce paramètre, le volume des données stockées par ressource augmentera dans la base de données de rapports.

Affichage actif de capacité :

Mois précédents : 1

Mois suivants : 12

Heure prévue : 1 ▾ 00 ▾ AM ▾

Date et heure du serveur : 10/07/2007 18:46

Figure 5.28. *Enregistrement de la capacité des ressources*

5.5.2.4. *Jour de travail du plan de ressources*

Le plan de ressources a besoin de connaître, comme dans Project Professional 2007, la durée moyenne en heures d'une journée de travail. Ceci afin de calculer les charges de travail. Il s'agit d'une conversion entre les unités Jour et Heure :

– soit ce coefficient moyen est à partir du calendrier de la ressource (par défaut, et sans doute le plus efficace) ;

– soit il est saisi « en dur » dans cette zone.

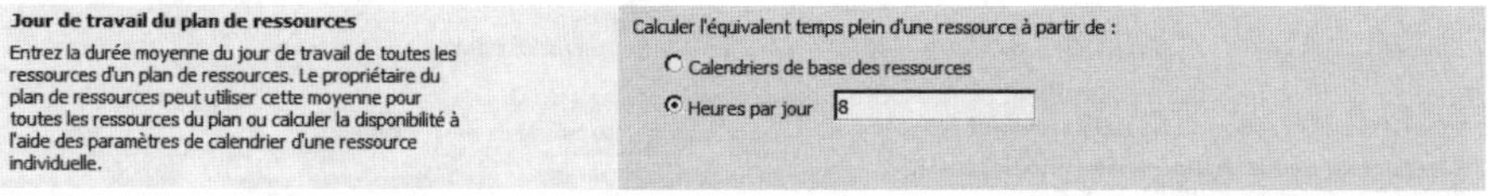

Jour de travail du plan de ressources

Entrez la durée moyenne du jour de travail de toutes les ressources d'un plan de ressources. Le propriétaire du plan de ressources peut utiliser cette moyenne pour toutes les ressources du plan ou calculer la disponibilité à l'aide des paramètres de calendrier d'une ressource individuelle.

Calculer l'équivalent temps plein d'une ressource à partir de :

○ Calendriers de base des ressources

● Heures par jour 8

Figure 5.29. *Travail quotidien pour le plan de ressources*

5.5.2.5. *Champ d'état du projet*

Le champ *Etat* signale un retard ou une avance entre le réalisé et le prévu. S'il est géré par une application tierce (ERP, CRM) il sera placé en lecture seule.

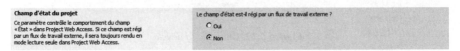

Figure 5.30. *Contrôle du champ Etat*

5.5.3. *Synchronisation avec Active Directory*

Lorsque les utilisateurs de Project Server 2007 sont authentifiés à l'aide d'un compte Windows, ce compte est répertorié dans l'Active Directory (AD), l'annuaire des utilisateurs de Windows. La synchronisation des ressources de Project Server 2007 avec l'Active Directory de Windows est un processus distinct, qui permet de créer automatiquement de nouvelles ressources, ou de mettre à jour d'anciennes ressources.

Le détail du paramétrage de cette synchronisation est donné en deuxième partie, au chapitre du pool de ressources.

5.5.4. *Mise en service de l'espace de travail des projets*

Chaque projet peut posséder un espace de travail de projet, permettant de créer, conserver et consulter des éléments accessoires au projet : fichiers Word, Excel (ou de toute autre nature), agendas, annonces. *Problèmes* et *Risques* sont une sorte de bloc-notes. Les *tâches* (ne pas confondre avec les tâches du projet) sont comparables aux tâches d'Outlook. A noter que Project Server 2007 possède lui aussi son espace de travail global. Avant de gérer ces espaces de travail, il faut régler leurs paramètres de mise en service, qui s'appliqueront à la création de tout nouvel espace de projet.

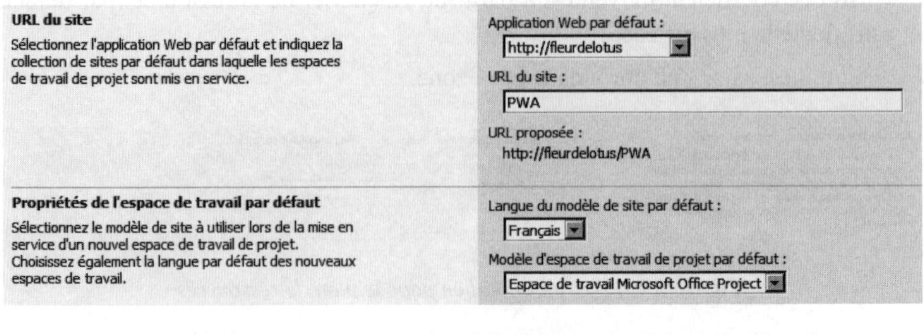

URL du site	Application Web par défaut :
Sélectionnez l'application Web par défaut et indiquez la collection de sites par défaut dans laquelle les espaces de travail de projet sont mis en service.	http://fleurdelotus ▼ URL du site : PWA URL proposée : http://fleurdelotus/PWA
Propriétés de l'espace de travail par défaut	Langue du modèle de site par défaut :
Sélectionnez le modèle de site à utiliser lors de la mise en service d'un nouvel espace de travail de projet. Choisissez également la langue par défaut des nouveaux espaces de travail.	Français ▼ Modèle d'espace de travail de projet par défaut : Espace de travail Microsoft Office Project ▼

Figure 5.31. *URL et propriétés des espaces de travail*

L'application web sera celle créée lors de la configuration de Project Server 2007, ainsi que l'URL correspondante (dans nos exemples, le site par défaut, à la racine d'IIS). En l'absence de pack multilingue, la langue ne pourra être que le français (sans ces packs, tant côté serveur que client, vous devez utiliser un client Project Professional 2007 de la même langue que Project Server 2007). Un seul modèle d'espace par défaut est proposé, même si d'autres modèles pourraient être conçus par l'administrateur.

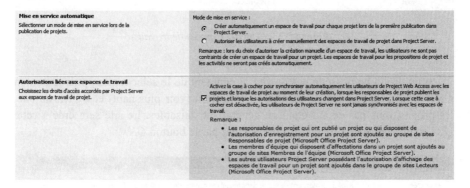

Figure 5.32. *Mise en service et autorisations*

Les options par défaut permettent de créer automatiquement l'espace de travail. Même dans ce cas, au moment de la première publication, l'utilisateur sera cependant informé de cette création (sans pouvoir l'éviter, voir plus loin, en deuxième partie, le chapitre de l'élaboration d'un projet).

L'espace de travail possède ses propres autorisations d'accès, gérées par Windows SharePoint Services (voir la troisième partie). Par défaut, les utilisateurs de Project Server 2007 seront automatiquement synchronisés à la création, puis dans les publications successives, avec ceux de l'espace de travail, en conservant des niveaux de droit correspondants. En conservant cochée cette option des autorisations, la gestion des droits de l'espace de travail est donc totalement transparente pour les utilisateurs.

5.5.5. *Espaces de travail de projet*

La page *Espaces de travail* de projet donne la liste des projets de l'entreprise, avec, pour les projets dotés d'un espace de travail, un lien permettant d'ouvrir cet espace.

Espaces de travail de projet

Cette page vous permet de mettre en service un nouveau site pour un projet, supprimer un site et synchroniser l'accès des utilisateurs au site. Vous pouvez également accéder à la page d'administration des sites sur le serveur Web exécutant Windows SharePoint Services.

Créer un site | Modifier l'adresse du site | Synchroniser | ✕ Supprimer le site | Paramètres du site de l'espace de travail du projet|

Nom du projet ▲	Adresse du site
Rénovation Tour Eiffel	http://fleurdelotus/PWA/Rénovation Tour Eiffel
test	http://fleurdelotus/PWA/test
Test 29 mai	http://fleurdelotus/PWA/Test 29 mai
test deux	http://fleurdelotus/PWA/test deux
test espace travail	
test import	http://fleurdelotus/PWA/test import

Figure 5.33. *Liste des espaces de travail*

Si un projet ne possède pas de site, il convient de le sélectionner, puis le bouton *Créer un site* demandera le nom de l'application (voir plus haut) et l'URL du site, les propositions par défaut étant en général satisfaisantes. Le site sera créé à cette URL suivie après un/du nom du site. Valider par le bouton *OK*.

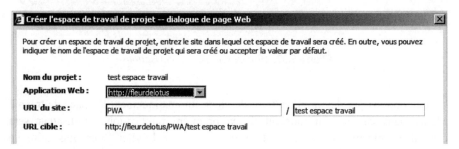

Figure 5.34. *Création d'un espace de travail*

Le bouton *Modifier l'adresse du site* permet de modifier cette adresse, mais cela implique que le site ait préalablement été installé à cette nouvelle adresse : il ne s'agit pas d'un transfert du site existant. Un site peut être supprimé par le bouton *Supprimer*. Le bouton *Paramètres du site de l'espace de travail de projet* permet d'ouvrir la page de Windows SharePoint Services permettant la gestion d'un site (voir troisième partie) : autorisations d'accès, aspect, paramètres généraux.

Gérer les projets d'entreprise

Cette deuxième partie nous fera découvrir les différentes étapes de l'élaboration et du suivi d'un projet :

– tout d'abord le modèle d'entreprise. C'est-à-dire le cadre général, défini par l'administrateur de Project Server 2007, sur lequel seront construits tous les projets d'entreprise créés par les utilisateurs ;

– la mise en place d'un pool de ressources, communes à l'ensemble de l'entreprise ;

– puis la création et la publication d'un projet par le responsable de projet ;

– ensuite la gestion des affectations permettra d'apprécier la charge de travail du projet ;

– le suivi de l'avancement permettant aux ressources de remplir elles-mêmes leurs feuilles de temps.

CHAPITRE 6

Les données d'entreprise

Les données d'entreprise permettent de définir un modèle qui s'imposera à tous les projets gérés dans Project Server 2007. Ce modèle d'entreprise comporte trois grands volets :

- les *données d'entreprises* proprement dites :
  - champs personnalisés d'entreprise,
  - calendriers d'entreprise ;
- l'*Entreprise globale*, et le système des modèles ;
- le *pool des ressources* communes, objet du chapitre suivant.

Au préalable, situer les différents rôles des acteurs de projets permet d'en mieux comprendre la structure.

6.1. Différents acteurs du projet

En simplifiant, on peut classer les rôles des différents acteurs de Project Server 2007 en trois grands groupes.

6.1.1. *L'administrateur de Project Server*

L'*administrateur* de Project Server, en plus de la capacité à paramétrer convenablement le serveur, aura la tâche de définir le cadre général de l'entreprise, qui s'imposera à tout nouveau projet conçu par les chefs de projet : c'est la gestion des données d'entreprise. Ce modèle commun contient les données d'entreprise, dont l'*Entreprise Globale,* qui s'appliqueront à l'ensemble des projets gérés dans l'entreprise : calendriers, champs et affichages personnalisés, etc. Il est préférable qu'une seule personne soit habilitée à intervenir sur ce modèle.

L'administrateur aura aussi la tâche de gérer le pool des ressources : créations des codes hiérarchiques (notamment le RBS), création et modification de ressources (capacité qu'il peut partager avec les responsables de ressources), ou afficher la totalité de leurs affectations. Cette gestion des ressources pourrait être déléguée à un responsable des ressources unique.

6.1.2. *Les responsables de projets*

Ces chefs de projets ont la responsabilité, dans Project Professional 2007, de créer leurs propres projets à partir du modèle de l'entreprise globale et des données d'entreprise. Publiés sur Project Server, ils deviendront des *projets d'entreprise.* Le chef de projet peut créer une équipe de ressource dans son projet à partir du pool de ressources, il peut créer ses propres ressources locales dans son projet, mais il ne peut pas modifier le pool de ressources. Il faut pour cela être administrateur ou responsable de ressources.

Le chef de projet pourra approuver les modifications de tâches soumises par ses ressources, ainsi que leurs feuilles de temps ou informations de suivi rentrées dans les tâches. Activité qu'il pourra déléguer, par exemple aux responsables d'équipes.

6.1.3. *Les membres d'équipes de projets*

Ces équipiers pourront valider leurs nouvelles affectations, consulter leurs tâches et les mettre à jour, remplir leurs feuilles de temps, répondre aux demandes de rapports d'avancement émis par le chef de projet ou leur responsable d'équipe.

6.2. Les calendriers d'entreprise

Calendriers et *champs personnalisés* sont gérés depuis Project Web Access, par le menu *Paramètres du serveur > Données d'entreprise.* L'*Entreprise Globale* est gérée depuis Project Professional 2007, et servira essentiellement à construire des affichages, filtres ou rapports personnalisés.

Les calendriers ne peuvent pas être créés, et ne sont pas modifiables, depuis un projet d'entreprise. Les calendriers sont définis par l'administrateur à partir de Project Web Access, en choisissant le menu *Paramètres du serveur > Données d'entreprise > Calendriers d'entreprise*. Project Server propose alors le calendrier préprogrammé par défaut, le calendrier Standard.

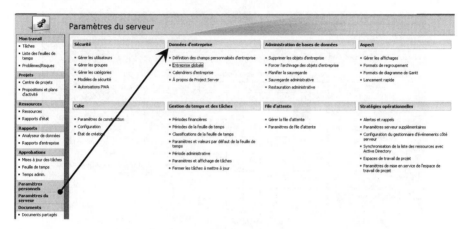

Figure 6.1. *Paramètres du serveur*

6.2.1. *Modification d'un calendrier*

Un calendrier est modifiable à volonté : sélectionnez-le dans la liste, et cliquez sur le bouton *Modifier le calendrier*. Ceci lance l'ouverture de Project Professional 2007, et la fenêtre habituelle *Modifier le temps de travail* est alors proposée.

Figure 6.2. *Page des calendriers d'entreprise*

6.2.1.1. *La semaine de travail type*

Pour modifier les horaires habituels d'une semaine type de travail, cliquez sur l'onglet *Semaine de travail*. Sélectionnez la semaine concernée (ou créez une nouvelle semaine en lui donnant un nom dans la première ligne disponible), le bouton *Détails* devient alors disponible (après validation, en changeant de cellule).

Une nouvelle fenêtre permet de sélectionner (*Clic*, puis *Maj + Clic* ou *Ctrl + Clic*) les jours concernés, puis soit dans les considérer comme non travaillés (deuxième option), soit de leur donner des horaires particuliers (troisième option). Après avoir modifié un horaire, il convient de bien valider la saisie en changeant de cellule dans la grille, avant de fermer la fenêtre.

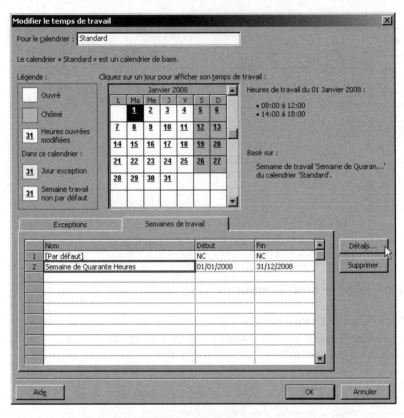

Figure 6.3. *Le calendrier de Project*

Après validation par *OK*, et de retour dans la fenêtre du calendrier, vérifiez bien par quelques sondages que les modifications sont correctes en contrôlant, pour plusieurs jours de la semaine, les horaires indiqués à la droite du calendrier. Vous pourrez éventuellement indiquer une fourchette de dates (entre le 01/01/1984 et le 31/12/2049) pour l'application de cette semaine type (indispensable en cas de pluralité de semaines, en veillant à ce ces dates soient parfaitement compatibles entre elles). Dans notre exemple, nous avons laissé la semaine *Par défaut* en *NC* (non connu). La deuxième semaine type, qui ne couvre que l'année 2008, sera bien utilisée par Project sur 2008, les années antérieures et suivantes prenant la semaine par défaut.

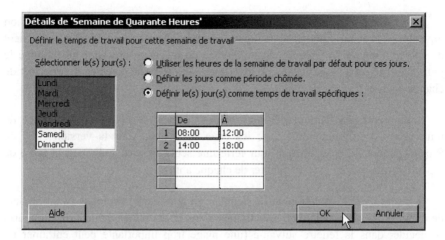

Figure 6.4. *Modifier le détail d'une semaine*

6.2.1.2. *Gérer les exceptions*

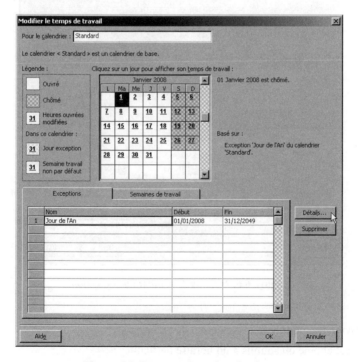

Figure 6.5. *Les exceptions du calendrier*

Pour gérer un jour en particulier (parce qu'il est exceptionnellement non travaillé, ou avec des horaires spécifiques, par exemple une veille de fête), il convient de choisir l'onglet *Exceptions*, de préférence en ayant au préalable sélectionné le jour concerné dans la partie supérieure (l'ascenseur à droite du calendrier permet de change de mois).

Contrairement à Outlook, Project ne possède pas de liste préprogrammée de jours fériés, l'utilisateur doit donc les créer lui-même. Mais la version 2007 de Project permet de créer chaque jour férié une seule fois, en indiquant la règle de répétition (par exemple, le 1er janvier de chaque année).

Il faudra créer l'exception en lui donnant un nom dans la colonne *Nom*. Sa date de début proposée sera la date sélectionnée dans le calendrier, la date de fin pourra se décider dans la fenêtre suivante (une plage trop importante peut entraîner un message d'erreur « *dépassement de capacité* »). Le bouton *Détails* devient alors accessible, pour régler les options.

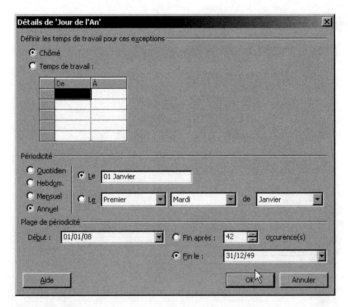

Figure 6.6. *Modifier le détail d'une exception*

Il conviendra, pour le jour concerné, de choisir :

– s'il est chômé ou soumis à un horaire particulier ;

– d'indiquer la périodicité (par exemple, le jour de l'an est un événement annuel) ;

– le critère de récurrence (dans l'exemple, une date précise de l'année, ou une règle de répétition) ;

– une plage de périodicité, soit par un nombre précis d'occurrences, soit par une date butoir (31/12/2049 au plus tard).

6.2.2. *Création d'un nouveau calendrier*

Un nouveau calendrier peut se créer à partir de Project Web Access de deux manières :

– soit *ex nihilo* en utilisant, sur la page *Calendriers d'entreprise*, le bouton *Nouveau calendrier*. Un calendrier vierge est alors proposé. Attention, car il reprend néanmoins les valeurs par défaut fixées lors de l'installation de Project (pour la France, 35 heures par semaine, sur 5 jours). Il faudra ensuite lui donner un nom et le personnaliser par les méthodes du paragraphe précédent ;

– soit en sélectionnant un calendrier existant dans la liste des calendriers d'entreprise, et en utilisant le bouton *Copier le calendrier*. Une fenêtre demande de donner un nom au nouveau calendrier, qui est alors créé sous forme de copie intégrale du calendrier original. Il ne reste plus qu'à le personnaliser par le bouton *Modifier le calendrier*.

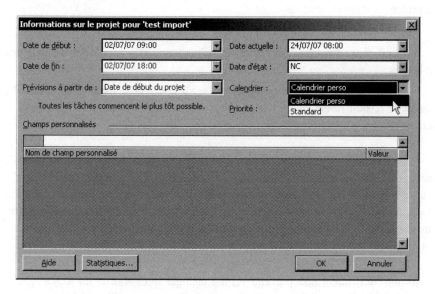

Figure 6.7. *Changement du calendrier d'un projet (Project Professional)*

Ce nouveau calendrier pourra être utilisé dans les projets d'entreprise. Dans Project Professional 2007, le menu *Projet > Informations sur le projet* permet de sélectionner un nouveau calendrier pour le projet en cours. Un calendrier peut être supprimé depuis la page des *Calendriers d'entreprise* de Project Web Access, mais à condition qu'il ne soit pas utilisé par un projet d'entreprise : dans ce cas, après le clic sur le bouton *Supprimer*, un message d'alerte empêche la suppression, en indiquant le nom des projets concernés.

6.2.3. *Paramétrage des heures travaillées*

Dans Project, les horaires de calendrier doivent être manipulés avec la plus grande précaution. C'est le point le plus délicat dans le paramétrage d'un projet. La base de données de Project enregistre les durées exclusivement en minutes. Donc, lorsqu'un utilisateur rentre pour une tâche une durée de 1 jour, Project doit convertir cette valeur en minutes. Soit 1 x *nombre d'heures travaillées par jour* x 60. Ce coefficient *nombre d'heures travaillées par jour* ne dépend pas du calendrier utilisé (c'est malheureux et inexplicable), mais doit être paramétré sur chaque poste de travail : dans Project Professional 2007, menu *Outils > Options* et onglet *Calendrier*. Il convient de vérifier, afin de les rendre cohérents et compatibles avec le calendrier du projet :

– le nombre d'heures par jour, pour convertir la saisie de jours en heures ;

– le nombre d'heures par semaine, pour convertir la saisie de semaines en heures ;

– le nombre de jours par mois, pour convertir la saisie de mois en semaines. Les saisies se faisant rarement en mois (unités de temps peu pratique et aléatoire), ce dernier réglage est moins stratégique que les précédents.

Dans l'exemple ci-dessous, nous avons opté pour 8 h jour et 40 h par semaine, sachant que notre calendrier standard a été modifié pour adopter des horaires de 8 à 12 h le matin et de 14 h à 18 heures l'après-midi, et ce du lundi au vendredi. Donc, lorsque l'utilisateur saisi une durée d'un jour, la base de données enregistrera une durée de 1 j × 8 h × 60 m, soit un total de 480 minutes. La tâche commencera à donc à 8 heures pour se terminer à 18 heures.

Si notre utilisateur non prévenu vient à changer le calendrier du projet *après* la saisie de la durée des tâches, en adoptant un calendrier travaillant 7 heures par jour (par exemple le calendrier par défaut de la version française de Project, de 9 h à 12 h et de 14 h à 18 h), alors la tâche restera sur un durée apparente de 1 jour. Mais commençant le 1er jour à 9 h et se terminant le deuxième jour à 10 h : car en réalité cette tâche vaut 480 minutes, soit 8 heures, impossible à ajuster sur une journée de 7 heures…

Une telle situation peut conduire à l'extrême à une obligation de ressaisie de la durée des tâches. Si le projet utilise plusieurs calendriers, certaines tâches ou ressources prenant des calendriers spécifiques, et si ces calendriers ne comportent pas le même nombre d'heures travaillées par jour, on peut être contraint, pour les calendriers dérogeant au calendrier du projet, d'effectuer les saisies de durées exclusivement en heures, Project étant incapable dans ce cas de traduire correctement les jours en heures, puis en minutes !

Il est aussi important de régler correctement :

– l'heure de début par défaut, antérieure ou au plus égale à l'heure de début du calendrier de projet ;

– l'heure de fin par défaut, postérieure ou au moins égale à l'heure de fin du calendrier de projet.

Un mauvais réglage influera notamment sur l'heure de début du projet. Pour Project (comme dans Excel), une date n'est jamais seule, elle est toujours suivie d'une heure : si l'utilisateur saisi une date de début de tâche sans indiquer l'heure, c'est l'heure de début par défaut qui sera subrepticement utilisée par Project.

En cas d'apparente anomalie, ne pas hésiter à afficher les dates avec les heures (dans Project Professional 2007, choisir le format de date correspondant en troisième ligne du menu *Outils > Options*, onglet *Affichage*). Si le projet utilise plusieurs calendriers, alors on peut être tenté pour éviter tout erreur de positionner l'heure de début sur 00:00 et l'heure de fin sur 00:00 (24:00 serait idéal, mais n'est pas une saisie valide) : l'heure du calendrier primera sur l'heure par défaut.

Après validation par le bouton *OK*, ces réglages seront mémorisés dans le projet en cours, quel que soit le poste utilisateur ouvrant le projet. Le bouton *Définir par défaut* permet de rendre les réglages de cette fenêtre définitifs, par défaut pour tous les nouveaux projets, mais exclusivement sur le poste de travail physique concerné.

Ces réglages, même réalisés dans le modèle de l'entreprise globale, ne sont pas repris automatiquement sur le poste utilisateur ! Ils sont en fait mémorisés dans le modèle du poste utilisateur, le fichier *Global.mpt*, toujours utilisé à la création d'un nouveau projet, en concurrence avec l'entreprise globale (voir plus loin).

L'administrateur devra donc veiller à un parfait synchronisme entre les plages horaires du calendrier, et le quota d'heures par jour (ou par semaine) de la fenêtre des options.

Tout particulièrement lorsque l'entreprise envisage d'échanger des projets entre sites de nationalités différentes (les réglages par défaut de Project étant fonction du pays de distribution du logiciel !).

Lorsque des calendriers dans Project Server 2007 sont personnalisés, et ne correspondent plus au réglage par défaut de 7 h par jour (pour les versions françaises), alors l'administrateur devra vérifier et paramétrer correctement chaque ordinateur physique utilisant Project Professional 2007 susceptible de créer de nouveaux projets, le modèle de l'entreprise globale n'étant pas suffisant.

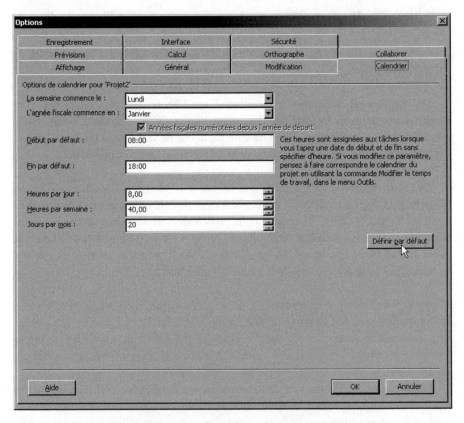

Figure 6.8. *Les options de calendrier de Project Professional 2007*

Si l'entreprise ne cherche pas une gestion horaire très pointue (ce qui est très souvent le cas), il est cependant conseillé d'utiliser un calendrier avec des plages horaires symétriques : par exemple, 3 h 30 le matin et 3 h 30 l'après-midi. Le calendrier par défaut avec 3 h le matin et 4 h l'après-midi n'est pas pratique, et même perturbant. De même, et en fonction de la précision souhaitée dans la gestion du temps de travail, il est plus facile de travailler avec des journées de 8 heures au lieu de 7. Plus de développements sur ce sujet délicat des calendriers pourront être trouvés dans l'ouvrage consacré à MS Office Project 2007 proprement dit.

6.3. Les champs personnalisés d'entreprise

Lorsque l'on travaille avec Project Professional 2007 en mode monoposte, il n'est pas possible de créer de nouveaux champs : l'utilisateur doit obligatoirement personnaliser des champs déjà existants dans la base de données. Cette possibilité est toujours disponible dans Project Professional 2007 en mode serveur. Mais de plus, grâce à Project Server 2007, l'administrateur peut désormais créer lui-même de nouveaux champs dans la base de données, et les personnaliser. Ils seront alors disponibles pour les utilisateurs au niveau projet, tâches ou ressources. Ils peuvent contenir des formules de calcul ou refléter une structure hiérarchique.

Champs personnalisés et tables de choix

Champs personnalisés d'entreprise

Nouveau champ | Copier le champ | X Supprimer le champ |

Champ ▲	Entité	Type	Obligatoire	Formule	Indicateurs graphiques	Table de choix	Dernière mise à jour
État de la proposition	Projet	Texte	Non	Non	Non	État de la proposition	18/01/2007
Nom équipe	Ressource	Texte	Non	Non	Non	Nom équipe	05/07/2007
RBS	Ressource	Texte	Non	Non	Non	RBS	05/07/2007
Sante	Tâche	Texte	Non	Non	Non	Sante	18/01/2007
Type de coût	Ressource	Texte	Non	Non	Non	Type de coût	18/01/2007

Tables de choix pour les champs personnalisés

Nouvelle table de choix | Copier la table de choix | X Supprimer la table de choix |

Table de choix ▲	Type	Dernière mise à jour
État de la proposition	Texte	18/01/2007
Nom équipe	Texte	05/07/2007
RBS	Texte	05/07/2007
Sante	Texte	18/01/2007
Type de coût	Texte	18/01/2007

Figure 6.9. *Menu champs personnalisés*

Avec la version 2007 de Project Server, les champs personnalisés sont gérés côté serveur (donc par Project Server 2007, ne dépendant plus de Project Professional 2007), et sont en nombre illimité. Depuis Project Web Access, choisir le menu

Paramètres du serveur > Données d'entreprise > Définition des champs personnalisés d'entreprise. Au préalable, une table de choix permet de construire une bibliothèque de valeurs de référence, puis le champ personnalisé sera créé et raccordé à cette table de choix. Quelques champs et tables sont proposés par défaut dans l'installation de Project Server 2007, l'administrateur peut les personnaliser ou créer ses propres entrées.

6.3.1. *Remarques de vocabulaire*

Le vocabulaire de Project peut parfois paraître ambigu. Ainsi, nous parlons de *champ* en raisonnant au niveau base de données, alors qu'au moment de son utilisation dans un affichage le champ devient une *colonne*. Dans cet affichage, la colonne peut être insérée ou masquée, mais le champ ne peut être ni créé ni supprimé de la base de données sous-jacente par l'utilisateur : seul l'administrateur peut créer et supprimer les champs personnalisés.

Dans Project, un champ personnalisé peut contenir une formule de calcul : il s'agira donc d'un nouveau champ créé par une requête, dirigée vers la table d'origine.

Le mot *table* peut, dans Project, désigner trois concepts différents :

– une table est, dans la base de données, le conteneur d'une collection de champs apparentés entre eux. Au niveau de l'utilisateur, on peut simplifier en disant que Project utilise quatre tables principales : le *projet*, les *tâches*, les *ressources* et les *affectations*. Cette dernière est chargée de mettre en relation les tâches et les ressources. Il faudra donc toujours se demander à laquelle de ces quatre tables appartient le champ utilisé, ou à créer : c'est la notion d'entité, qui désigne tout simplement la table dans laquelle le champ doit être créé ;

– une table est aussi, par extension, un simple assemblage de colonnes, issues des champs de la base de données, dans une grille d'affichage de Project Web Access ou Project Professional 2007. Cette table permet la saisie et la modification des données, mais ne permet pas de modifier la structure de la base de données sous-jacente ;

– enfin, une table de choix est une simple liste d'entrées préenregistrées et proposées lorsqu'en utilisateur développe une liste déroulante, ou liste de choix.

6.3.2. *Première étape : la table de choix*

Avant de créer un champ personnalisé, il est possible (étape facultative, mais recommandée) de définir une liste de référence qui permettra de valider la saisie de l'utilisateur (par une liste déroulante). Dans la page *Définition des champs personnalisés d'entreprise*, vous pouvez choisir de créer une nouvelle table vierge (bouton *Nouvelle table de choix*), ou par copie d'une table existante (sélectionner la ligne de la table à copier, puis bouton *Copier la table de choix* afin de donner un nom à la nouvelle table). La modification d'une table s'effectuera en cliquant sur le nom de la table. La suppression d'une table est possible en sélectionnant sa ligne puis en cliquant le bouton *Supprimer la table de choix*, et ce à condition qu'elle ne soit pas utilisée dans un champ.

Une table comporte les éléments suivants :

– un nom, librement choisi. Il est recommandé, pour les champs de ressources, d'avoir une table de codes hiérarchiques strictement nommée « RBS » (*resource breakdown system*), qui servira de base à un champ personnalisé du même nom destiné à refléter la structure hiérarchique ou organisationnelle de l'entreprise ;

– un type : texte, numérique, coût, date ou durée. La table ne pourra contenir que des valeurs du type choisi, et ce type n'est pas modifiable après création de la table ;

– un masque de code. Chaque niveau pourra être formaté (la séquence) : caractère (donc saisie indifférente), majuscule, minuscule ou nombre. Et ce pour une longueur fixe ou indifférente. Le caractère de séparation entre deux niveaux sera librement choisi ;

– le contenu proprement dit de la table. Les icônes permettent d'insérer des lignes, et surtout d'abaisser ou de hausser d'un niveau chaque entrée afin de créer un système hiérarchique.

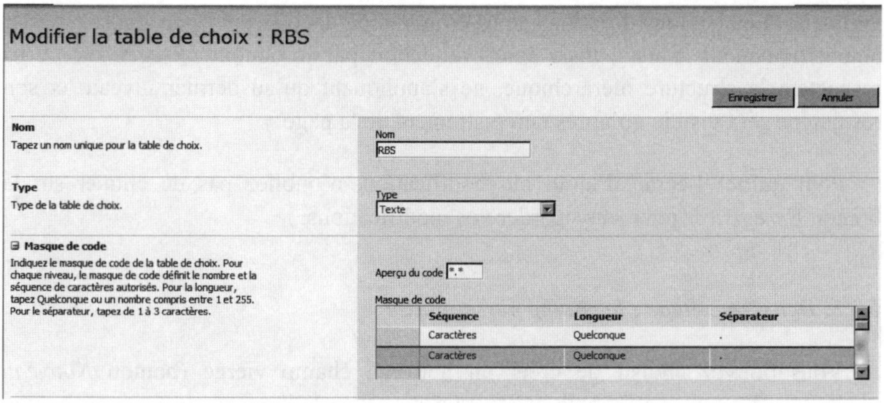

Figure 6.10. *La table RBS et son masque de code*

Les entrées seront saisies sur chaque ligne de la table. Puis les icônes habituelles du plan permettront éventuellement de donner une structure hiérarchique : deux grosses flèches jaunes, pointant à droite pour abaisser d'un niveau, ou pointant à gauche pour hausser d'un niveau. D'autres icônes permettent d'insérer ou supprimer une ligne à partir de la ligne sélectionnée. Les signes + et – dans un carré permettent de développer une l'arborescence, ou au contraire de la réduire. Les copier-coller sont possibles, après sélection de la ligne concernée.

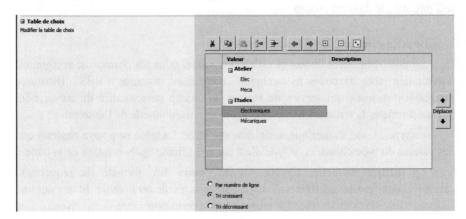

Figure 6.11. *La liste de la table de choix*

Arrivé à la fin de la liste, une nouvelle ligne sera créée par la touche Entrée du clavier. L'ordre de tri des lignes se contrôle manuellement par les flèches noires verticales. Les boutons d'options de tri croissant ou décroissant permettent de retrier automatiquement la liste, mais après validation par le bouton *Enregistrer*. Le tri respectera la structure hiérarchique, ne s'appliquant qu'au dernier niveau, et son résultat ne sera visible qu'après enregistrement de la page.

Pour quitter l'écran d'ajout ou modification, n'oubliez pas de cliquer sur le bouton *Enregistrer* pour sauvegarder vos modifications.

6.3.3. *Deuxième étape : le champ personnalisé*

Vous pouvez choisir de créer un nouveau champ vierge (bouton *Nouveau champ*), ou de copier un champ existant (sélectionner la ligne du champ, puis bouton *Copier le champ* afin de donner un nom au nouveau champ). La modification d'un champ s'effectuera en cliquant sur le nom du champ. La suppression d'un champ est possible en sélectionnant sa ligne puis en cliquant le bouton *Supprimer le champ*, et ce à condition qu'il ne soit pas utilisé dans un projet.

Après validation par le bouton *Enregistrer*, la plupart des options ne peuvent plus être modifiées : il faudra supprimer le champ et le recréer. Le champ personnalisé ne sera disponible au niveau de Project Professional 2007 qu'après fermeture puis réouverture de Project Professional 2007 (la mise à jour de ses données d'entreprise n'étant pas dynamique).

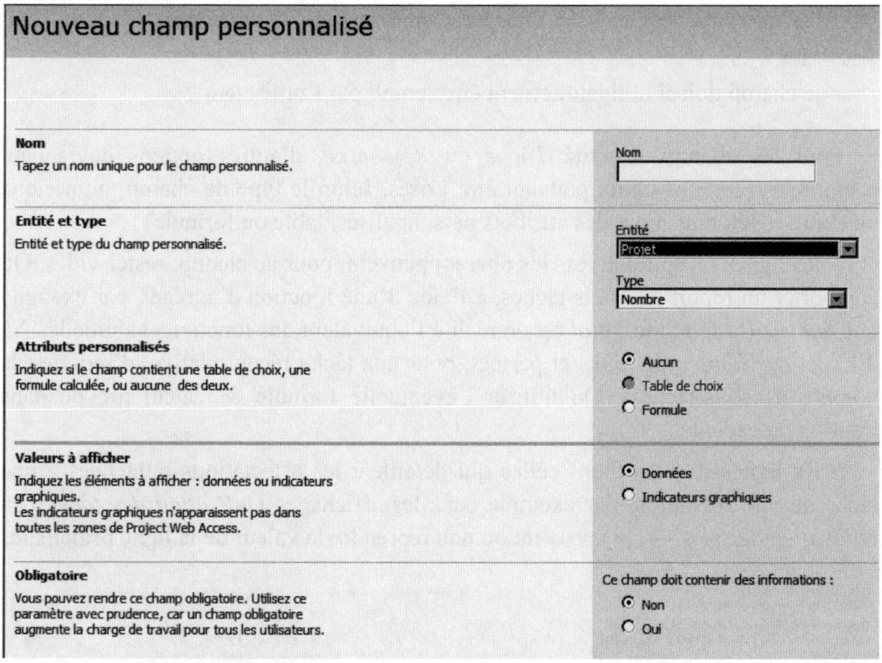

Figure 6.12. *Créer le champ personnalisé pour une entité Projet*

Un champ comporte les éléments suivants :

– un nom, librement choisi. Il est recommandé, pour les ressources, d'avoir un champ de codes hiérarchiques strictement nommée « *RBS* » (*resource breakdown system*), construit sur la table de choix du même nom. Le champ RBS sera utilisé lors de la création de catégories de sécurité, ou pour certaines fonctionnalités telles que l'Assistant de substitution de ressources. Il pourra refléter une organisation hiérarchique de l'entreprise, une compétence métier ou bien une répartition géographique des ressources ;

– une entité : en fait, la table de la base de données dans laquelle le champ sera créé. Le champ sera disponible exclusivement soit pour le projet lui-même (visible, depuis Project Professional 2007, dans le menu *Projet > Informations sur le projet*), soit pour les tâches, soit pour les ressources, Dans tous les cas, l'utilisateur pourra, depuis Project Professional, insérer le champ dans les tables d'affichage ;

– un type : texte, numérique, coût, date ou durée ;

– un attribut (permettant de valider son contenu) : aucun, table de choix ou formule (voir paragraphe suivant) ;

– les valeurs à afficher : les données réelles, ou leur traduction par un indicateur graphique ;

– le champ doit-il obligatoirement être rempli par l'utilisateur ?

Pour les champs d'entité *Tâche* ou *Ressource*, d'autres options deviennent disponibles (certains choix pouvant être grisés, selon le type de champ, numérique ou texte, et selon le choix des attributs personnalisés, table ou formule) :

– les lignes récapitulatives (les phases) peuvent, pour ce champ, rester vides. Ou comporter un report des sous-tâches, à l'aide d'une fonction d'agrégat, par exemple une *Somme* (la fonction *Total* est en réalité l'équivalent des fonctions habituelles *Nb* d'Excel ou *Compte* de SQL, et permet, pour une tâche récapitulative, d'indiquer le nombre de sous-tâches). Ou utiliser l'éventuelle formule de calcul prévue dans l'option précédente ;

– les lignes d'affectation (celles qui détaillent les affectations rattachées à une tâche ou une ressource, par exemple dans les affichages *Utilisation des tâches* ou *Utilisation des ressources*) peuvent ou non reprendre la valeur de la ligne principale.

Figure 6.13. *Options complémentaires pour une entité Tâche numérique*

6.3.4. *Options de la table de choix*

Pour choisir une table de choix, après avoir indiqué son nom, vous pouvez définir une valeur de la liste comme entrée par défaut.

La saisie peut être restreinte aux seules valeurs de dernier niveau, sans valeur subordonnée (exemple : pour un champ « *Région* », la saisie « *Europe* » sera refusée, il faudra choisir « *Europe.Fance* ». Il est aussi possible d'autoriser la saisie de valeurs multiples (sur le modèle « *Europe.France;Europe.Allemagne* »).

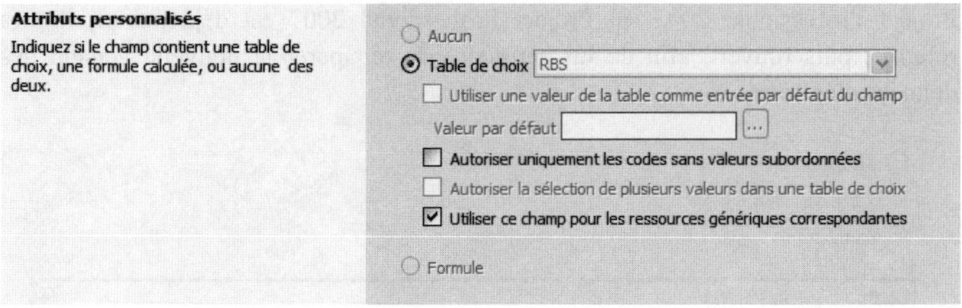

Attributs personnalisés

Indiquez si le champ contient une table de choix, une formule calculée, ou aucune des deux.

○ Aucun
◉ Table de choix RBS
  ☐ Utiliser une valeur de la table comme entrée par défaut du champ
  Valeur par défaut
  ☐ Autoriser uniquement les codes sans valeurs subordonnées
  ☐ Autoriser la sélection de plusieurs valeurs dans une table de choix
  ☑ Utiliser ce champ pour les ressources génériques correspondantes

○ Formule

Figure 6.14. *Raccorder un champ à une table de choix*

REMARQUE IMPORTANTE.– Si le champ correspond à une entité *Ressource*, l'option *Utiliser ce champ pour les ressources génériques correspondantes* permet, si elle est cochée, d'utiliser ce champ pour comparer les ressources lors de la création de l'équipe de projet (voir *infra*), et pour un bon fonctionnement de l'assistant de remplacement des ressources. Il est conseillé de ne cocher cette case que dans un seul champ, et si possible d'utiliser le champ préprogrammé RBS.

6.3.5. *Créer une formule*

Ce choix permet de créer une formule de calcul, en s'aidant des boutons Fonctions et Opérateurs. Le nom des champs de Project devra être saisi entre crochets. Pa exemple, cette formule affichera dans le champ personnalisé les 5 premiers caractères du champ nom de la tâche : « *Left([Nom],5)* ».

Les fonctions disponibles sont les principales fonctions connues dans Excel, groupées en catégories, mais leur nom est en anglais. En cliquant sur le nom de la fonction dans la liste, la fonction se recopie dans la zone de saisie de la formule et l'utilisateur n'a plus qu'à remplacer les arguments rappelés entre parenthèses.

Les opérateurs sont eux aussi habituels dans Excel, mais comportent en plus les opérateurs booléens *AND*, *OR* et *NOT*. Rappelons le & pour la concaténation (association de deux textes), le \ pour la division entière et le *MOD* pour le modulo, le reste de la division.

Le nom des champs n'est malheureusement pas disponible dans une liste d'aide, mais devra être saisi directement et mis entre crochets [ ]. Il est donc possible de transformer le contenu d'un autre champ préexistant, en appliquant une règle précise.

Un test de validation sera effectué à l'enregistrement de la page, avec l'aide de Project Professional 2007. Si Project Professional 2007 est déjà ouvert, il sera refermé, puis rouvert, afin de lui permettre de récupérer la nouvelle version des données d'entreprise.

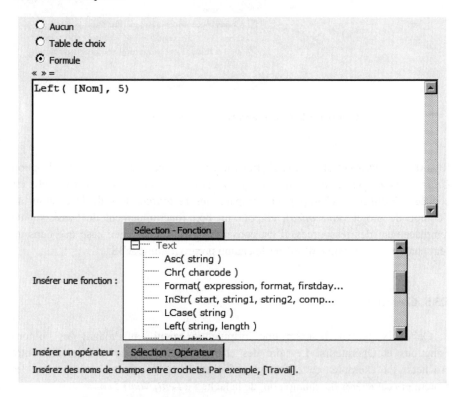

Figure 6.15. *Construire une formule de calcul*

6.3.6. *Utiliser les indicateurs graphiques*

Les données du champ personnalisé peuvent, à l'affichage, être visuellement remplacées par un indicateur graphique. Par exemple, imaginons que le champ personnalisé comporte la formule suivante : « *Year[Fin]* », donnant ainsi l'année de la date de fin de la tâche. Au lieu d'afficher cette valeur, nous afficherons sur les lignes de tâches non récapitulatives un symbole vert ☺ si l'année est supérieure à 2009, jaune ☺ si elle est supérieure à 2006 (donc implicitement inférieure à 2010, seules les valeurs 2007, 2008 et 2009 seront satisfaisantes), sinon un voyant rouge ☹.

Cet indicateur peut s'appliquer aux tâches élémentaires, ou au contraire aux tâches récapitulatives. Le test est choisi dans une liste déroulante, la valeur est saisie en valeur absolue, et le symbole choisi par une liste déroulante. Plusieurs tests peuvent s'enchaîner l'un après l'autre, le premier test ayant une réponse positive interrompant le processus.

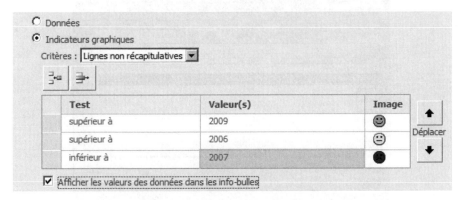

Figure 6.16. *Créer un indicateur graphique*

Comme pour les formules de calcul, un test de validation sera effectué à l'enregistrement de la page, avec l'aide de Project Professional 2007. Si Project Professional 2007 est déjà ouvert, il sera refermé, puis rouvert, afin de lui permettre de récupérer la nouvelle version des données d'entreprise.

Et n'oubliez pas que de toute façon le champ personnalisé de Project Server ne sera disponible qu'après fermeture et réouverture de Project Professional, pour être par exemple inséré comme colonne d'une table d'affichage.

6.3.7. *Ajouter un champ d'entreprise depuis Project Professional*

Un champ personnalisé peut être créé dans Project Professional 2007. Il sera alors propre au projet dans lequel il a été créé. Mais il peut aussi être ajouté au modèle de l'entreprise globale (option disponible selon les droits de l'utilisateur).

Pour cela, à partir de *Project Professional 2007*, ouvrez le menu *Outils > Personnaliser > Champs…* Choisissez une catégorie *Tâche* ou *Ressource* (la catégorie *Projet* ne permet pas la création de champ depuis Project Professional), ainsi qu'un type. Ne pas oublier de *Renommer* le champ. Modifiez les attributs de ce champ : il peut contenir une liste de choix ou une formule de calcul, un report peut être fait sur les tâches récapitulatives, le contenu peut être reproduit sur les lignes détaillant les affectations (telles que dans les affichages *Utilisation des ressources* ou *Utilisation des tâches*) et un indicateur graphique peut remplacer les valeurs (voir l'ouvrage consacré à MS Office Project 2007).

Figure 6.17. *Champs personnalisés dans Project Professional*

Enfin, le bouton *Ajouter à l'entreprise…* vous permettra de transformer ce champ en champ d'entreprise. Il pourra être renommé (par exemple en supprimant son nom d'origine placé entre parenthèses). Il est obligatoire de donner un nom pour la table de choix, éventuellement différent du nom du champ, mais celle-ci ne sera créée dans Project Server 2007 que si elle a été effectivement créée dans la personnalisation du champ de Project Professional 2007.

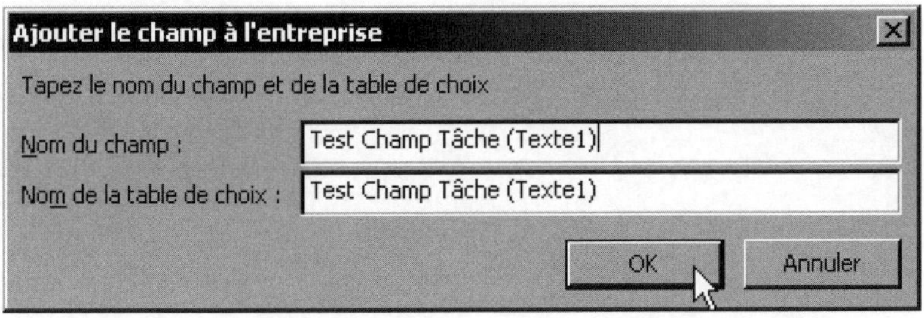

Figure 6.18. *Ajouter un champ à l'entreprise*

Figure 7.8. Modèle en couches Peer-to-peer

CHAPITRE 7

Entreprise globale
et modèles de projet

En complément de l'utilisation des données d'entreprise, la création d'un nouveau projet d'entreprise se fait à partir de modèles préexistants :

– le modèle habituel utilisé en monoposte, le Global.mpt ;

– un modèle supplémentaire, propre au serveur, l'Entreprise globale ;

– éventuellement, des modèles complémentaires créés par l'utilisateur.

L'entreprise globale est un modèle standard, géré de façon centralisée sur le serveur, utilisé à la création de tout nouveau projet, en complément du modèle habituel Global.mpt.

7.1. Extraire l'entreprise globale

Depuis *Project Server 2007*, le menu *Paramètres du serveur > Données d'entreprise > Entreprise globale* ouvre la page *Configurer Project Professional*. Son seul rôle est, par le bouton *Configurer Project Professional*, d'extraire[1] dans *Project Professional 2007* le modèle d'entreprise globale. Cette commande est aussi disponible directement depuis Project Professional 2007, par le menu *Outils > Options d'entreprise > Ouvrir l'entreprise globale*.

L'entreprise globale extraite se présente alors dans Project Professional 2007 comme un projet normal. Vous pourrez alors modifier les éléments tels que les groupes, les filtres ou l'apparence des affichages, en appliquant les règles habituelles

---

1. Extraire (*check-out*), c'est ouvrir un projet en mode mono-utilisateur, afin de le modifier. Il conviendra à sa fermeture, en plus de l'enregistrement, de l'archiver (*check-in*) afin de le rendre à nouveau disponible en lecture/écriture.

de Project Professional (voir l'ouvrage consacré à MS Office Project 2007). Il est possible d'enregistrer une macro dans l'entreprise globale, afin de la rendre disponible pour tous les nouveaux projets, quel que soit le poste utilisateur.

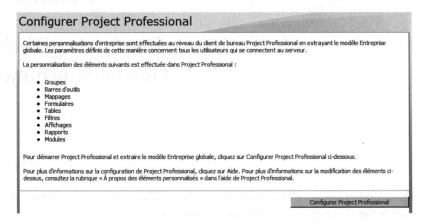

Figure 7.1. *Extraire l'Entreprise globale depuis Project Server 2007*

Nous avons vu que les calendriers et les champs personnalisés étaient gérés directement au niveau de Project Server 2007, et non pas au niveau de l'entreprise globale. Il faut noter que, malheureusement, les réglages effectués dans le menu *Outils > Options* de Project Professional 2007 au niveau de l'entreprise globale ne seront pas repris lors de la création d'un nouveau projet, mais supplantés par ceux du modèle Global.mpt.

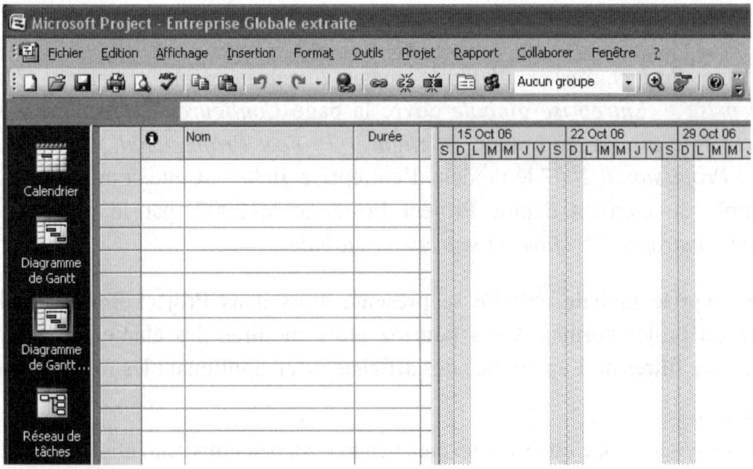

Figure 7.2. *L'entreprise globale : affichage Diagramme de Gantt d'entreprise*

Après modifications dans Project Professional, l'entreprise globale sera enregistrée (la commande *Enregistrer sous* n'est pas disponible, l'enregistrement se fait obligatoirement sur le serveur). A la fermeture, il faudra confirmer l'opération d'archivage[2], sans laquelle la nouvelle version restera inutilisable pour les autres utilisateurs. Cette nouvelle version ne sera disponible dans Project Professional 2007 qu'après fermeture et réouverture de Project Professional.

Figure 7.3. *Confirmer l'archivage de l'entreprise globale*

Si l'on ouvre un projet après modification de l'entreprise globale, sans procéder à cette fermeture de Project Professional 2007, un message alerte l'utilisateur sur la présence d'un modèle d'entreprise globale plus récent.

Figure 7.4. *Confirmer l'archivage de l'entreprise globale*

7.2. Le système des modèles de projet

A chaque création de nouveau projet, le modèle « *Entreprise Globale* » du serveur viendra se superposer au modèle « *Global.mpt* » du poste utilisateur. Le nouveau projet hérite donc à la fois des personnalisations de l'entreprise globale et du fichier Global.mpt.

---

2. Rappel : un oubli d'archivage peut être réparé dans Project Web Access par le menu *Paramètres du serveur > Administration de bases de données > Forcer l'archivage des objets d'entreprise*.

Le calendrier lui est toutefois fourni directement par le serveur, en ignorant celui des modèles. Les champs personnalisés d'entreprise sont aussi proposés directement. Les réglages du menu *Outils > Options* de Project Professional 2007 proviennent uniquement de Global.mpt, ignorant l'entreprise globale.

Entreprise globale et *Global.mpt* constituent un environnement général, portant plus sur la forme du nouveau projet : par exemple, définition d'affichages personnalisés. Des modèles personnalisés peuvent les compléter, leur rôle portant plus sur le fond : par exemple, en définissant des trames standards de tâches avec leurs liens. Il est conseillé de confier la gestion de ces modèles personnalisés à un responsable unique.

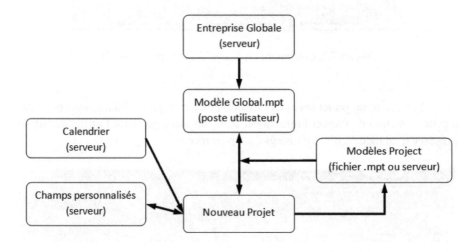

Figure 7.5. *Le système de modèle de projet*

Le nouveau projet peut, depuis le menu *Outils > Organiser...* de Project Professional 2007, gérer la recopie d'éléments personnalisés vers le modèle Global.mpt, mais pas vers l'entreprise globale.

Dans cette fenêtre *Organiser*, l'expression « *Entreprise non mise en cache* » signifie que l'entreprise globale n'est pas extraite, et reste donc en lecture seule (elle n'a pas été placée dans le cache de projet, qui permet les échanges entre le client et le serveur). Les champs personnalisés peuvent aussi, sous réserve des droits d'accès, être créés dans Project Professional 2007 puis remontés sur le serveur (voir plus haut).

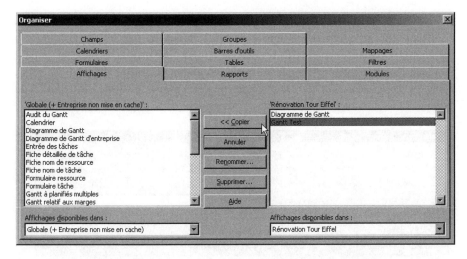

Figure 7.6. *La fenêtre Organiser de Project Professional 2007*

Il est toujours possible de créer un nouveau projet à partir d'un modèle utilisateur, un fichier d'extension .mpt (le t pour Template). La création du projet doit se faire par le menu *Fichier > Nouveau...*, et non pas par l'icône du même nom. Il est alors possible d'utiliser un modèle préenregistré sur l'ordinateur (ou sur un chemin réseau).

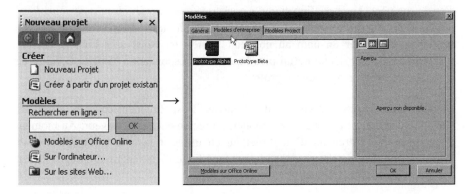

Figure 7.7. *Création d'un nouveau projet demandée par le menu Fichier > Nouveau*

Les modèles créés localement par l'utilisateur apparaissent dans le premier onglet *Général*. L'option *Nouveau Projet* correspond au modèle global, lequel est enregistré sur le chemin d'accès non modifiable *C:\Documents and Settings\Nom Utilisateur\Application Data\Microsoft\MS Project\12\1036*, ce qui signifie que chaque utilisateur possède son propre modèle Global.mpt. Les autres entrées correspondent au modèles enregistrées par l'utilisateur sur le chemin d'accès paramétrable dans le menu *Outils > Options*, onglet *Enregistrement* (ce chemin peut très bien être un emplacement sur le réseau, commun à l'ensemble des utilisateurs). L'onglet *Modèles Project* correspond à des modèles préenregistrés à l'installation de Project sur le chemin *C:\Program Files\Microsoft Office\Templates\1036*[3].

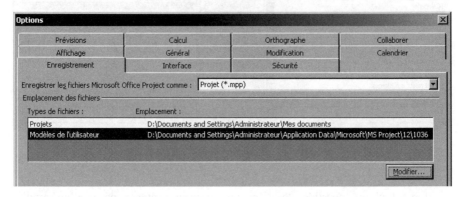

Figure 7.8. *Modifier le chemin d'accès des modèles utilisateurs*

Pour créer localement un modèle, il suffit, au moment du premier enregistrement du fichier, de choisir l'option *Enregistrer en tant que fichier* dans la fenêtre d'enregistrement. Après confirmation d'enregistrer avec *Tous les champs personnalisés*, il faudra, dans la fenêtre standard d'enregistrement, indiquer *Modèle (*.mpt)* en type de fichier et donner un nom au nouveau fichier, en conservant bien le chemin d'accès proposé par défaut défini plus haut, et correspondant à l'onglet *Général* de la fenêtre de création de nouveau projet.

Dans une structure de serveur d'entreprise, il est fortement conseillé d'utiliser une autre démarche : enregistrer les modèles directement sur le serveur. Au moment du premier enregistrement d'un projet ou en utilisant la commande *Enregistrer sous…*, il convient de choisir dans la deuxième ligne de la fenêtre d'enregistrement sur le serveur le type *Modèle*.

Si le projet a déjà été travaillé et contient des valeurs réelles ne devant pas être conservées dans le modèle de base, il est possible, dans la fenêtre suivante, de supprimer ces valeurs en cochant les cases appropriées. Le modèle deviendra disponible dans un nouvel onglet *Modèles d'entreprise*, sur la fenêtre de création de

---

3. Dans ces deux exemples types, C peut bien sûr être remplacé par une autre lettre de lecteur, et 1036 est l'indice d'une version française.

nouveau projet. Ce projet modèle ne sera pas visible dans le centre de projets de Project Server 2007, mais pourra être supprimé dans Project Web Access par *Paramètres du serveur > Administration de bases de données > Suppression les objets d'entreprise.*

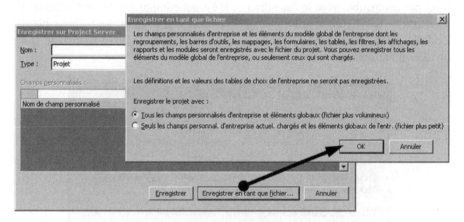

Figure 7.9. *Enregistrer un modèle localement*

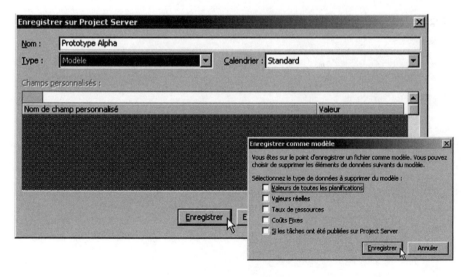

Figure 7.10. *Enregistrer un modèle sur le serveur*

Si un projet est créé à partir d'un modèle qui ne respecte pas les données d'entreprise, et notamment le ou les calendriers, alors une alerte apparaîtra lors de son enregistrement dur Project Server 2007. La confirmation de son enregistrement entrainera la substitution du calendrier originel du projet par le calendrier standard du serveur. La planification du projet pourra donc être recalculée, avec de grosses surprises si la synchronisation des options du projet (heures par jour et par semaine) n'est pas compatible avec le calendrier... Il est donc important de ne pas laisser les créateurs de projets libres d'utiliser sans contrôle les modèles. Le responsable des modèles devra s'attacher à respecter une stricte conformité entre le modèle et les données d'entreprise.

Figure 7.11. *Substitution de calendrier lors de l'enregistrement d'un modèle sur le serveur*

CHAPITRE 8

Le centre de ressources

Le pool de ressources est la liste de l'ensemble des moyens, humains ou matériels, susceptibles d'intervenir dans l'exécution des tâches des projets d'entreprise. Cette liste est centralisée sur le serveur, indépendamment de tout projet. Chaque responsable de projet formera, en sélectionnant des ressources dans cette liste, l'équipe de son projet. Une équipe de projet peut comprendre des ressources propres, créées directement dans le projet, mais non visibles pour le reste de l'entreprise.

Les comptes utilisateurs de Project Server 2007 peuvent faire partie du pool de ressources (ce sera même souvent le cas), de même qu'une ressource peut ne pas être membre des utilisateurs de Project (mais dans ce cas elle ne pourra pas se connecter aussi bien à Project Professional 2007 qu'à Project Web Access). Les ressources peuvent aussi, comme les utilisateurs, se synchroniser avec l'Active Directory de Windows.

Le pool de ressource est créé sur Project Server, et sera à disposition de tous les projets, nouveaux ou existants. Il y a plusieurs moyens de créer une nouvelle ressource :

– dans Project Web Access, à partir du Centre de ressources, et objet de ce chapitre ;

– puis dans le chapitre suivant :

- depuis Project Professional 2007, par le Tableau des ressources, ou par un assistant d'importation ;

- en transformant un utilisateur en ressource ;

- par une synchronisation avec Active Directory.

Dans Project Web Access, la page du centre de ressources s'ouvre par le menu *Ressources > Centre de Ressources*. La plupart des éléments peuvent aussi se retrouver dans Project Professional 2007, avec l'affichage *Tableau des ressources*.

	Nom de la ressource	N°	Extrait	Adresse de messagerie	Générique	Centre de coûts	Responsable de la feuille de temps	Type	Ressources sélectionnées
☐	DELUNE Claire	5	Non		Non			Trava	BigBoss
☐	administrateur	2	Non		Non			Trava	
☐	Testeur	4	Non		Non			Trava	
☑	BigBoss	6	Non		Non			Trava	
☐	admin	3	Non		Non			Trava	

Figure 8.1. *Le Centre de ressources*

8.1. Création d'une nouvelle ressource

Le bouton *Nouveau > Ressource* de la fenêtre précédente permet de créer une nouvelle ressource. Nous allons en examiner les principales caractéristiques. Certaines de ces catégories doivent être développées en cliquant sur le signe + à gauche du nom de la catégorie.

8.1.1. *Le type de ressource*

Il faudra d'abord, en déroulant la liste de choix, lui choisir un type : *Travail, Matériel, Coût*, selon les règles habituelles de Project Professional[1]. Le choix du type est définitif après le premier enregistrement, et ne pourra plus être changé pendant toute la durée de vie de la ressource.

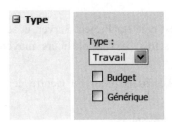

Figure 8.2. *Choix du type d'une ressource*

---

1. Nous donnons ici un survol de cette question essentielle dans le fonctionnement de Project. Le lecteur en trouvera le développement dans l'ouvrage consacré à Project Professional 2007.

8.1.1.1. *Les ressources Travail*

Une ressource travail correspond aux moyens humains ou matériels (machines, outillages) qui concourent à la réalisation des tâches par une affectation horaire, chronologique. Exemple : si M. Toto est affecté à la tâche A pour la journée d'aujourd'hui, alors ses 8 heures de travail disponibles (ou 7 heures selon les réglages d'options vus précédemment) sont utilisées, et ne sont plus disponibles pour une éventuelle tâche B.

Avec les ressources travail, Project effectue des calculs mettant en relation la durée et le travail en appliquant la fameuse équation :

Travail = Durée × Unités

Le terme *Unités* indique la disponibilité de la ressource. Il est indiqué au moment de l'affectation de la ressource à la tâche, et correspond par défaut à la *Capacité* de la ressource indiquée dans Project Professional 2007, dans l'affichage *Tableau des ressources*. Chaque ressource possède une capacité de base par défaut de 100 %, c'est-à-dire une disponibilité de 100 % des heures du calendrier. Cette capacité peut être inférieure (la ressource n'est pas disponible à temps complet), ou supérieure (la ressource est en fait une équipe de plusieurs personnes, ou un parc de plusieurs machines).

Au niveau d'une affectation d'une ressource à une tâche, toute variation des *Unités* d'affectation entraînera un recalcul du terme *Durée* de l'équation, le terme *Travail* étant par défaut supposé constant. Différents réglages (notamment en désactivant le *Pilotage par l'effort*, qui est une propriété de la tâche) permettent de contraindre Project à conserver la *Durée* constante et à recalculer le *Travail*.

Parler de 100 % de capacité, c'est en fait dire que les unités sont de 1 : la capacité s'exprime en pourcentage, les unités en coefficient. La capacité de base de la ressource n'est pas modifiable depuis Project Web Access, et sera par défaut fixée à 100 %. Il faudra passer par Project Professional 2007 pour la modifier.

8.1.1.2. *Les ressources Matériel*

Dans la version anglaise de Project, il s'agit de *Material*. La traduction est donc approximative, il ne s'agit pas de matériel de le sens de machines ou outillages, mais de matériaux, dans le sens de consommables. Cette ressource pourra recevoir une étiquette, indiquant le type de conditionnement. Exemples : de la peinture (au litre, étiquette L), des cartouches de toner (à l'unité, étiquette U)…

Pour une affectation de ressource de type *Matériel*, Project ne procède à aucun calcul chronologique, et cette affectation ne charge aucun travail sur la tâche. Par contre, il est possible au moment de l'affectation d'indiquer à la place des unités une quantité consommée (exemple : 6 L ou 4 U) ou un taux de consommation (exemple : 6 L/H pour 6 litres par heure). Dans ce dernier cas, Project calculera alors la quantité consommée en fonction de la durée de la tâche. Si un coût unitaire, correspondant à l'étiquette, est indiqué, Project tiendra compte des cette consommation dans le budget du projet.

La distinction fondamentale entre *Travail* et *Matériel* est bien l'aspect calcul de la charge de travail. Il n'est donc pas exclu, en détournant l'orthodoxie de Project, de créer une ressource homme en tant que matériel : l'affectation de cette ressource n'impactera ni la durée ni le travail de la tâche. Exemple : un superviseur servant de référent, mais n'intervenant pas directement sur la tâche.

8.1.1.3. *Les ressources Coût*

C'est une nouvelle catégorie introduite par la version 2007. Lorsqu'une tâche se voit chargée d'un coût fixe, indépendant de sa durée (exemples : frais de voyages, frais de livraison, devis forfaitaire), il fallait dans les versions antérieures saisir ce coût dans le champ *Coût fixe* de la tâche, sans pouvoir distinguer des frais de natures différentes.

Avec le type *Coût*, on crée une ressource qui représente une catégorie de coût. Exemple : *Frais de livraison*. Cette ressource ne peut posséder de *Capacité* ou de *Taux standard*. Puis au moment de l'affectation de la ressource à la tâche, on indique le montant forfaitaire de la dépense dans la colonne *Coût* de la fenêtre d'affectation[2], depuis Project Professional 2007 (la colonne *Unités* est d'ailleurs inutilisable). Il n'y aura aucun impact sur la durée ou le travail de la tâche, mais Project incorpore ce coût fixe, qui ne varie pas avec la durée de la tâche, au budget total du projet.

8.1.1.4. *Les ressources Budget*

Il ne s'agit pas d'un type, mais d'une propriété qui s'applique aux types existants *Travail*, *Matériel* ou *Coût*. Une ressource déclarée « *Budget* » n'est en réalité pas une vraie ressource, et n'est d'ailleurs pas affectable aux tâches du projet : elle ne peut être affectée qu'à la tâche récapitulative du projet. On se contentera d'un maximum de trois ressources budgétaires, une par type de ressource.

---

2. Dans ce cas, il est préférable de valider la saisie par le coche verte de la zone d'édition plutôt que d'utiliser le bouton *Affecter*, une anomalie dans les premières versions de Project 2007 pouvant déclencher un message d'erreur.

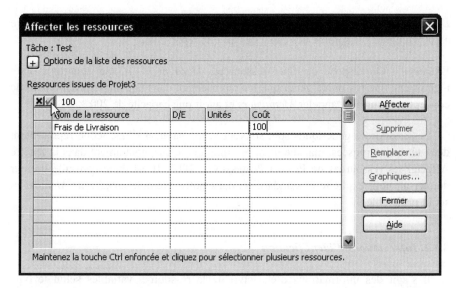

Figure 8.3. *Affecter une ressource de type Coût depuis Project Professional 2007*

Le but est de saisir manuellement pour ces ressources, avant le début d'exécution du projet, au début même de sa conception, des enveloppes budgétaires estimées ou accordées (pour le type *Coût*), ou des estimations de temps de travail (pour le type *Travail*), ou des évaluations de consommation (pour le type *Matériel)*. Puis, au fil de la vie du projet, de les comparer avec les valeurs effectivement prévues par la planification ou réalisées dans le suivi.

Ces valeurs seront saisies dans Project Professional 2007, à partir de l'affichage Utilisation des ressources, en remplissant les champs *Coût budgétaire* et *Travail budgétaire*, puis en les comparant aux champs correspondants habituels *Coût* et *Travail*.

8.1.1.5. *Les ressources Génériques*

Le choix *Générique* permet de faire de la ressource une ressource non nommément désignée, correspondant en général à une qualification, une compétence ou un savoir-faire. La ressource générique sera affectée à une tâche dans une première phase d'ébauche du projet, puis remplacée par une ressource nominative, réelle, ayant la même qualification, lors de la phase de réalisation du projet (manuellement, ou avec l'aide de l'assistant *Substitution de ressources)*.

Il sera nécessaire de s'appuyer sur un champ personnalisé représentant le type de compétence recherché, ou sur le champ RBS dont nous avons parlé au chapitre des

Données d'entreprise. La ressource générique pourrait avoir une capacité supérieure à 100 %, égale à la somme des capacités qu'elle représente.

EXEMPLE.– On dispose de deux ressources, *M. A* et *M. B*, qui sont tous deux menuisiers, une ressource générique les représentant dans une phase préliminaire de conception pourrait s'appeler *Menuisiers* et avoir une capacité de 200 %.

Les ressources génériques sont souvent accompagnées d'une icône représentant deux têtes superposées, mais ce n'est pas toujours le cas, notamment dans la fenêtre Affecter les ressources de Project Professional 2007. Il est donc conseillé de leur donner un nom explicite et standardisé, dans notre exemple *Générique Menuisiers* serait préférable.

8.1.2. *Informations d'identification*

Il s'agit des informations d'état-civil de la ressource, variables selon le type de ressource.

Parmi les éléments communs, on trouve :

– le *nom*, seul élément obligatoire. Il n'est pas possible de distinguer le nom du prénom (sauf à utiliser un champ personnalisé). Pour les ressources travail, en cas de synchronisation avec Active Directory, ce nom sera automatiquement celui de l'AD, et ne pourra être changé sans désactiver cette synchronisation. Par contre, si le nom dans l'AD vient à changer, la ressource sera toujours synchronisable car la synchronisation repose sur un identifiant numérique (le GUID) et non pas sur le nom. Si la ressource est aussi utilisateur de Project Server 2007, alors le nom sera le même des deux côtés ;

– le champ *RBS* (*resource breakdown system*) : code hiérarchique (voir plus haut les champs personnalisés), indiquant la place de la ressource dans la structure de l'entreprise, en termes d'appartenance à une division, de hiérarchie ou/et de compétence. Son utilisation n'est pas obligatoire, mais fortement recommandée, surtout dans une organisation de grande taille ;

– le champ *Initiales*, librement choisies (cela peut être un surnom), très utiles pour être affichées dans un diagramme de Gantt, à côté des barres de tâches ;

– les champs *hypertexte* permettent de saisir une adresse de site web. Ce lien est utile lorsque la ressource est intervenant extérieur :

- la zone *Nom du lien hypertexte* correspond au champ *Lien hypertexte* de Project et contient un raccourci (nom convivial et librement saisi) qui pointe vers la zone suivante,

- la zone *URL du lien hypertexte* correspond au champ *Lien hypertexte : adresse* de Project, qui contient la véritable adresse (URL) du lien (exemple : http://www.toto.com),

- pour information, deux autres champs (disponibles depuis Project Professional 2007) complètent cette adresse : *Lien hypertexte : adresse secondaire*, destiné à recevoir un complément (fichier ou page spécifiques, exemple : /planning.aspx) et *Lien hypertexte : HREF* qui opère automatiquement la concaténation (l'association) d'adresse et adresse secondaire.

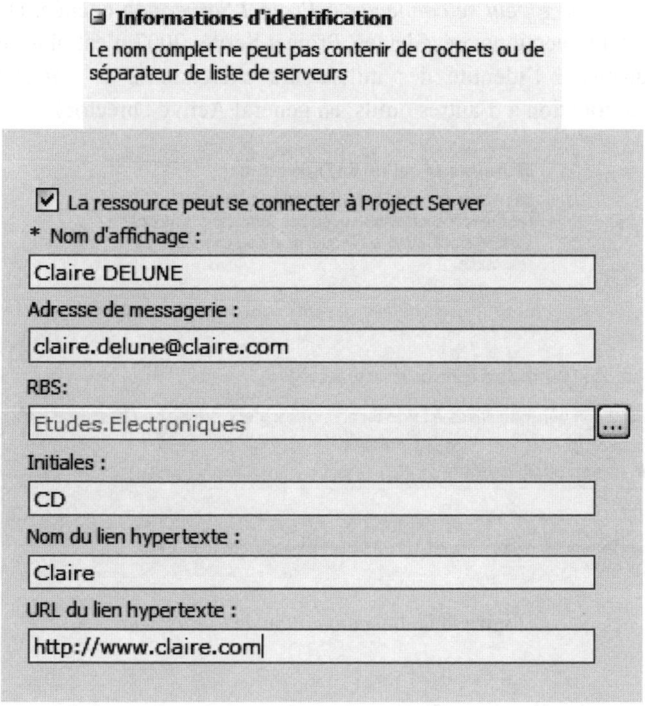

Figure 8.4. *Les informations d'identification de la ressource*

Dans les éléments propres à chaque type, on trouve :

– pour le type *Travail* :

- une option à cocher, modifiable uniquement à la création originelle de la ressource, *l'autorisant à se connecter* à Project Server 2007. Il faudra dans ce cas remplir plus loin les zones d'authentification,

- une *adresse de messagerie*, indispensable pour lui envoyer alertes, rappels, demandes d'état ;

– pour le type *Matériel* :

- une *Etiquette matériel*, indiquent un type de conditionnement : litres ou L, unités ou U, etc. Cette étiquette est utile au moment de l'affectation, surtout pour indiquer des taux chronologiques de consommation : L/h par exemple.

8.1.3. *Authentification de l'utilisateur*

Disponible évidemment pour les seules ressources *Travail*, et à condition que l'option *La ressource peut se connecter à Project Server* soit cochée. Désormais, et contrairement aux versions précédentes, Project Server 2007 n'est plus en mesure de contrôler lui-même l'identité des utilisateurs cherchant à se connecter. Il doit déléguer cette fonction à d'autres outils, en général Active Directory.

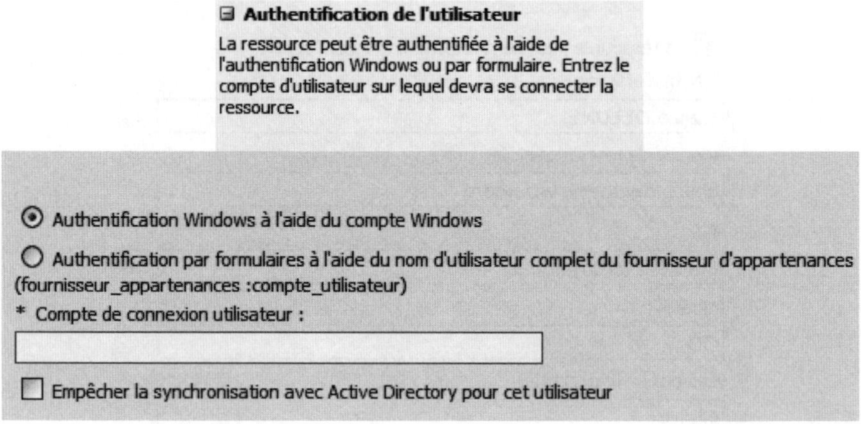

⊟ Authentification de l'utilisateur

La ressource peut être authentifiée à l'aide de l'authentification Windows ou par formulaire. Entrez le compte d'utilisateur sur lequel devra se connecter la ressource.

⦿ Authentification Windows à l'aide du compte Windows

◯ Authentification par formulaires à l'aide du nom d'utilisateur complet du fournisseur d'appartenances (fournisseur_appartenances :compte_utilisateur)
* Compte de connexion utilisateur :

☐ Empêcher la synchronisation avec Active Directory pour cet utilisateur

Figure 8.5. *Authentification de l'utilisateur*

Deux solutions d'authentification permettant à la ressource de se connecter à Project Server 2007. Si la ressource est aussi utilisateur de Project, alors ce choix est commun entre le côté Ressource et le côté Utilisateur.

– l'option la plus habituelle et la plus pratique est *l'Authentification Windows à l'aide du compte Windows*, se remettant ainsi entièrement à l'Active Directory. Cela suppose bien sûr que l'on travaille en domaine (fortement recommandé), et que toutes les ressources ayant capacité à se connecter sont répertoriées dans l'AD ;

– l'option *Authentification par formulaires* repose toujours sur un service d'annuaire extérieur à Project Server 2007, et par exemple des formulaires développés avec un produit tel que *Forms Server 2007*. Utile pour permettre à l'administrateur de Project d'être indépendant de l'administrateur du serveur Windows, et utile pour des accès distants.

Dans les deux cas, il sera obligatoire d'indiquer le compte permettant la connexion (pour Windows, dans la forme Nom_du_domaine\Nomd'utilisateur). Toujours pour l'authentification Windows, une option permet de désactiver la synchronisation avec Active Directory.

8.1.4. Les attributs d'affectation

Il s'agit de régler les valeurs par défaut utilisée lorsque se créera l'équipe de projet, ou lorsque la ressource sera affectée à une tâche. Ces attributs sont bien sûr propres à chaque type de ressource.

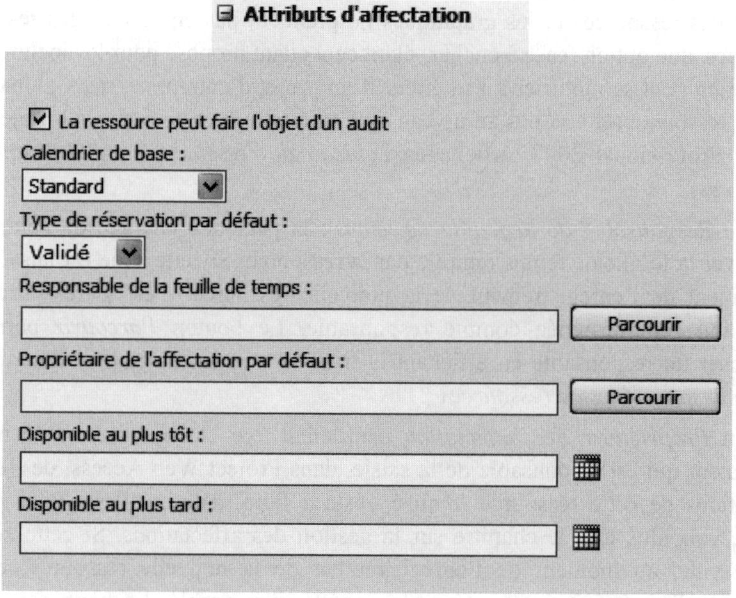

Figure 8.6. Les attributs d'affectation pour le type Travail

Pour le type de ressource *Travail*, nous trouverons :

– une option permet d'autoriser l'audit sur cette ressource. L'*audit des ressources* (*leveling*) est un assistant de Project Professional 2007 (menu *Outils > Audit des ressources*) qui propose des solutions aux surutilisations des ressources, en lissant et en reportant dans le temps les charges de travail. Désactiver l'option empêche l'assistant de décaler le travail de cette ressource, qui deviendra prioritaire ;

– un *Calendrier de base* doit être choisi dans la liste des calendriers d'entreprise. Ce calendrier ne pourra pas être modifié directement depuis un projet d'entreprise (ou du moins les éventuelles modifications ne pourront pas être sauvegardées). Pour effectuer des retouches personnalisées, il faudra depuis Project Web Access et le *Centre de ressources* ouvrir la ressource dans Project Professional 2007 à l'aide du bouton *Ouvrir*. La ressource sera alors extraite, et son calendrier sera modifié selon les règles habituelles ;

– un *Type de réservation par défaut* : Validé ou Proposé (voir plus loin la création de l'équipe dans Project Professional 2007). Une affectation normale est *Validé*. Une affectation *Proposé* n'aura pas d'incidence sur la disponibilité d'une ressource : c'est une simulation, un prototypage, dans une phase de construction du projet, notamment pour cerner des coûts avant d'engager réellement la ressource. L'audit des ressources et les graphiques ne prennent pas en compte les ressources proposées, une option (case à cocher) étant cependant proposé pour les inclure. Cette réservation peut se modifier à l'intérieur d'un projet d'entreprise, mais globalement pour la ressource (et non pas au niveau de l'affectation) et pour ce seul projet (dans Project Professional 2007, affichages *Tableau des ressources* ou *Utilisation des ressources*) ;

– un *Responsable de la feuille de temps* : la personne chargée de contrôler et approuver la feuille de temps remplie par la ressource. Si cette zone est laissée vide, au moment de l'enregistrement de la nouvelle ressource, c'est la ressource elle-même qui sera désignée comme responsable. Le bouton *Parcourir* permet de rechercher un responsable en affichant la liste de tous les utilisateurs membres du groupe *Responsables de ressources* ;

– un *Propriétaire de l'affectation* par défaut : ce champ contient le nom de l'utilisateur qui est responsable de la saisie, dans Project Web Access, de l'état des affectations de cette ressource (réalisé, reste à faire, dates réelles). Pour plus de détails, voir plus loin le chapitre sur la gestion des affectations. Si cette zone est laissée vide, au moment de l'enregistrement de la nouvelle ressource, c'est la ressource elle-même qui sera désignée comme responsable. Le bouton *Parcourir* permet d'afficher la liste de tous les utilisateurs ;

– des *dates de disponibilité au plus tôt et au plus tard*, qui permettent de ne rendre la ressource disponible qu'à partir d'une certaine date (exemple : son embauche dans l'entreprise prévue le mois prochain) ou au contraire indisponible après une autre date (exemple : sa nomination à une autre fonction). Des icônes à droite de la ligne permettent de se faire aider par un calendrier et en choisissant la date par un simple clic. C'est une alternative rapide à un calendrier personnalisé.

Pour le type de ressource *Matériel*, nous trouverons :

– le *Type de réservation* ;

– le *Propriétaire de l'affectation par défaut*, notion importante pour les ressources matérielles qui ne peuvent à l'évidence pas assurer elle-même le suivi de leurs tâches ! Une intervention extérieure est donc indispensable.

Pour le type de ressource *Coût*, seul le champ *Type de réservation* par défaut sera disponible.

8.1.5. *Gestion de la sécurité*

Ces paramètres sont bien sûr réservés aux ressources de type *Travail*. Il s'agit d'attribuer à la ressource un groupe (ensemble de personnes ayant les mêmes fonctions, et autorisant l'accès à certains objets) et une catégorie (destinée à filtrer les données pour un type d'objet déterminé) de sécurité sur le modèle de ce que nous avons vu pour les utilisateurs au chapitre *Accès et sécurité de Project Server*. Il ne faut pas oublier que, si la ressource est aussi un utilisateur, alors ces définitions d'appartenance sont communes à aux deux volets utilisateur et ressource.

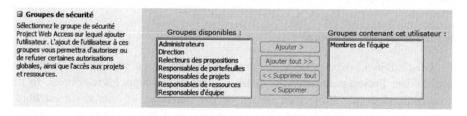

Figure 8.7. *Appartenance de la ressource à un groupe de sécurité*

Par défaut, le groupe proposé dans la colonne de droite est bien sûr *Membres de l'équipe*. D'autres groupes disponibles peuvent être choisis dans la colonne de gauche, et basculés à droite par les boutons *Ajouter*.

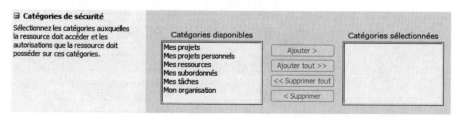

Figure 8.8. *Appartenance de la ressource à une catégorie*

Par défaut, aucune catégorie n'est proposée. Le groupe *Membres de l'équipe* étant déjà lui-même raccordé à la catégorie *Mes tâches*, il serait redondant et inutile de rappeler ici la catégorie. Les catégories ne serviront que pour des personnalisations réservées à une ressource en particulier (sinon, il vaut mieux modifier le groupe).

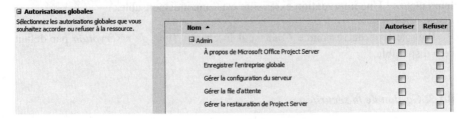

Figure 8.9. *Autorisations globales de la ressource*

Des autorisations particulières peuvent être accordées ou refusées sur des fonctions précises. Là encore, elles ne doivent être utilisées que pour une seule ressource, sinon il vaut mieux définir le modèle au niveau des groupes ou des catégories. Ne pas oublier que un *Refuser* l'emporta toujours sur un *Autoriser* situé au niveau d'un groupe ou catégorie (voir le chapitre *Accès et sécurité*).

8.1.6. *Les champs de groupe*

Les champs *Groupe* et *Code,* communs à tous les types, sont depuis longtemps utilisés dans Project pour permettre de trier, filtrer ou regrouper les ressources. Ils ne sont pas utilisés par Project en dehors de ces fonctions, et leur saisie est libre. *Groupe* est destiné à indiquer une compétence ou l'appartenance à un service, l'usage réserve *Code* à des codes de type comptabilité analytique. Leur inconvénient est de ne pas avoir de validation de saisie, donc aucune garantie de fiabilité. Il est conseillé de leur préférer des champs personnalisés, avec listes de choix, construits sur mesure, et qui devront être remplis depuis Project Professional 2007.

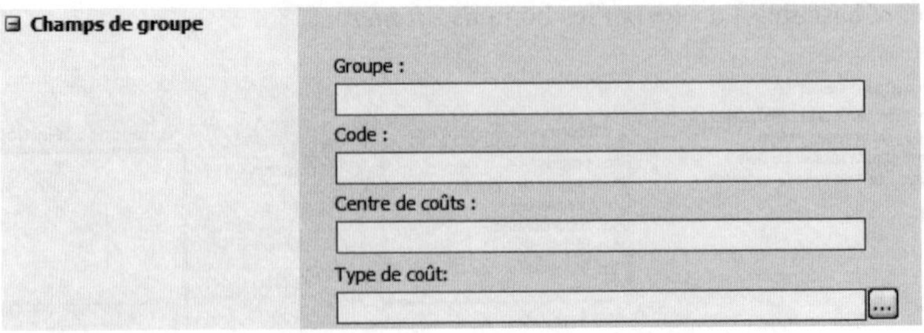

Figure 8.10. *Rattacher la ressource à des groupes et des centres de coûts*

La réflexion est la même pour le champ *Centre de coûts*. Par contre, le champ *Type de coût* est un champ personnalisé préprogrammé dans Project Server 2007, il ne reste plus à l'administrateur qu'à compléter la table de choix du même nom. Elle sera accessible par l'icône à droite de la ligne.

8.1.7. *Les détails de l'équipe*

Ces champs sont communs aux types *Travail* et *Matériel*. Il y une ambiguïté sur le mot équipe. Il ne faut pas confondre ces champs équipe au niveau de l'entreprise globale avec l'équipe de projet (le choix des ressources utilisables au niveau du projet d'entreprise, et réalisé par le responsable du projet). Il s'agit ici d'un mécanisme similaire à celui des ressources génériques : le responsable du projet commence une conception avec une ressource théorique, sans existence physique, appelée l'équipe. Elle sera plus tard remplacée par une ressource bien réelle, faisant partie de l'équipe. La différence est que les ressources génériques sont remplacées par les réelles à l'initiative du responsable de projet, sur la base de la compétence (champ RBS), alors que les ressources d'équipe forment un groupe cohérent, travaillant ensemble, et prenant elles-mêmes la décision de s'attribuer les tâches affectées à la ressource d'équipe.

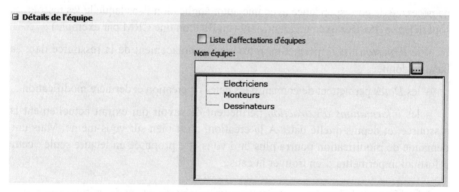

Figure 8.11. *Rattacher une ressource à une équipe*

Pour utiliser les équipes de ressources, il y a trois phases :

– adaptation préalable de la table de choix et du champ personnalisé *Nom équipe* (préprogrammés dans Project Server 2007, ne surtout pas les renommer) ;

– création d'une nouvelle ressource représentant l'équipe en cochant la case *Liste d'affectations d'équipes* et lui affectant un *Nom équipe*. Cette ressource sera nommée selon des règles standard, par exemple Equipe Electriciens ;

– affectation des ressources physiques à l'équipe. Chacune des ressources sera modifiée : ne pas cocher la case *Liste d'affectations d'équipes* et lui affecter le *Nom équipe* choisi pour la ressource d'équipe.

L'utilisation de ces ressources sera détaillée plus loin, au chapitre *Gestion des affectations*.

8.1.8. *Données d'identification système*

Pour tous les types de ressources, ce sont uniquement des informations de consultation :

– le *GUID* (*global unique identifier*) est un identifiant unique, attribué par le système, et qui ne changera jamais tout au long de la vie de la ressource. La synchronisation avec Active Directory, l'affectation des ressources aux tâches par Project Professional 2007 : dans tous ces cas, c'est le GUID qui est utilisé, et non pas le nom de la ressource, qui peut donc changer si nécessaire (Mademoiselle devient Madame sans problème, c'est toujours la même ressource) ;

– le *N° externe* est le seul élément saisissable par l'utilisateur. Il sera utilisé en cas de nécessité de correspondance avec une autre application dans laquelle les ressources sont déjà répertoriées avec un identifiant (un ERP ou une CRM par exemple) ;

– le *Répertoire actif* permet de retrouver l'emplacement de la ressource dans la base de données ;

– les *Dates* permettent de connaître les dates de création et dernière modification ;

– les *informations d'extraction* permettent de savoir qui extrait actuellement la ressource, et depuis quelle date. A la création, c'est bien sûr vous-même. Mais une demande de modification pourra plus tard vous être proposée en lecture seule : cette information permettra d'en trouver la cause.

N'oubliez pas le bouton *Enregistrer* pour la création, avant de quitter cette page.

8.2. Modification d'une ressource existante

Après création, les ressources sont modifiables, mais pas pour toutes leurs propriétés. Notamment, il est impossible de changer leur type ou, pour les ressources *Travail*, leur possibilité de se connecter à Project Server 2007.

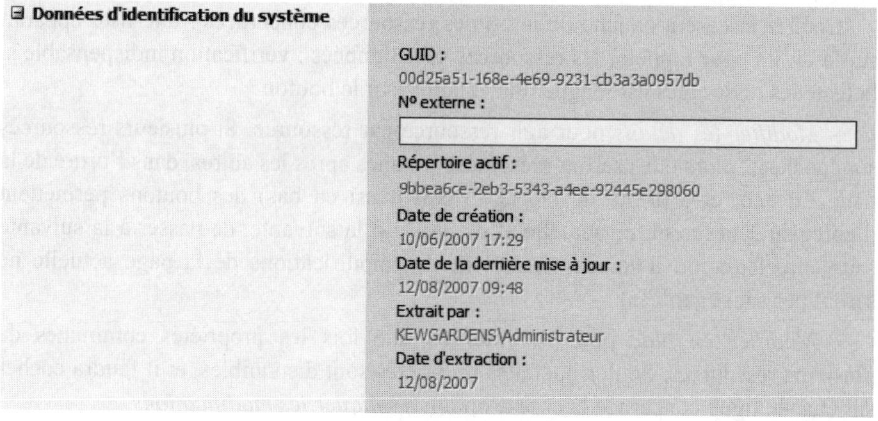

Données d'identification du système

GUID :
00d25a51-168e-4e69-9231-cb3a3a0957db
N° externe :

Répertoire actif :
9bbea6ce-2eb3-5343-a4ee-92445e298060
Date de création :
10/06/2007 17:29
Date de la dernière mise à jour :
12/08/2007 09:48
Extrait par :
KEWGARDENS\Administrateur
Date d'extraction :
12/08/2007

Figure 8.12. *Les données d'identification du système*

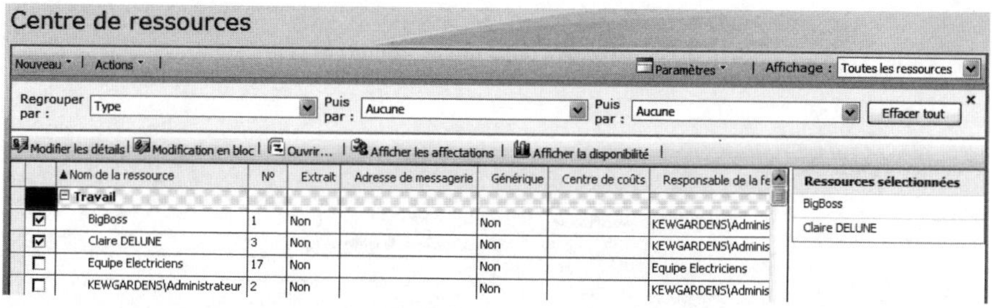

Figure 8.13. *Sélection des ressources à modifier*

En haut à droite, une liste déroulante permet de choisir un type d'affichage, avec ici un filtre préprogrammé sur différents types de ressources. L'option ressources par équipe propose elle un regroupement sur les équipes vues au paragraphe précédent.

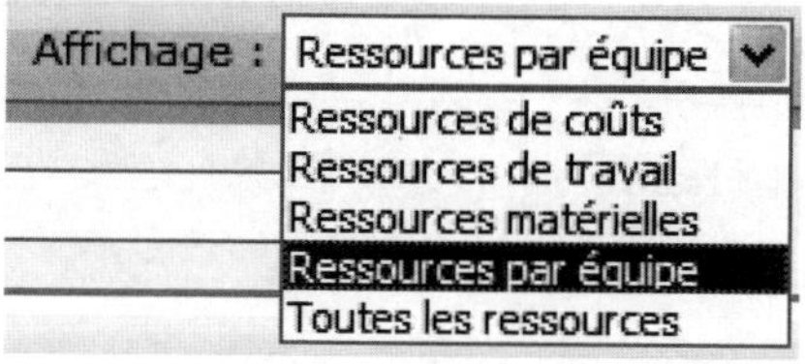

Figure 8.14. *Filtrer selon le type de ressources*

Cochez la case à gauche de la ou des ressources concernées : une liste apparaît sur la droite pour rappeler les ressources sélectionnées : vérification indispensable si la liste des ressources est longue. Puis cliquez sur le bouton :

– *Modifier les détails* pour agir ressource par ressource. Si plusieurs ressources sont cochées, alors elles seront présentées les unes après les autres, dans l'ordre de la liste. En haut et à droite de la page (mais aussi en bas) des boutons permettent d'enregistrer la ressource actuelle et de passer à la suivante, de passer à la suivante sans enregistrer ou d'annuler le restant (les modifications de la page actuelle ne seront pas sauvegardées) ;

– *Modifier en bloc* pour modifier en une fois les propriétés communes de plusieurs ressources. Seules quelques propriétés sont disponibles, et il faudra cocher sur chaque ligne concernée la case d'option *Appliquer les modifications*.

Figure 8.15. *Naviguer dans des sélections successives*

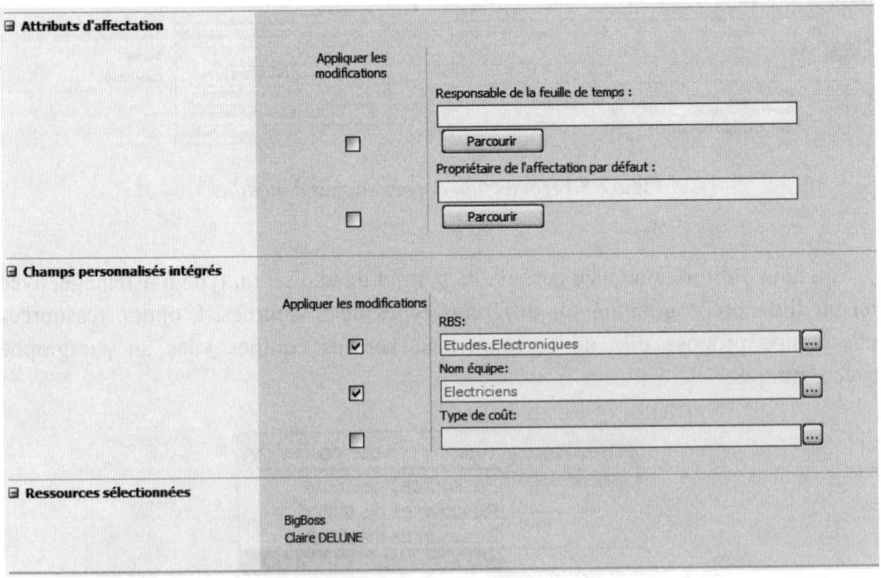

Figure 8.16. *Appliquer des modifications communes à une liste de ressources*

Ces commandes sont aussi disponibles dans le menu *Actions*. N'oubliez pas le bouton *Enregistrer* pour valider les modifications avant quitter la page des modifications.

8.3. Voir les affectations et la disponibilité

Depuis le *Centre de ressources*, le bouton *Afficher les affectations* permet d'afficher, pour les ressources sélectionnées, le tableau de leurs affectations, listées projet par projet, avec les options habituelles de navigation et de zoom du diagramme de Gantt. En haut à gauche, le bouton *Retourner au centre de ress* permet le retour à la liste des ressources.

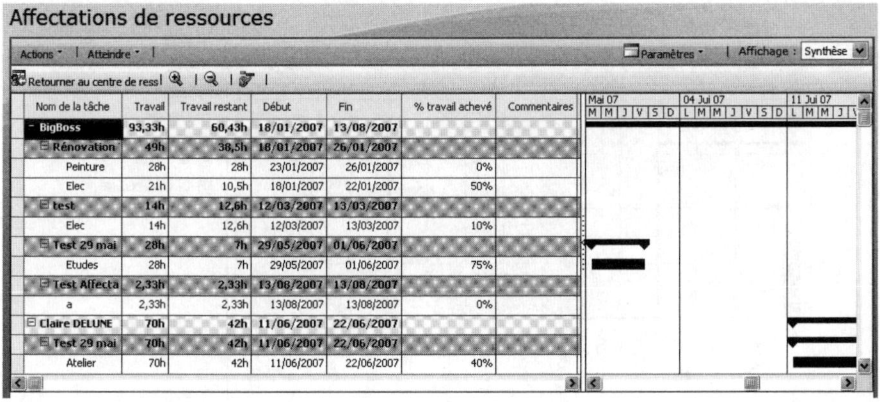

Figure 8.17. *Visualiser les affectations, tous projets confondus*

Le bouton *Afficher la disponibilité* propose un graphique des disponibilités pour les ressources sélectionnées. A la première utilisation, Project Server 2007 demandera le chargement des *Web Components* (actuellement une version 2003) : ce sont des éléments provenant de la suite Office, et chargés d'assurer certains affichages sur une page web (graphiques et tableaux croisés dynamiques, sur le modèle d'Excel). Vous devrez confirmer et suivre les étapes de leur installation.

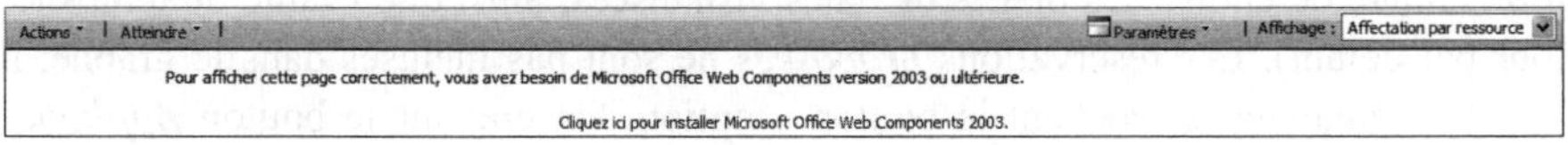

Figure 8.18. *Demande d'installation des Web Components*

Une fois le graphe de disponibilité affiché, une liste déroulante *Affichage* en haut à droite permet de choisir notamment une vue par ressource ou par projet. La ligne de capacité représente le cumul de la disponibilité initiale des ressources. La légende indique la couleur choisie pour chaque ressource, et permet d'en désactiver l'affichage une par une.

La partie inférieure de la page montre un tableau donnant le détail des données chiffrées ayant servi à construire le graphe. Les ressources peuvent se développer ou se réduire grâce au signes + ou − à gauche du nom de la ressource. Le bouton *Fermer* permettra de revenir au *Centre de ressources*.

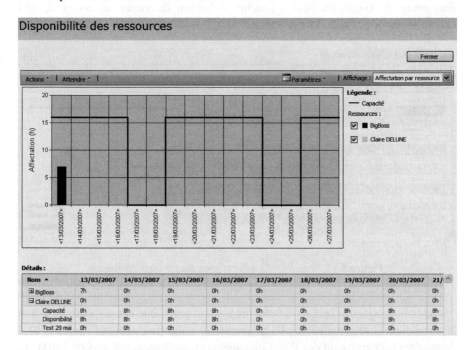

Figure 8.19. *Le graphe des disponibilités*

En développant le bouton *Paramètres*, il est possible, avec les *Options d'affichage*, de choisir les plages de dates visualisées, ainsi que l'unité de temps (le jour par défaut). Les réservations *proposées* ne sont pas incluses dans le graphe, il faut les demander en cochant le bouton d'option. Un clic sur le bouton *Appliquer* valide ces choix.

Figure 8.20. *Choix des plages de dates*

8.4. Filtrer et grouper

Dans le *Centre de ressources*, en haut à droite, le bouton *Paramètres* propose des options de filtre et de regroupement permettant de limiter le contenu de la liste. La case à cocher *Afficher dans le menu* permet de disposer en permanence, à côté du bouton, d'icônes d'accès rapide à ses différentes fonctions.

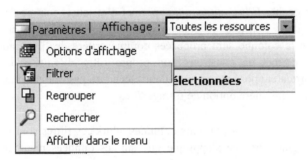

Figure 8.21. *Menu Paramètres des ressources*

8.4.1. *Les options d'affichage*

Elles permettent, dans les affichages de type hiérarchique (exemple : les ressources par équipe) de choisir un *niveau hiérarchique* limite d'affichage (les signes + et − à droite des en-têtes de niveau permettent toujours de redévelopper). L'option *Afficher l'heure avec la date* montrera l'heure sur tous les champs contenant une date. La *liste des ressources sélectionnées*, à droite de la page, peut être affichée ou masquée par l'option correspondante.

Si l'utilisateur désire masquer le bandeau gris dans lequel apparaissent ces zones d'options, il suffit de cliquer le x de ce bandeau, en haut à droite, juste en-dessous de la liste déroulante des affichages.

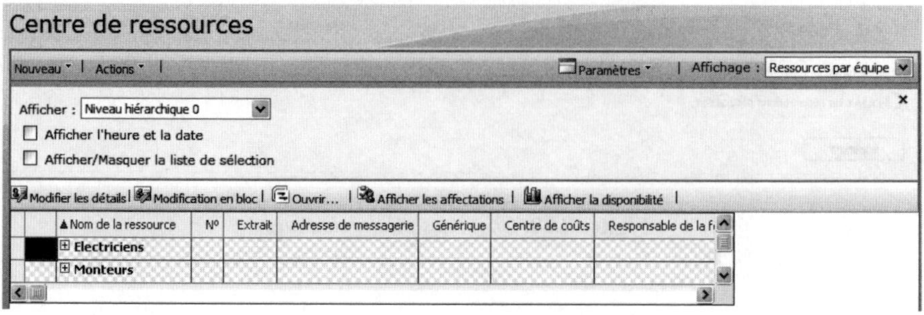

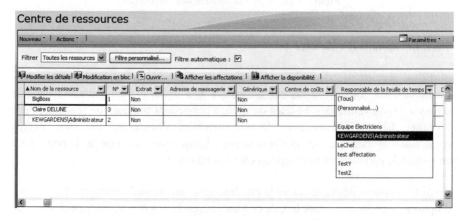

Figure 8.22. *Affichage du niveau hiérarchique 0 pour les ressources par équipe*

8.4.2. *Les filtres*

La case à cocher *Filtre automatique* permet d'afficher, comme dans Excel, une flèche noire dans l'en-tête de chaque colonne. En la développant, les entrées trouvées dans la colonne sont proposées comme critère de filtre rapide. L'option *Personnalisé* permet de construire son propre filtre. L'en-tête de colonne sur laquelle le filtre a été posé prend la couleur bleue : ne pas oublier d'annuler le filtre en choisissant la première option de filtrage *Tous*.

Si un filtre est posé sur plusieurs colonnes, alors ces filtres sont restrictifs entre eux : le deuxième filtre ne s'applique que sur les données résultant du premier, concourant ainsi à réduire encore plus la liste.

Figure 8.23. *Le filtre automatique*

Dans la figure suivante, nous donnons l'exemple d'un filtre automatique personnalisé sur une colonne de date (*Date de modification*). Seules les ressources ayant eu une modification dans l'année 2007 seront affichées. Le choix de l'opérateur *Et/Ou* est important : ici, le *Et* est restrictif, ne donnant que les résultats satisfaisant les deux critères.

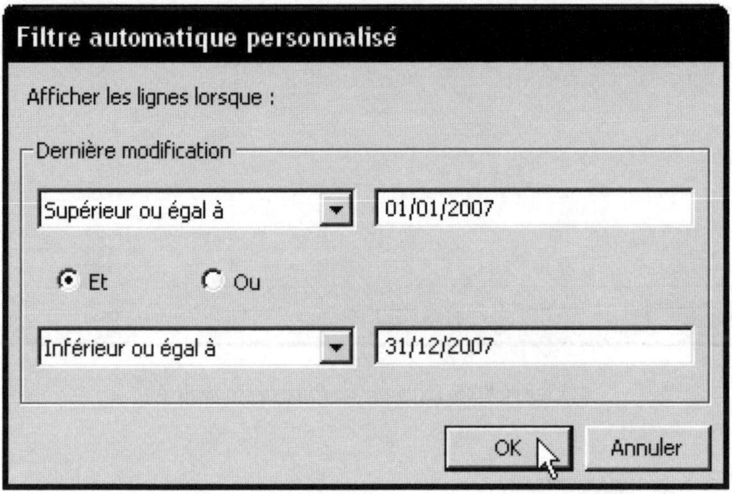

Figure 8.24. *Exemple de filtre automatique personnalisé*

Le filtre personnalisé (à ne pas confondre avec le filtre automatique personnalisé) permet, lui, de définir dans une seule fenêtre des critères sur plusieurs colonnes. Il se lance en choisissant l'option *Filtre personnalisé...* de la liste déroulante ou en cliquant sur le bouton *Filtre personnalisé*. Une fenêtre de définition de filtre s'ouvre, mais peut être considérée par Internet Explorer comme une fenêtre publicitaire intempestive : il faudra choisir l'option (un bandeau jaune d'alerte apparaît dans ce cas en haute de la page) pour toujours autoriser les fenêtres intempestives de ce site.

Il conviendra de choisir un champ (une colonne) en utilisant la liste déroulante, de choisir un test et de donner une valeur. Le choix de l'opérateur *Et/Ou* est essentiel : le *Et* est restrictif, le *Ou* est extensif. Le bouton *Valider les filtres* permet de tester la syntaxe du filtre et le bouton *OK* va l'appliquer.

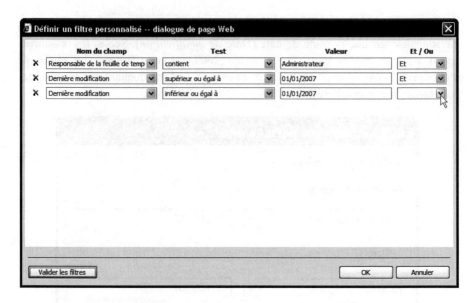

Figure 8.25. *Exemple de filtre personnalisé*

8.4.3. *Les regroupements*

L'option *Regrouper* propose trois critères de regroupement possibles pour limiter la liste. Sur chaque zone de critère, une liste déroulante permet de choisir un critère préprogrammé. Les trois critères s'emboîtent les uns dans les autres, de la gauche vers la droite : chaque nouveau critère resserrera encore plus la liste.

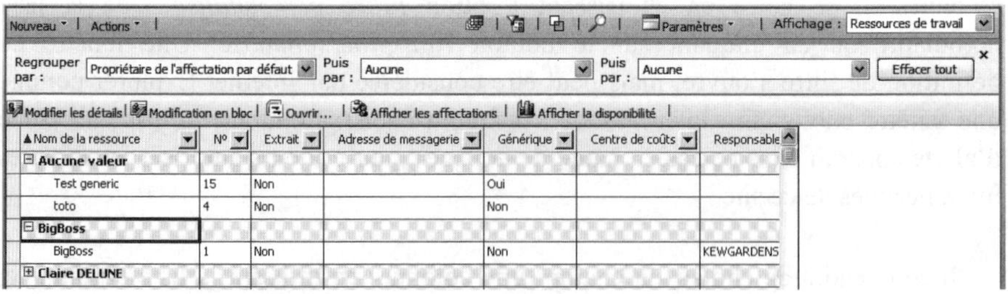

Figure 8.26. *Les options de regroupement*

Le nom de chaque groupe est présenté sur une ligne récapitulative, les lignes de détail pouvant être affichée ou masquées par les + et −. Le regroupement (comme le filtre) restera actif, même en changeant de page. Pour annuler les regroupements, il suffit de cliquer sur le bouton *Effacer tout*.

8.4.4. *La recherche*

Le critère indiqué dans la zone *Rechercher* n'est pas sensible à la casse. Il peut être incomplet, la recherche est approchante. La zone *Dans* permet de limiter la recherche à une seule colonne, et le bouton *Suivant* fera avancer d'occurrence en occurrence. La recherche commencera en haut du tableau, quelle que soit la ligne active.

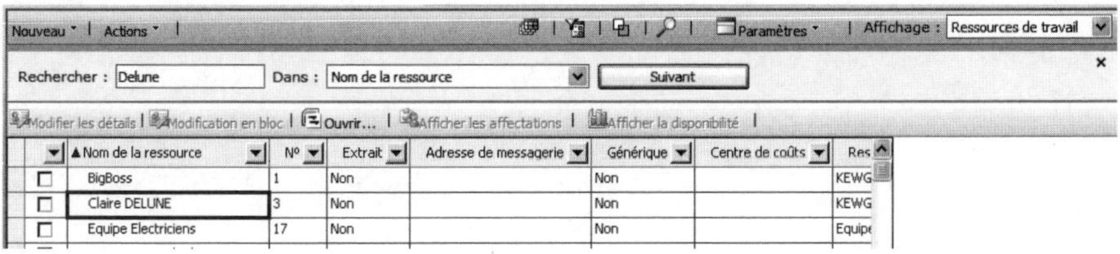

Figure 8.27. *Les critères de recherche*

CHAPITRE 9

Autres accès au pool de ressources

En complément du Centre de ressources de Project Web Access, il est possible d'intervenir sur le pool de ressources par d'autres moyens :

– depuis Project Professional 2007 ;

– en autorisant un utilisateur de Project Server 2007 à devenir une ressource ;

– par une synchronisation avec l'Active Directory.

9.1. Utiliser Project Professional

9.1.1. *Depuis le Centre de ressources*

Depuis Project Web Access, et à partir du Centre de ressources, sélectionnez les ressources à modifier et cliquez sur le bouton *Ouvrir...* (une infobulle indique *Ouvrir les ressources sélectionnées dans Project Professional).*

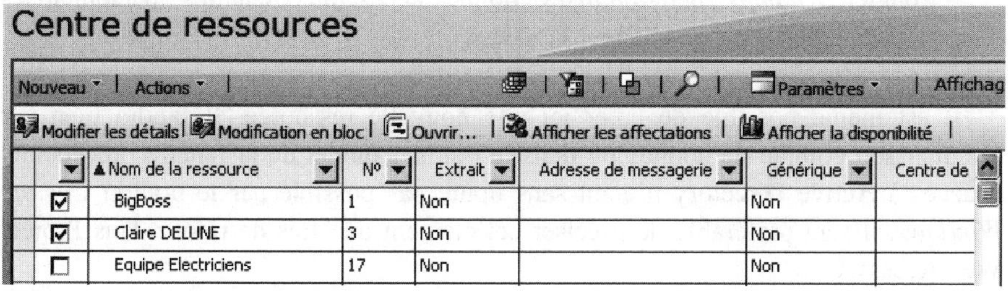

Figure 9.1. *Ouvrir les ressources dans Project Professional*

Les ressources concernées seront alors extraites et affichées dans le Tableau des ressources de Project Professional 2007 (qui doit donc être installé sur l'ordinateur concerné, et sous réserve des droits de l'utilisateur). Toutes les modifications sont possibles sur l'ensemble des champs de la ressource, et donc plus complètes que dans le *Centre de ressources* de Project Server 2007. Notamment, il est possible de gérer les champs suivants :

– la *Capacité maximum*, que Project Server 2007 a créée avec la valeur par défaut de 100 % ;

– le *Taux standard*, ainsi que l'ensemble des champs de coûts ;

– le Calendrier de base.

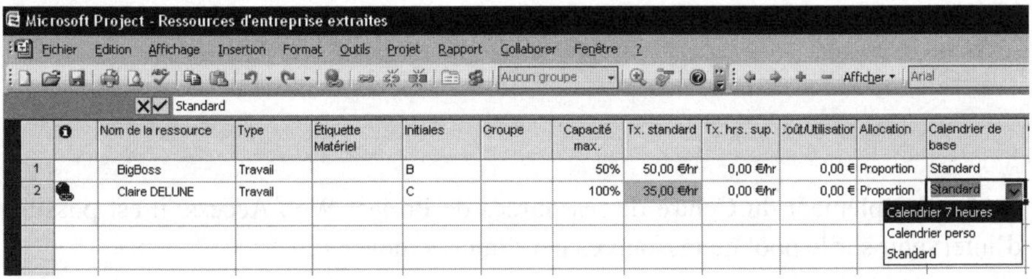

Figure 9.2. *Le tableau des ressources d'entreprise dans Project Professional*

Le menu *Projet > Information sur la ressource* (ou un double clic sur la ligne de la ressource concernée) permet d'ouvrir la fenêtre *Information sur la ressource* :

– dans son onglet *Général*, on pourra notamment modifier et personnaliser le calendrier de base (bouton *Modifier le temps de travail*), et remplir la grille de disponibilité ;

– l'onglet *Coûts* permet d'affiner la grille de coûts de la ressource, selon les règles habituelles de Project ;

– l'onglet *Champs personnalisés* donne accès aux champs personnalisés d'entreprise, et permet d'en changer la valeur.

Il est même possible de créer ici une nouvelle ressource. Il faudra bien sûr indiquer son compte de connexion dans le premier onglet de la fenêtre précédente. L'accès à Active Directory n'étant sans doute pas possible par le bouton *Compte Windows*, il sera préférable de préciser cet élément une fois de retour dans Project Web Access.

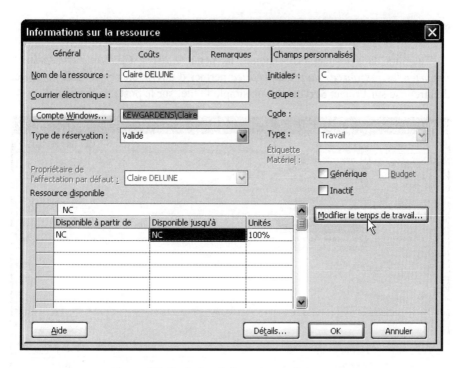

Figure 9.3. *La fenêtre information sur la ressource*

Les modifications ou créations étant effectuées, il convient d'enregistrer et de fermer de façon habituelle les ressources extraites. A la fermeture, les ressources extraites sont archivés à nouveau dans Project Professional 2007 (rappelons qu'archiver est ici le contraire d'extraire) et redeviennent disponibles pour d'autres utilisateurs.

9.1.2. *Depuis Project Professional*

Dans Project Professional, le menu *Outils > Options d'entreprise > Ouvrir la liste des ressources d'entreprise*, de même que le menu *Collaborer > Centre de ressources*, permet de visualiser, en restant dans Project Professional, le Centre de ressources de Project Web Access. La fenêtre du Centre de ressources se ferme en cliquant en haut à gauche sur un lien *Cliquez ici pour fermer l'affichage*.

Le centre de ressources ne donnant pas (ou facilement) accès à toutes les données sur les ressources, cette solution est donc moins intéressante que la précédente. Il sera sûrement préférable de travailler en ouvrant Project Professional 2007 depuis la page Project Web Access.

9.1.3. *Importer depuis un projet existant*

Toujours dans Project Professional, le menu *Outils > Options d'entreprise > Importer les ressources dans l'entreprise* permet d'ouvrir un projet (soit un projet d'entreprise sur Project Server, soit un simple fichier sur le poste de travail).

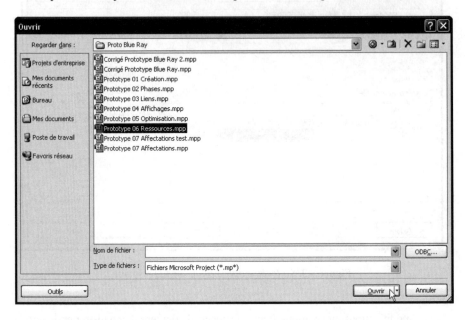

Figure 9.4. *Choix d'un projet sous forme de fichier sur le poste de travail*

Le projet s'ouvre sur le tableau des ressources. A gauche, le volet *Assistant d'importation de ressources* permet si nécessaire de mapper[1] les champs personnalisés d'origine vers ceux de Project Server : un clic sur le lien *Mapper les champs de ressources* ouvre la fenêtre de mappage.

Dans la colonne de gauche, une liste déroulante permet de choisir un champ personnalisé du projet ouvert, le champ d'origine. Dans la colonne de droite, une autre liste permet de choisir un champ personnalisé d'entreprise, le champ de destination vers lequel les données du champ d'origine seront recopiées. La colonne de droite nous indique si le champ est obligatoire : son absence dans le mappage serait une cause d'échec de l'importation. Les champs mappés doivent bien sûr être

---

1. Mapper : faire correspondre entre eux des champs ayant la même nature, mais souvent des noms différents, entre une liste d'origine et une liste de destination.

de même nature (texte, numérique…). En décochant la colonne de gauche, on peut garder le champ dans la liste mais il ne sera pas importé.

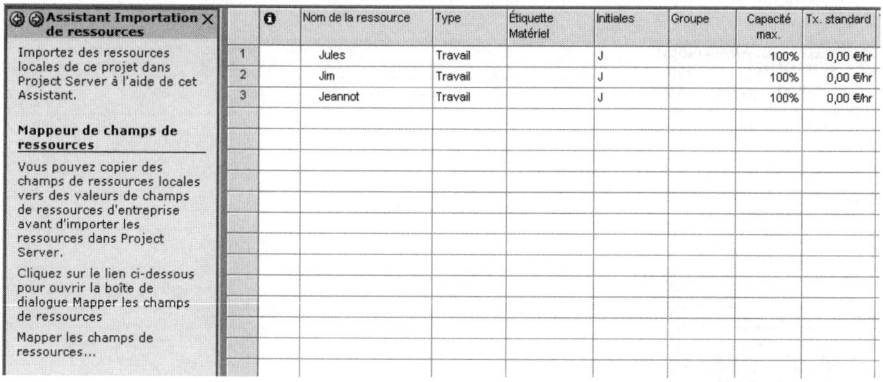

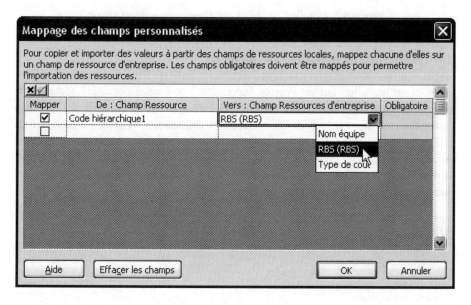

Figure 9.5. *L'étape 1 de l'assistant d'importation de ressources*

Figure 9.6. *Mappage des champs personnalisés*

Vous passerez alors à l'étape 2 (par le lien *Passer à l'étape 2* en bas du volet de l'assistant) pour enregistrer et terminer l'importation. L'étape 2 indique si des ressources seront cause d'erreur au moment de l'import (par exemple, des natures de champs mappés différentes). Il est encore possible à cette étape d'indiquer un compte d'utilisateur Windows (sinon, il faudra rectifier plus tard dans le Centre de ressources). Après un clic le bouton *Valider les ressources*, les ressources du projet d'origine seront disponibles dans le Centre de ressources de Project Server 2007.

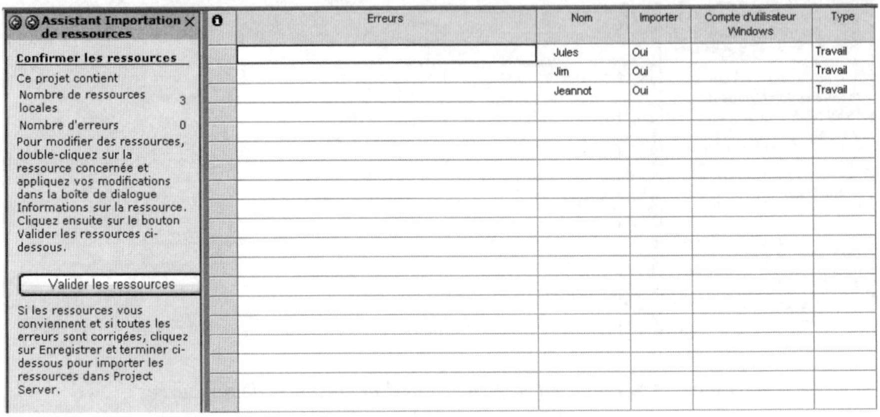

Assistant Importation de ressources	0	Erreurs	Nom	Importer	Compte d'utilisateur Windows	Type
Confirmer les ressources			Jules	Oui		Travail
Ce projet contient			Jim	Oui		Travail
Nombre de ressources locales 3			Jeannot	Oui		Travail
Nombre d'erreurs 0						
Pour modifier des ressources, double-cliquez sur la ressource concernée et appliquez vos modifications dans la boîte de dialogue Informations sur la ressource. Cliquez ensuite sur le bouton Valider les ressources ci-dessous.						
[Valider les ressources]						
Si les ressources vous conviennent et si toutes les erreurs sont corrigées, cliquez sur Enregistrer et terminer ci-dessous pour importer les ressources dans Project Server.						

Figure 9.7. *L'étape 2 de l'assistant d'importation de ressources*

9.2. Transformer un utilisateur en ressource

Pour qu'un utilisateur de Project Server 2007 soit aussi considéré comme une ressource, sans avoir à le créer dans le pool de ressources, il suffit par le menu *Paramètres du serveur > Sécurité > Gérer les utilisateurs* de créer ou modifier un utilisateur en cochant l'option *L'utilisateur peut être affecté comme ressource*. Ainsi, un utilisateur créé par une synchronisation de son groupe avec l'Active Directory devra, s'il n'est pas aussi prévu dans la synchronisation des ressources, être validé manuellement de cette manière.

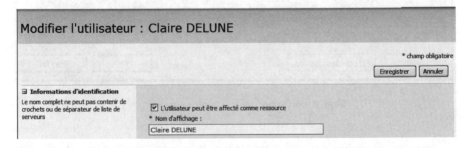

Figure 9.8. *Transformer un utilisateur en ressource*

Les modifications ultérieures pourront être aussi bien effectuées depuis *Gérer les utilisateurs* que depuis le centre de ressources (menu *Ressources > Ressources*). Le fait de décocher la case supprimera cet utilisateur de la liste des ressources, sans aucun avertissement si la ressource fait partie d'équipes de projets, et est affectée à des tâches. Dans ce cas, à la prochaine ouverture des projets contenant ces affectations dans Project Professional 2007, un message avertira l'utilisateur sur l'anomalie, et lui proposera de faire de cette ressource une ressource locale.

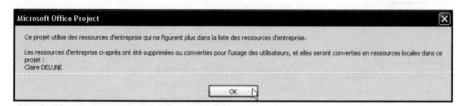

Figure 9.9. *Ressource manquante transformée en ressource locale*

9.3. Synchronisation avec Active Directory

L'Active Directory (l'AD) est l'annuaire des utilisateurs et des groupes de Windows. Nous avons vu au chapitre 4 la synchronisation de l'AD avec les utilisateurs. Il est aussi possible de synchroniser l'AD avec les ressources. En optant pour ces synchronisations, l'administrateur verra sa tâche de suivi et de mise à jour automatisée et facilitée : Project Server 2007 suivra fidèlement les décisions prises par l'administrateur de l'AD, évitant ainsi un double travail.

9.3.1. *Paramétrer la synchronisation*

Pour cela, il convient de créer dans l'AD un groupe spécifique (qui peut être un des groupes utilisés pour la synchronisation des utilisateurs, mais il est préférable d'en faire un groupe distinct). Puis la synchronisation sera activée en indiquant le nom de ce groupe sur la page de synchronisation des ressources, disponible dans Project Web Access par le menu *Paramètres de serveur > Stratégies opérationnelles > Synchronisation de la liste des ressources avec Active Directory*.

Sur cette page de synchronisation, le bouton *Rechercher un groupe* ouvre une fenêtre de recherche. Saisir les premières lettres du groupe, cliquer sur la flèche verte, les groupes correspondants s'affichent dans une liste. Sélectionner le bon groupe et valider par *OK*.

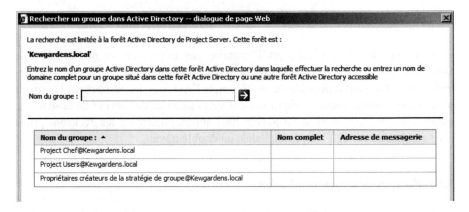

Figure 9.10. *La synchronisation Active Directory*

Figure 9.11. *Recherche d'un groupe dans Active Directory*

L'*Etat de synchronisation* rappelle la date de dernière synchro, et les *Options de planification* permettent de programmer une synchronisation automatique (vérifiez bien la disponibilité des serveurs à l'heure choisie). Les case des *Options de ressources*, si cochée, permet de réactiver (sans avertissement) un utilisateur inactif dans l'AD, si il est déjà créé comme ressource dans Project Server. Le bouton *Enregistrer* permet de mémoriser les paramètres sans déclencher de synchro, alors que le bouton *Enregistrer et synchroniser maintenant* exécute en plus une synchronisation immédiate (mais le traitement peut être long).

A noter que le lien entre l'AD et Project se fait grâce à numéro d'indentification unique, le GUID, commun entre l'AD et Project, et impossible à modifier. Le nom de la ressource peut donc changer, le GUID reste immuable. Il est consultable sur la page *Modifier la ressource* (depuis le *Centre de ressources*), en bas dans les *Données d'identification du système*.

Rappelons qu'il ne faut pas confondre cette opération de synchronisation des ressources avec la même opération, mais réservée aux groupes (voir plus haut la section *Sécurité > Gérer les groupes*).

9.3.2. *Vue d'ensemble de la synchronisation*

A ce point, il est utile de résumer les différentes options de synchronisation (utilisateurs et ressources), et de bien apprécier leurs interactions :

– un groupe d'utilisateurs Project est synchronisé avec un groupe Active Directory : lors de la synchro, les utilisateurs sont créés dans Project Server 2007 avec une appartenance au groupe concerné. Ils ne sont pas créés comme ressource. Il faudrait pour cela cocher manuellement la case *L'utilisateur peut être affecté comme ressource* sur la page de modification de l'utilisateur ;

– un groupe d'utilisateurs d'Active Directory est synchronisé avec les ressources de Project Server 2007. Ces utilisateurs Windows seront créés comme ressources, mais aussi comme utilisateurs de Project Server 2007 en respectant les règles suivantes :

- si l'utilisateur n'est pas déjà créé dans Project, il est créé avec une appartenance au groupe *Membres de l'équipe*,

- s'il existe déjà dans Project, alors son ancien groupe est conservé ;

– un utilisateur de Windows appartient aux deux groupes précédents, le résultat er différent selon l'ordre des synchronisations :

- si la synchro des ressources s'effectue en premier, alors il sera membre du groupe Membres de l'équipe ainsi que de l'autre groupe rattaché à l'AD,

- si la synchro du groupe utilisateurs s'effectue en premier, alors il restera membre seulement de son groupe d'utilisateur d'origine.

CHAPITRE 10

Construction d'un projet

Le cadre de l'entreprise étant maintenant défini (modèle de l'entreprise globale et pool de ressources), les chefs de projets peuvent commencer la création de leurs projets de travail, qui deviendront des projets d'entreprise.

Nous nous attacherons ici aux spécificités liées au fonctionnement en serveur. Les techniques de gestion de projet, et la prise en main du logiciel Microsoft Office Project Standard 2007 sont supposés connues. En cas de nécessité, le lecteur trouvera les compléments nécessaires dans l'ouvrage consacré à Project Standard 2007, le produit monoposte.

10.1. Création d'un projet d'entreprise

Un projet d'entreprise est projet qui, créé dans Project Professional 2007 à partir du modèle de l'entreprise globale, sera hébergé sur le serveur Project Server 2007. Il passera par des phases de conception (où seul le créateur du projet y aura accès), puis par des phases de publication, le rendant visible à l'ensemble des utilisateurs autorisés. Il comprendra une équipe de projet, sélectionnée à partir du pool de ressources du serveur, et pouvant éventuellement comprendre des ressources locales.

10.1.1. *Création du projet*

La création d'un nouveau projet s'effectue depuis Project Professional 2007. Depuis Project Web Access et le Centre de projets, le bouton *Nouveau* permet d'ouvrir directement Project Professional.

10.1.1.1. Définir le temps de travail

Dans Project Professional, par le menu *Outils > Options*, onglet *Calendrier*, vous devez ajuster les choix d'*heures de début et de fin par défaut*, de *nombre d'heures par jour et par semaine*, de *nombre de jours par mois* afin que ces réglages soient compatibles avec le calendrier de projet que vous choisirez à l'étape suivante (voir au chapitre 6 le paramétrage des heures travaillées).

EXEMPLE.– Si le calendrier de projet prévoit des horaires 8 h – 12 h et 14 h – 18 h, du lundi au vendredi, alors vous indiquerez dans ces options 8 h/jour et 40 h/semaine.

Il est recommandé de rendre ces réglages disponibles pour les futurs projets (sur l'ordinateur concerné) en cliquant sur le bouton *Définir par défaut*.

10.1.1.2. Choisir les calendriers

Le menu *Outils > Modifier le temps de travail* permet de consulter les calendriers d'entreprise préparés par l'administrateur de Project Server. Mais il n'est pas possible, depuis Project Professional, de les modifier.

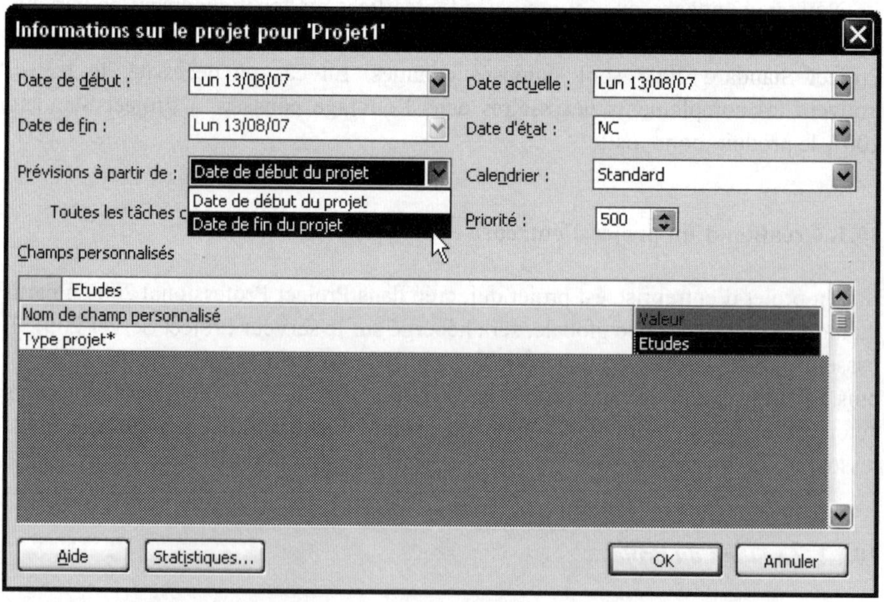

Figure 10.1. *Les informations sur le projet*

Le calendrier du projet sera choisi par le menu *Projet > Informations sur le projet*, ainsi que la date de début (ou de fin) du projet. Rappelons que l'utilisateur indique l'une de ces deux dates seulement (selon l'option choisie), Project se chargeant de calculer l'autre.

Plus tard, chaque tâche et chaque ressource pourront se voir affecter un calendrier choisi dans la liste des calendriers d'entreprise. Toujours sans possibilité de modification (pour les ressources, il faudra, depuis Project Web Access, utiliser les périodes administratives).

10.1.1.3. *Phases et tâches*

Le projet sera construit selon les règles habituelles de la gestion de projet, et de Project Professional 2007 : création des phases, des tâches, des liens entre les tâches. Tous ces éléments étant approfondis par la documentation propre à Project Standard ou Professional.

10.1.1.4. *Champs personnalisés*

Les champs personnalisés créés par l'administrateur de Project Server sont disponibles :

– pour les *champs de projet*, leur liste est visible par le menu *Projet > Informations sur le projet* (seul le champ préprogrammé *Etat de la proposition* n'apparaît pas, car réservé à d'autres usages). Leur modification s'effectuant dans cette fenêtre, ou bien en insérant ce champ dans une table de tâches. Dans ce cas, l'option *Afficher la tâche récapitulative de projet* devra être sélectionnée dans le menu *Outils > Options* ;

– pour les *champs de tâches et de ressources*, en les insérant dans les tables de tâches ou de ressources (menu *Insertion > Colonne…*) ou par le menu *Outils > Personnaliser > Champs*.

10.1.2. *Enregistrement du projet*

Le projet sera enregistré par les commandes habituelles (icône de la disquette ou menu *Fichier > Enregistrer*). Le menu *Fichier > Enregistrer sous* permettant d'incorporer à Project Server un projet préalablement enregistré comme simple fichier.

Il sera donné un nom au projet, et les choix de calendrier ou de valeurs pour les champs personnalisés de projet pourront encore être effectués à cette étape.

Le bouton *Enregistrer en tant que fichier…* permet de ne pas enregistrer le projet dans Project Server, mais comme simple fichier d'extension .mpp. Il sera alors proposé à l'utilisateur de ne pas enregistrer les codes hiérarchiques d'entreprise (le choix *Eléments globaux actuellement chargés*, plus pertinent, permettant de les conserver), puis il faudra choisir à nouveau le nom et l'emplacement du fichier. Ce choix est utile dans un but de sauvegarde de versions anciennes ou de transmission à des utilisateurs ne possédant pas d'accès à Project Server.

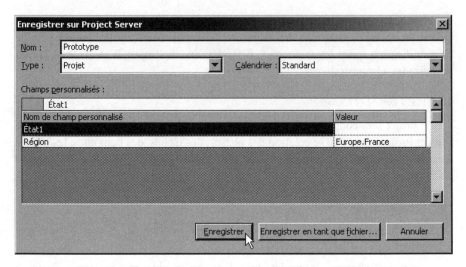

Figure 10.2. *Enregistrer le projet*

Dans la zone *Type*, le choix normal est *Projet*. L'autre choix, *Modèle*, permet d'enregistrer sur Project Server un modèle de projet. Ce modèle sera disponible depuis Project Professional lors de la création d'un nouveau projet par le menu *Fichier > Nouveau*, choix *Sur mon ordinateur* puis onglet *Modèles d'entreprise*. Le modèle n'est pas visible dans le Centre de ressources de Project Server 2007, mais peut être supprimé depuis Project Web Access par le menu *Paramètres du Serveur > Supprimer les objets d'entreprise*.

Le menu *Fichier > Enregistrer pour partager* permet aussi d'enregistrer directement le projet comme simple fichier, d'extension .mpp, sans passer par le serveur. Cette solution, par rapport à *Enregistrer sous*, a l'avantage de ne pas faire perdre le lien vers le projet enregistré sur le serveur et d'en permettre un archivage (dans le sens de *check-in*, voir plus loin) correct.

10.1.3. *Publication du projet*

Après enregistrement, le projet est bien stocké dans Project Server, dans la base de données de *Travail*. Il n'est donc pas visible dans le Centre de ressources de

Project Web Access. Il peut cependant être supprimé depuis Project Web Access par le menu *Paramètres du Serveur* > *Supprimer les objets d'entreprise*.

Pour qu'il devienne entièrement disponible, il est nécessaire de le publier, c'est-à-dire d'en faire une copie vers la base de données *Publiée* : depuis Project Professional 2007, par le menu *Fichier* > *Publier...*

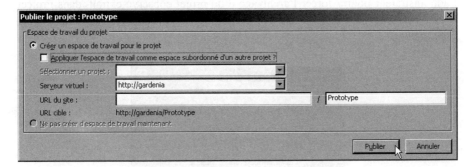

Figure 10.3. *Publier le projet*

Il sera alors proposé de créer l'espace de travail correspondant dans SharePoint, permettant ainsi la gestion de documents. Il est possible de faire de ce site un site subordonné, dépendant d'un projet principal.

REMARQUE IMPORTANTE.– A chaque modification apportée au projet, il faudra, en plus de l'enregistrement, refaire cette opération de publication afin de rendre les nouveaux éléments (par exemple, une affectation de ressource) visibles pour les autres utilisateurs dans Project Web Access. En cas d'oubli, il n'y a pas d'alerte pour rappeler la nécessité de cette opération, et la version publique du projet ne sera pas à jour.

10.1.4. *Fermeture du projet*

A la fermeture du projet, une boîte de dialogue propose :

– d'enregistrer le projet ;

– d'archiver[1] le projet ou de le conserver extrait.

---

1. Sur le principe de l'archivage, voir le chapitre 1, les nouveautés de Project Server 2007, et le chapitre 5, forcer l'archivage.

Rappelons qu'extraire un projet (*check-out*), c'est l'ouvrir dans un mode mono-utilisateur, contraignant les autres intervenants à l'ouvrir en lecteur seule. Archiver un projet (*check-in*), c'est l'opération inverse (aucun lien avec la notion d'archivage) réintégrant le projet sur le serveur. Si cet utilisateur conserve le projet extrait sans l'archiver, alors le projet ne pourra être rouvert qu'en lecture seule par les autres utilisateurs. Seul l'utilisateur actuel pourra le rouvrir en lecture/écriture. Seul l'administrateur pourra forcer l'archivage d'un projet conservé extrait, dans Project Web Access par le menu *Paramètres du Serveur > Forcer l'archivage des objets d'entreprise*.

Figure 10.4. *La fenêtre de fermeture du projet*

Si le projet n'a subi aucune modification (ou si elles ont déjà été enregistrées), alors seul la question de l'archivage sera posée dans une simple boîte de message. Il faudra bien sûr répondre *Oui* pour éviter de conserver le projet extrait. Mais cette fenêtre ne permet pas de le publier : il aurait donc été plus sage d'enregistrer et de publier avant de déclencher la fermeture.

En résumé, il y trois opérations à accomplir pour fermer correctement un projet :

– enregistrer le projet pour sauvegarder les modifications ;

– publier le projet pour rendre visibles les modifications ;

– archiver le projet pour le rendre accessible.

En cas d'oubli d'archivage, l'utilisateur peut lui-même forcer l'archivage de ses projets depuis Project Web Access à partir de centre de projets, menu *Atteindre > Archiver mes projets*. Ou alors il devra solliciter l'intervention de l'administrateur.

10.1.5. *Réouverture du projet*

Une fois fermé, le projet peut être rouvert directement depuis le Centre de projets de Project Server, en sélectionnant le projet puis en cliquant sur le bouton *Ouvrir*. Le projet sera alors ouvert dans Project Professional 2007.

Le projet peut aussi être ouvert depuis Project Professional, par le menu *Fichier > Ouvrir* :

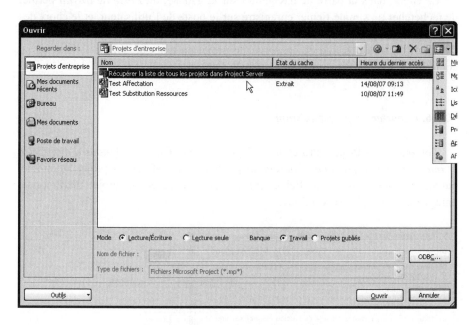

Figure 10.5. *Ouverture d'un projet*

La boîte de dialogue *Ouvrir* permet aussi bien de rechercher des projets sur le serveur, qu'en tant que simple fichier sur l'ordinateur ou le réseau. Avec l'option *Projets d'entreprise* (dans la barre de navigation sur la gauche), il est nécessaire de rafraîchir la liste par un double-clic sur la commande *Récupérer la liste de tous les projets* dans Project Server. Un filtre permet de voir tous les projets du serveur, ou seulement les projets publiés : c'est le choix de la *Banque* (base de données) *Travail* ou *Projets publiés*. Si le projet est déjà extrait par un autre utilisateur, alors le *Mode* sera obligatoirement *Lecture seule*. Choisir volontairement le mode *Lecture seule* permet de ne pas extraire le projet, et donc de ne pas avoir à l'archiver.

L'affichage des *Détails* (icône en haut à droite de la fenêtre) permet de savoir si le projet est déjà extrait par un autre utilisateur, grâce à la colonne *Etat du cache*. Dans ce cas, le projet ne pourra être ouvert qu'en lecture seule. L'autre utilisateur devra donc l'archiver au préalable, ou l'administrateur devra forcer cet archivage, dans Project Web Access, par le menu *Paramètres du serveur > Forcer l'archivage des objets d'entreprise*.

Le choix, dans la barre de navigation sur la gauche, du *Poste de travail* permet de rechercher un simple fichier enregistré sur le poste de l'utilisateur, et le choix des favoris réseau permet de rechercher le fichier n'importe où sur le réseau. A la fermeture, il sera possible de conserver le projet en tant que simple fichier, ou au contraire de l'enregistrer sur le serveur avec *Enregistrer sous*.

10.1.6. *Importer un projet existant*

Toujours dans Project Professional 2007, le menu *Outils > Options d'entreprise > Importer un projet dans l'entreprise* permet de transférer un projet autonome, enregistré sous forme d'un fichier indépendant .mpp, en un projet d'entreprise, enregistré sur Project Server 2007.

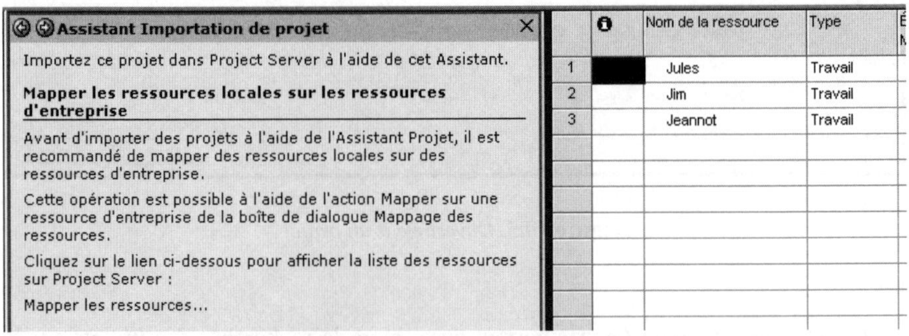

Figure 10.6. *Etape 1 de l'assistant d'importation*

Cette commande propose une boîte de dialogue d'ouverture de fichier. L'utilisateur navigue pour rechercher son fichier, et l'ouvre. Une fois le fichier ouvert, apparaît sur la gauche un volet d'assistant d'importation, en cinq étapes. La *première étape* (facultative) permet de mapper (faire correspondre) les ressources du projet avec le pool de ressources du serveur.

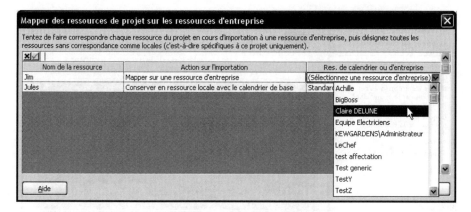

Figure 10.7. *La fenêtre de mappage*

Dans cette fenêtre de mappage, il convient pour chaque ressource du projet :

– soit de la conserver en ressource locale, éventuellement en choisissant un calendrier d'entreprise (recommandé) ;

– soit de la remplacer par une ressource d'entreprise en choisissant *Mapper sur une ressource d'entreprise* dans la colonne du milieu, et en sélectionnant cette ressource dans la colonne de gauche. Rappel : Project n'identifie pas la ressource par son nom, mais un numéro d'identifiant unique : donc, que deux ressources portent le même nom ne suffit pas à les faire correspondre.

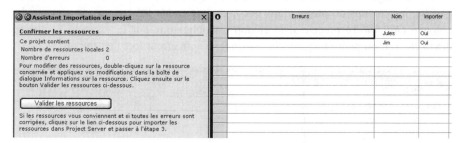

Figure 10.8. *Etape 2 : validation des ressources*

La *deuxième étape* demande une validation définitive de cette liste de ressources. Si des erreurs, visibles dans la colonne *Erreurs*, risquent de se produire à l'importation définitive, il est temps de les corriger : les modifications devront être confirmées par un clic sur le bouton Valider les ressources. Sinon, passer à l'étape 3 par le lien en bas de l'assistant.

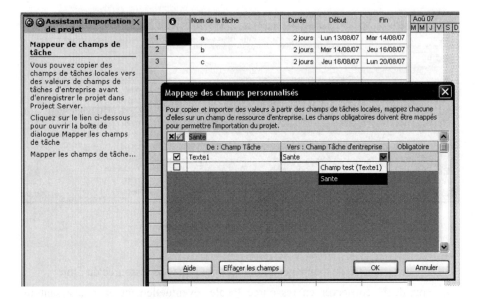

Figure 10.9. *Etape 3 : mappage des champs personnalisés*

La *troisième étape* permet de faire correspondre des champs de tâches personnalisés propres au projet vers des champs personnalisés correspondants de l'entreprise. La fenêtre de mappage des champs s'ouvre en cliquant le lien *Mapper les champs de tâches*. Il suffit de faire correspondre les champs : dans la colonne de gauche, les champs du projet, dans la colonne de droite les champs du serveur. La colonne *Obligatoire* précise si le champ est obligatoire sur le serveur : le champ devra être rempli pour chaque tâche, sinon il ya aura erreur lors de l'import.

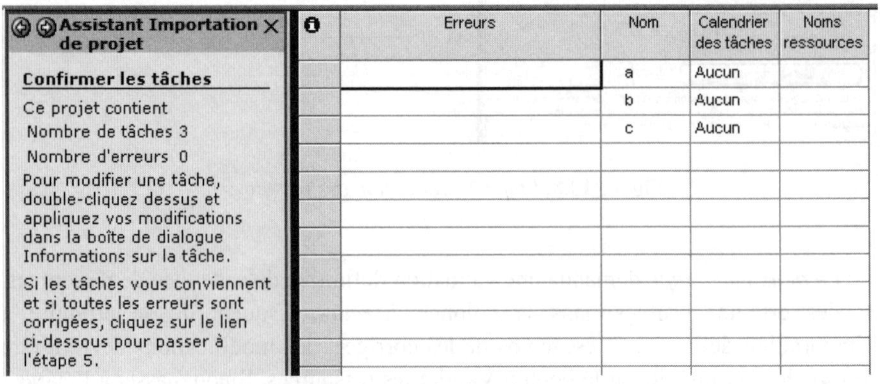

⊕ ⊕ Assistant Importation ✕ de projet	❶	Erreurs	Nom	Calendrier des tâches	Noms ressources
Confirmer les tâches			a	Aucun	
Ce projet contient			b	Aucun	
Nombre de tâches 3			c	Aucun	
Nombre d'erreurs 0					
Pour modifier une tâche, double-cliquez dessus et appliquez vos modifications dans la boîte de dialogue Informations sur la tâche.					
Si les tâches vous conviennent et si toutes les erreurs sont corrigées, cliquez sur le lien ci-dessous pour passer à l'étape 5.					

Figure 10.10. *Etape 4 : vérification des tâches*

La *quatrième étape* permet de modifier et valider les tâches à transférer vers le serveur. La *cinquième et dernière étape*, avec la commande *Enregistrer sous*, permet de donner un nom au projet sur le serveur, et de l'y enregistrer définitivement. Il convient alors de quitter l'assistant par la commande Enregistrer et terminer. L'utilisateur se trouve alors devant le projet du serveur, copie du fichier d'origine, lequel est automatiquement fermé. Il s'agit bien d'une copie, donc sans aucun lien permettant une synchronisation ultérieure. Bien sûr, ne pas oublier, si nécessaire, de *publier* le projet avant de le fermer.

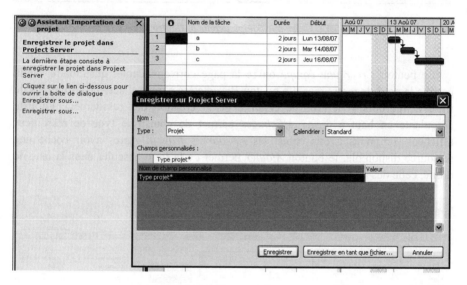

Figure 10.11. *Etape 5 : enregistrement sur le serveur*

10.2. Création de l'équipe de ressources du projet

L'équipe de ressources peut se créer aussi bien depuis Project Web Access que depuis Project Professional 2007. Il s'agit de sélectionner, à partir du pool de ressources d'entreprise, celles qui seront affectées au projet concerné.

10.2.1. *Créer l'équipe depuis Project Web Access*

Dans Project Web Access, choisissez le menu *Projet > Centre de projets*. Vous pouvez vous contenter de sélectionner le projet, ou l'ouvrir dans Project Web Access en cliquant sur son nom.

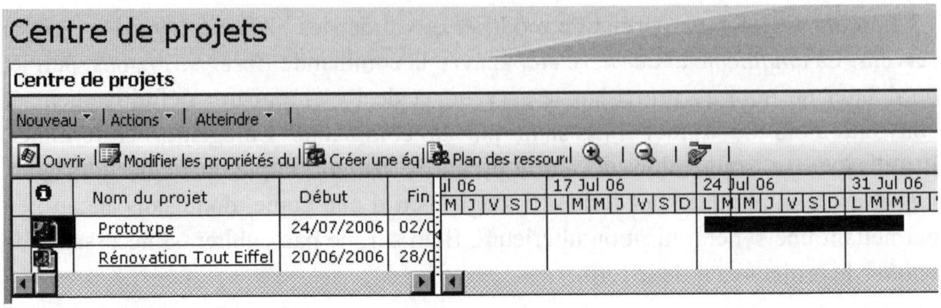

Figure 10.12. *Créer une équipe depuis le Centre de ressources*

Le bouton *Créer une équipe* ouvre la page correspondante, qui montre sur la gauche le pool de ressources. Le bouton *Paramètres* permet d'activer les options de filtre et regroupement (voir le chapitre de la création des ressources). La liste déroulante en haut à droite *Affichages* permet de choisir le type de ressources affichées. Ici, nous avons choisi les *ressources travail*. Après avoir coché une ressource disponible, le bouton *Ajouter* permet de la faire basculer dans la liste de droite, celle des ressources affectées au projet.

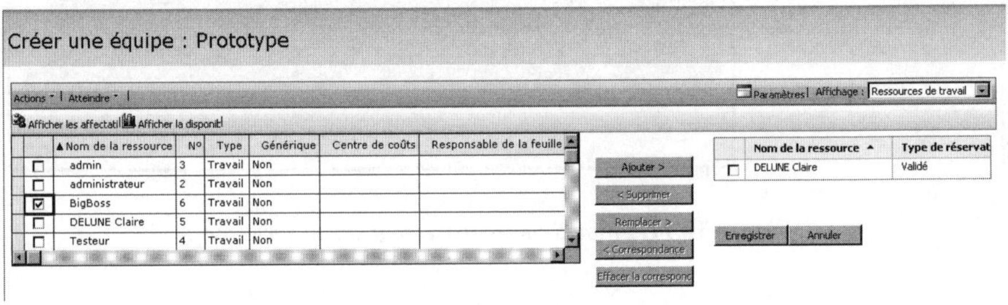

Figure 10.13. *Sélectionner les ressources*

Le bouton *Afficher les affectations* permet d'obtenir la liste des affectations en cours pour la ressource sélectionnée (cette liste s'ouvre dans une fenêtre Internet Explorer nouvelle, et le bouton *Afficher la disponibilité* permet d'obtenir un graphique représentant sa charge de travail.

Il est possible de supprimer une ressource de la liste des ressources du projet (après l'avoir sélectionnée), ou, grâce au bouton *Remplacer*, de substituer une ressource à une autre (en reportant les affectations déjà effectuées sur la nouvelle ressource).

Le bouton *Correspondance* permet de filtrer la liste des ressources disponibles (liste de gauche) afin de ne proposer que celles correspondant à la ressource sélectionnée à droite. Le critère de correspondance sera le champ personnalisé (en général un code hiérarchique, comme le RBS) pour lequel l'option *Utiliser ce champ pour les ressources génériques correspondantes* aura été préalablement activée. Le bouton *Effacer la correspondance* permet d'annuler ce filtre.

La partie inférieure de la page est un *Explorateur de projet*, qui permet de revoir la liste complète des tâches. Après constitution de l'équipe, ne pas oublier de la valider par le bouton *Enregistrer*.

10.2.2. *Créer l'équipe depuis Project Professional*

Ouvrez Project Professional et le projet concerné :

– soit en sélectionnant le projet depuis Project Server ;

– soit directement depuis Project Professional.

Choisissez l'affichage *Tableau des ressource*, et développez le menu *Insertion > Nouvelle ressource provenant de > Project Server*. Le menu *Outils > Créer une équipe à partir de l'entreprise...* est une commande équivalente. Dans les deux cas, la fenêtre *Créer une équipe* est proposée. Si le pool de ressources d'entreprise comprend plus de 1 000 ressources, une boîte de dialogue intermédiaire sera proposée pour effectuer un préfiltre fondé sur les codes hiérarchiques personnalisés, afin de présenter une liste réduite.

La fenêtre *Créer une équipe* présente dans sa partie supérieure des options de filtre et d'affichage, dans sa partie inférieure la liste des ressources d'entreprise et la liste des ressources du projet. Des boutons permettent de gérer le choix des ressources.

La liste de gauche montre les ressources du pool de ressources d'entreprise, la liste de droite montre les ressources sélectionnées pour le projet en cours. Le bouton *Ajouter* permet de faire passer la ou les ressources sélectionnées dans le pool vers le projet, le bouton *Supprimer* permettant de retirer la ressource du projet. Le bouton *Remplacer* permet de substituer une ressource à une autre, en reportant les affectations déjà effectuées sur la nouvelle ressource.

Le bouton *Correspondance* permet de filtrer la liste des ressources disponibles (liste de gauche) afin de ne proposer que celles correspondant à la ressource sélectionnée à droite. Le critère de correspondance sera le champ personnalisé (en général un code hiérarchique, comme le RBS) pour lequel l'option *Utiliser ce champ pour les ressources génériques correspondantes* aura été préalablement activée lors de sa création dans Project Server.

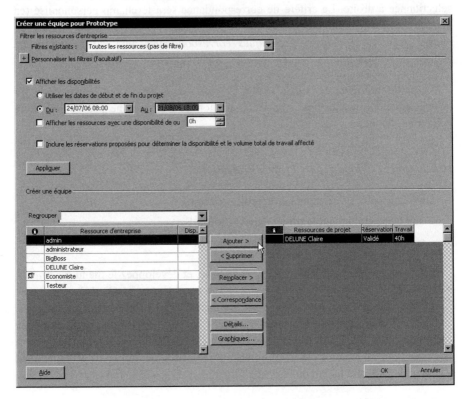

Figure 10.14. *Créer une équipe depuis Project Professional*

Le bouton *Détails* permet d'obtenir la fenêtre habituelle *Informations sur la ressource*, et le bouton *Graphiques* permet la représentation de la charge de travail de la ressource sélectionnée.

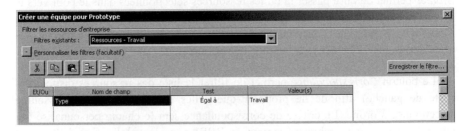

Figure 10.15. *Filtrer les ressources d'entreprise*

Dans la partie supérieure de la fenêtre, une liste déroulante permet d'appliquer un filtre existant afin de limiter la liste des ressources proposées. Il s'agit des filtres habituellement disponibles dans Project Professional par le menu *Projet > Filtré pour*. En développant l'option *Personnaliser les filtres,* il est possible de modifier un filtre existant ou de créer un nouveau filtre, avec possibilité de l'enregistrer. Le filtrage pourra s'annuler en choisissant le filtre « *Toutes les ressources* ».

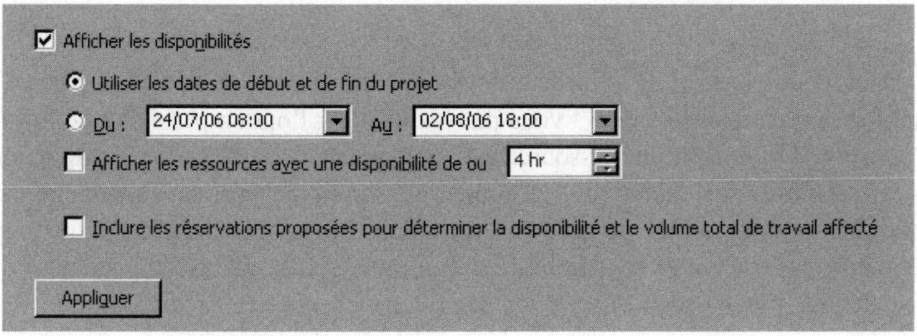

Figure 10.16. *Afficher et filtrer sur les disponibilités*

En cochant l'option « *Afficher les disponibilités* », il est possible de faire apparaître dans la colonne *Disp.* de la liste de gauche (le pool des ressources d'entreprises) la disponibilité restante de chaque ressource pour la période choisie, et ce en tenant compte des affectations de l'ensemble des projets publiés dans Project Server :

– soit entre les dates de début et de fin du projet ;

– soit dans une fourchette de dates à sélectionner.

Ces options d'affichage ne seront appliquées qu'après un clic sur le bouton *Appliquer*, opération à renouveler en cas de modification.

Il s'agit là d'un simple affichage. Par contre, la liste des ressources d'entreprise peut être en plus filtrée en activant l'option « *Afficher les ressources avec une disponibilité...* ». Seules apparaîtront les ressources ayant, pour la période choisie, une disponibilité égale ou supérieure au nombre d'heures indiquées.

Par défaut, la charge de travail calculée par Project Server, et donc la disponibilité restante, ne tient compte que des ressources dont le type de réservation est « *Validé* ». Si vous désirez que cette disponibilité tienne compte en plus des ressources de type « *Proposé* », alors il convient de cocher l'option « *Inclure les réservations proposées pour déterminer la disponibilité et le volume total de travail affecté* ».

ⓘ	Ressources de projet	Réservation	Travail
	BigBoss	Validé	0 hr
	DELUNE Claire	Validé	40 hr
✎	Economiste	Validé	0 hr
	Testeur	Proposé	24 hr

Figure 10.17. *La liste des ressources du projet*

Dans l'équipe du projet (la liste de droite), la colonne *Réservation* permet de modifier le type de réservation : vous pouvez changer l'option par défaut « *Validé* » en « *Proposé* ». Lorsqu'une ressource est simplement *Proposée* pour le projet, alors ses affectations aux tâches de ce projet ne seront pas prises en compte pour déterminer la disponibilité de cette ressource dans Project Server, et ne pourront pas y être publiées. Le but est de permettre une première phase de prototypage du projet, avec des ressources proposées, donc sans conséquence sur la disponibilité de la ressource, mais permettant de tester des hypothèses (budgétaires notamment). Dans une deuxième phase, le projet prenant réellement corps, vous pourrez changer le type de réservation de *Proposée* en *Validée* : à partir d'un affichage comme l'*Utilisation des ressources* ou le *Tableau des ressources*, insérez la colonne *Type de réservation* et faites la modification au niveau de la ressource (il n'est pas possible de modifier affectation par affectation).

Il convient de ne pas confondre les notions suivantes :

– ressource *proposée/validée* : conséquence statistique, les proposées ne sont pas prises en compte pour évaluer sa disponibilité ;

– ressource *demandée/exigée* : conséquence sur l'assistant substitution de ressource, qui ne pourra pas modifier l'affectation d'une ressource exigée ;

– affectation *confirmée* : si ce champ est à *oui*, alors la ressource a confirmé son accord pour accepter cette affectation.

Toujours dans l'équipe du projet (la liste de droite), la colonne « *Travail* » permet de connaître, pour les ressources déjà utilisées dans le projet, leur charge de travail pour ce projet. La colonne « *Indicateurs* » (représentée par une icône d'un i sur fond bleu) affiche des icônes en face des ressources génériques ou des ressources locales (créées dans ce projet uniquement, et ne faisant pas partie du pool de ressources d'entreprise).

CHAPITRE 11

Gestion des affectations

Une affectation consiste à assigner une ressource, quel soit son type, à une tâche. Pour les ressources de type travail, cette assignation conduira Project à calculer la quantité de travail pesant sur la tâche. Le responsable du projet ayant décidé d'une affectation, un mécanisme d'approbation permettra d'avertir la ressource. Celle-ci acceptera l'affectation, ou en demandera une modification. Dans ce dernier cas, la modification devra être validée par le responsable du projet.

11.1. Publication des affectations

11.1.1. *Création et acceptation de l'affectation*

A partir de Project Professional 2007, le chef de projet affecte la ressource concernée à une tâche du projet, selon les règles habituelles[1], par exemple en sélectionnant la tâche et en appelant la fenêtre d'affectation par le menu *Outils > Affecter les ressources*. Le projet sera ensuite enregistré, mais surtout *publié*. La ressource ne pourra en effet prendre connaissance de son affectation qu'après publication. Ceci laisse donc au responsable la possibilité de simuler différentes hypothèses, de tester plusieurs configurations : tant qu'il n'y a pas publication, il sera seul à voir cette nouvelle planification.

---

1. Pour plus de détails, voir la documentation propre à Project Standard 2007.

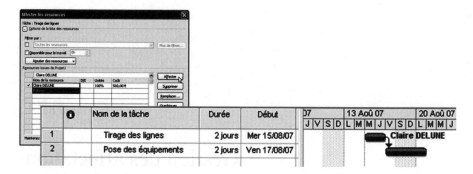

Figure 11.1. *Affectation d'une ressource à une tâche depuis Project Professional 2007*

Après publication du projet, la ressource est avertie par la réception d'un mail de cette nouvelle affectation, mais à deux conditions :

– son adresse mail a été saisie sur sa fiche de ressource ou d'utilisateur ;

– le serveur smtp a été correctement configuré par le menu *Paramètres du serveur > Alertes et rappels* (voir le chapitre Administrer Project Server).

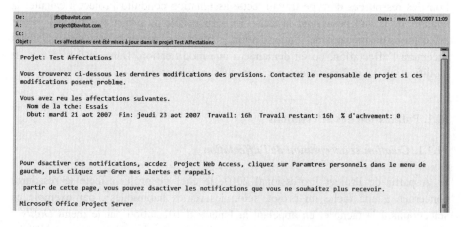

Figure 11.2. *Mail d'information à la ressource*

La ressource va alors se connecter à Project Web Access. Elle visualisera sur la page d'accueil le nombre de nouvelles affectations. Pour accéder à leur liste, elle peut soit cliquer sur le lien *Vous êtes affecté à x nouvelles tâches*, soit utiliser le menu *Mes tâches* dans la barre de lancement rapide (la barre de navigation sur la gauche).

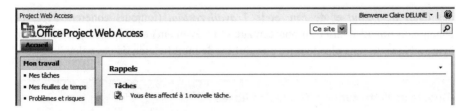

Figure 11.3. *Page d'accueil avec le rappel des nouvelles tâches*

La page *Mes tâches* permet de filtrer la liste des tâches grâce au bouton (ou l'icône à sa droite) *Paramètres*. Les changements d'option ne seront appliqués à la liste qu'après un clic sur le bouton *Appliquer :* la page sera réactualisée, donc les modifications non enregistrées seront perdues. Les tâches sont affichées par ordre alphabétique, et non pas chronologique. Le volet des paramètres propose :

– d'*Afficher uniquement les tâches actuelles*, c'est-à-dire celles qui ne sont pas terminées ;

– d'*Afficher le nom du projet*, afin de regrouper les tâches par projet, avec une signe + ou – devant le nom du projet pour le développer ou le réduire.

Les tâches nouvelles son marquées par un symbole, de couleur verte, *Nouveau !*. La ressource doit alors consulter cette tâche en cliquant sur son nom, qui sert de lien pour ouvrir la page du *Détail de l'affectation*.

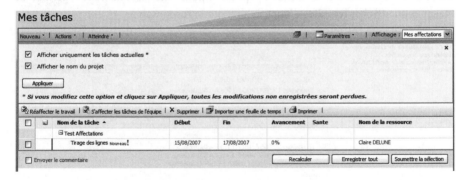

Figure 11.4. *La page des tâches de la ressource*

Les détails généraux de l'affectation le nom de la tâche, sous forme d'un chemin du type *Nom du projet > Nom de la tâche*. Le *Travail total* indique, par défaut en jours, non pas la durée mais bien la quantité de travail que doit fournir la ressource, l'achèvement étant à 0 % en attendant les futures mises à jour. La durée se déduira des dates de *Début* et de *Fin*, et le *Travail restant* (toujours cohérent avec les champs du travail total et du pourcentage d'achèvement) est exprimé par défaut en heures. Nous verrons plus loin les possibilités de modification de ces valeurs.

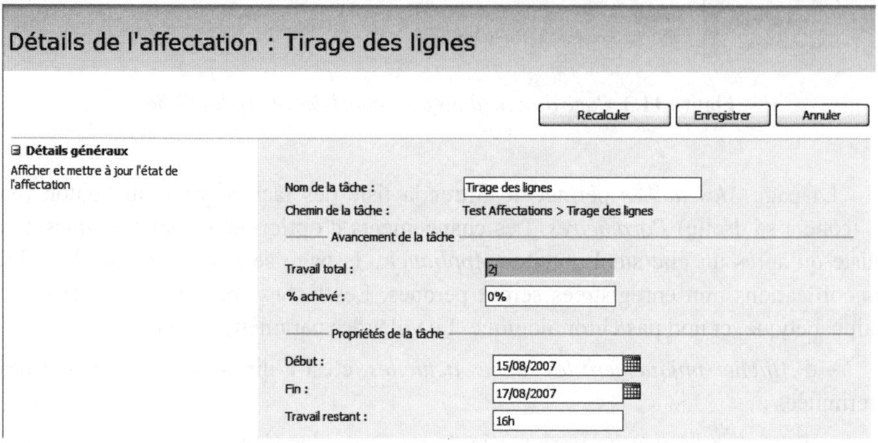

Détails de l'affectation : Tirage des lignes

| | | | | Recalculer | Enregistrer | Annuler |

⊟ **Détails généraux**
Afficher et mettre à jour l'état de l'affectation

Nom de la tâche :   Tirage des lignes

Chemin de la tâche :   Test Affectations > Tirage des lignes

——— Avancement de la tâche ———

Travail total :   2j

% achevé :   0%

——— Propriétés de la tâche ———

Début :   15/08/2007

Fin :   17/08/2007

Travail restant :   16h

Figure 11.5. *Les détails généraux de l'affectation*

La section *Commentaire et historique* permet de visualiser les modifications successives apportées à la tâche. L'option *Afficher les commentaires* permet de masquer ou afficher les dates d'approbation par le responsable.

Figure 11.6. *Historique de la tâche*

La section *Pièces jointes* permet de visualiser et accéder directement aux problèmes, risques et documents qui auraient été liés à cette tâche. Ces trois éléments ne pouvant être affichés ensemble, il est nécessaire de cliquer chacun des trois boutons d'option pour être sûr de tout vérifier. Le nom de l'élément est un lien, qui permet par un clic d'accéder directement à l'élément.

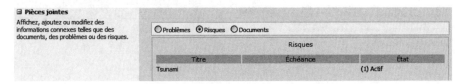

Figure 11.7. *Les pièces jointes à la tâche*

La section *Contacts* permet de visualiser tous les intervenants du projet : responsables, membres de l'équipe de projet. En passant la souris sur le nom d'un contact, il est possible de cliquer sur une balise et de développer un menu permettant notamment d'envoyer un mail au contact.

Figure 11.8. *La liste des contacts*

La section des *Affectations apparentées* permet de visualiser les autres tâches liées à la tâches actuelle (en prédécesseur ou successeur), et dans la ressource est impliquée. Il est donc possible de diagnostiquer les impacts de retards ou avances éventuels entre ces tâches.

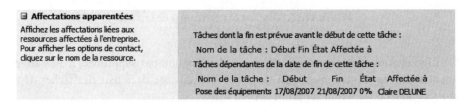

Figure 11.9. *Les affectations apparentées*

La section des *Remarques* permet la saisie (dans la partie inférieure) et la consultation (dans la partie supérieure) de remarques attachées à la tâche.

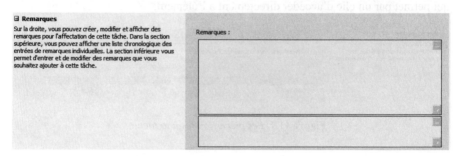

Figure 11.10. *La section des remarques*

Si la ressource accepte cette affectation, sans en changer de valeur, alors la simple consultation de cette page (il n'est pas utile de la quitter en enregistrant, le bouton *Annuler* est suffisant) suffira à présumer l'acceptation de la tâche par la ressource. Le symbole *Nouveau !* sera effacé, et la tâche disparaîtra du comptage des nouvelles tâches.

11.1.2. *Refus de la tâche par la ressource*

Dans le cas précédent, la ressource acceptait la tâche sans réserve. Voyons maintenant l'hypothèse d'un refus de la tâche par la ressource. Lorsque la ressource consulte la liste des nouvelles tâches, elle doit sélectionner la tâche en cochant la case à sa gauche, puis cliquer sur le bouton *Supprimer*.

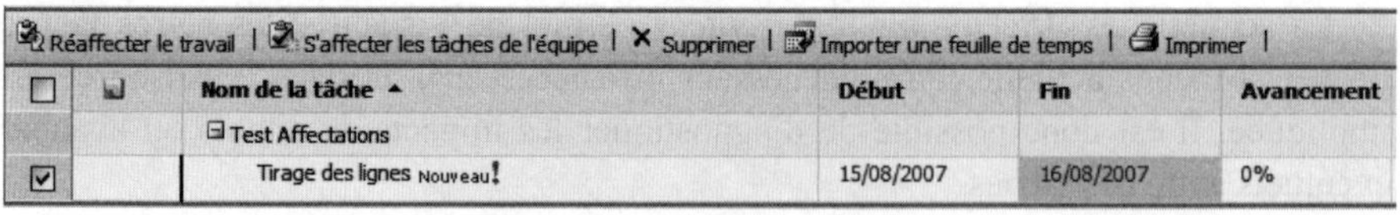

		Nom de la tâche ▲	Début	Fin	Avancement
☐		⊟ Test Affectations			
☑		Tirage des lignes Nouveau!	15/08/2007	16/08/2007	0%

Réaffecter le travail | S'affecter les tâches de l'équipe | ✕ Supprimer | Importer une feuille de temps | Imprimer |

Figure 11.11. *Sélection et suppression de la tâche*

Une confirmation sera demandée. La tâche sera non pas supprimée, mais barrée en attendant la validation du chef de projet. S'il subsiste dans liste des tâches déjà barrées, alors elles seront supprimées de la liste.

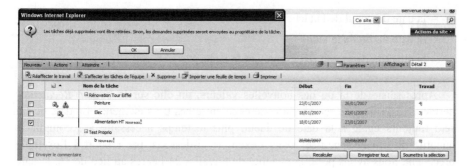

Figure 11.12. *Confirmation de la suppression*

REMARQUE IMPORTANTE.– La modification doit impérativement être soumise au responsable du projet, qui devra la valider. La ressource devra donc cliquer sur le bouton *Soumettre la sélection* avant de quitter la page. Le bouton *Enregistrer tout* permet lui de mémoriser la modification pour un usage ultérieur, mais ne la soumet pas au responsable, et elle ne sera donc pas validée. Si la ressource a pris soin de cocher la case d'option *Envoyer le commentaire*, alors il sera proposé de saisir un message à l'attention du responsable du projet, message que l'utilisateur devra saisir dans une nouvelle fenêtre.

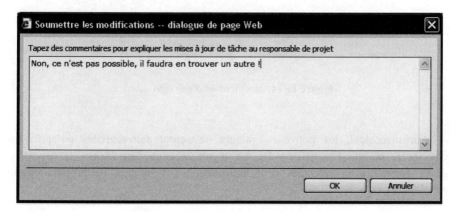

Figure 11.13. *Message pour le chef de projet*

11.1.3. *Modification de la tâche par la ressource*

La ressource a la possibilité d'accepter la tâche, mais en modifiant certains de ses paramètres. Le processus est similaire au refus de la tâche. La ressource modifiera un ou deux éléments parmi les trois éléments suivants :

– la date de début de la tâche ;

– la date de fin de la tâche ;

– la quantité de travail représenté par la tâche.

Après saisie de la ou des nouvelles valeurs, un clic sur le bouton *Recalculer* permettra à Project de rétablir la cohérence entre ces trois éléments. La date de fin sera toujours égale à la date de début, plus le temps nécessaire à accomplir la quantité de travail spécifiée. Dans l'exemple ci-dessous, par rapport à l'exemple précédent, nous avons porté la quantité de travail à 24 heures au lieu de 16, la date de fin est reportée d'une journée (nous travaillons sur des journées de 8 heures).

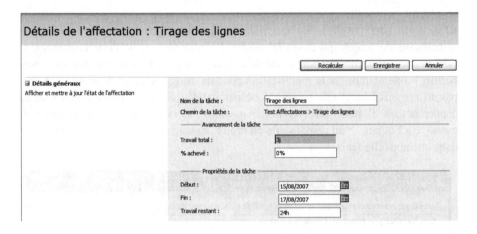

Figure 11.14. *Modification d'une affectation*

Après recalcul, les nouvelles valeurs ne seront sauvegardées qu'après un clic sur le bouton *Enregistrer*. De retour sur la page *Mes tâches*, la ressource devra *Soumettre la sélection* pour approbation par le chef de projet, comme précédemment.

11.1.4. *Délégation d'une affectation*

La ressource a aussi le choix de refuser pour elle-même cette affectation, mais de la transmettre à une autre ressource. Sur la page *Mes tâches*, le bouton *Réaffecter le travail* appelle la page *Réaffectation de tâche*. La ressource sélectionne la tâche concernée. Dans la colonne de gauche *Réaffecter à*, une liste déroulante permet d'afficher la liste des membres de l'équipe du projet, et de sélectionner une autre ressource. Une date de substitution peut être prévue, ainsi qu'un commentaire. Ne pas oublier de valider par le bouton *Soumettre*.

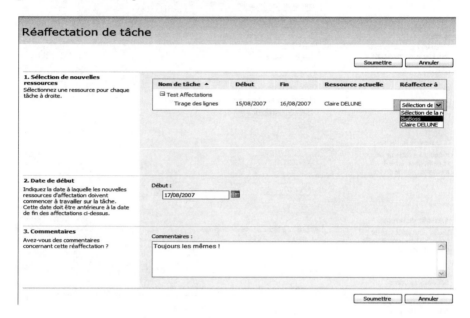

Figure 11.15. *Réaffecter une tâche*

11.1.5. *Création d'une nouvelle tâche*

Sur la page *Mes tâches*, la ressource peut aussi s'affecter à une nouvelle tâche, ou à une tâche déjà existante par le bouton *Nouveau*, option *Tâche*. Sur la page *Nouvelle tâche*, elle devra choisir le projet, donner un nom à la nouvelle tâche ou choisir une tâche existante, définir les dates s'il s'agit d'une nouvelle tâche, éventuellement l'attacher à une feuille de temps, et saisir un commentaire facultatif.

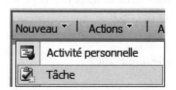

Figure 11.16. *Menu nouvelle tâche*

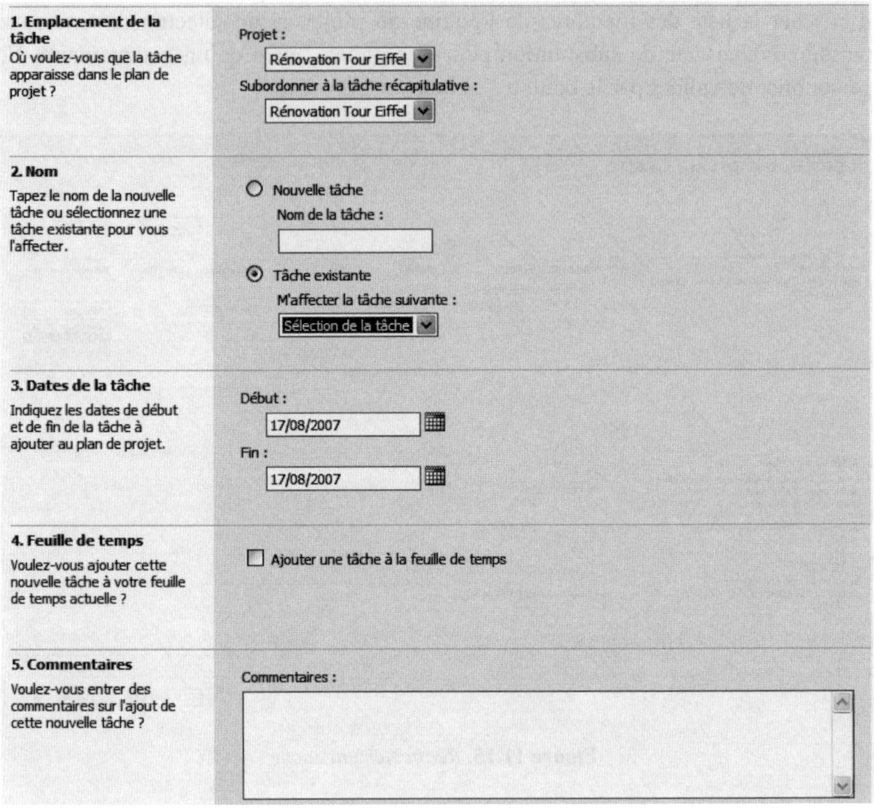

1. Emplacement de la tâche
Où voulez-vous que la tâche apparaisse dans le plan de projet ?

Projet :
Rénovation Tour Eiffel

Subordonner à la tâche récapitulative :
Rénovation Tour Eiffel

2. Nom
Tapez le nom de la nouvelle tâche ou sélectionnez une tâche existante pour vous l'affecter.

○ Nouvelle tâche
Nom de la tâche :

◉ Tâche existante
M'affecter la tâche suivante :
Sélection de la tâche

3. Dates de la tâche
Indiquez les dates de début et de fin de la tâche à ajouter au plan de projet.

Début :
17/08/2007

Fin :
17/08/2007

4. Feuille de temps
Voulez-vous ajouter cette nouvelle tâche à votre feuille de temps actuelle ?

☐ Ajouter une tâche à la feuille de temps

5. Commentaires
Voulez-vous entrer des commentaires sur l'ajout de cette nouvelle tâche ?

Commentaires :

Figure 11.17. *Création d'une tâche*

11.2. Approbation des mises à jour

La ressource ayant pris connaissance de sa tâche, et procédé à des modifications, ou l'ayant même refusée, le responsable du projet doit maintenant approuver les modifications. Il le fera manuellement dans une page web, ou peut mettre en place des automatismes fondés sur des règles.

11.2.1. *Depuis Project Professional 2007*

Lorsque le chef du projet rouvre le projet depuis Project Professional 2007, un message l'alerte, avant l'ouverture, sur la présence de mises à jour et la nécessité d'une validation. S'il clique sur Non, les mises à jour restent en instance jusqu'à la prochaine réouverture, ou leur examen depuis Project Web Access. S'il clique sur Oui, la page de mise à jour des tâches lui est proposée dans Project Professional.

Figure 11.18. *Alerte à l'ouverture de Project Professional 2007*

La page de mise à jour propose, en cliquant sur le bouton *Paramètres*, des options d'affichage de la liste des mises à jour (notamment pour un affichage en forme de tableau chronologique ou de diagramme de Gantt), et de filtrage par les niveaux hiérarchiques des tâches. Une fourchette de dates[2] peut être précisée, elle ne filtre pas la liste, mais contrôle la période d'affichage du diagramme de droite.

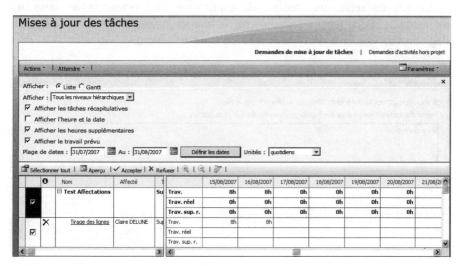

Figure 11.19. *La page de mise à jour des tâches*

Une icône dans la marge, à gauche de la tâche, signale la suppression. Il est possible de consulter le détail de la demande de mise à jour en cliquant sur le nom de la tâche, lien vers une fenêtre *Détail de la tâche*.

---

2. Une mauvaise reconnaissance des formats de dates peut, dans certains cas, conduire Project à interpréter la date saisie manuellement, ou par l'icône de l'assistant calendrier, au format anglo-saxon mm/jj/aaaa.

Figure 11.20. *Détail de la demande de mise à jour*

Le chef de projet devra ensuite sélectionner la ou les tâches concernées, et prendre sa décision :

– soit de valider les modifications en cliquant sur le bouton *Accepter* ;

– soit les rejeter en cliquant sur le bouton *Refuser*.

En cas de refus, une fenêtre de confirmation lui permettre de saisir un commentaire. Cette fenêtre se valide par le bouton *Refuser* (le mot est ambigu, il s'agit bien de valider la décision de refus de la modification).

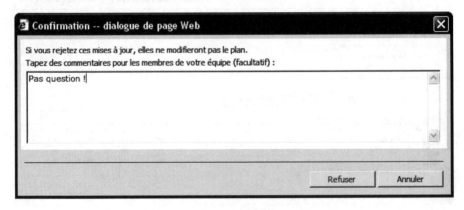

Figure 11.21. *Confirmation de la décision*

Après cette décision, le chef de projet devra encore incorporer définitivement les mises à jour, telles qu'il les a acceptées (que sa décision soit une acceptation ou un refus) au projet lui-même, en cliquant sur un lien *cliquez ici* proposé par la page de mise à jour. Il décidera ensuite de poursuivre, ou non, l'ouverture du projet.

En cas de refus, la ressource n'est pas avertie directement, mais elle constatera dans la liste des ses tâches (sur la page *Mes tâches*) les conséquences du refus : une icône représentant un x rouge apparaît à gauche de la tâche. En passant la souris sur cette icône, une infobulle indique « *Mise à jour refusée* ». Nous sommes sur des pages web, qu'il est nécessaire de rafraîchir régulièrement pour avoir les données les plus récentes. L'icône *Actualiser* (touche F5) d'Internet Explorer peut ne pas suffire, la page restant en cache : il est donc conseillé, si la page reste affichée longtemps, de revenir à l'accueil, puis de redemander la page.

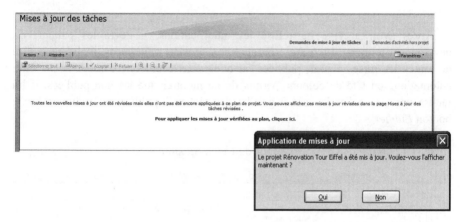

Figure 11.22. *Application des mises à jour au plan de projet*

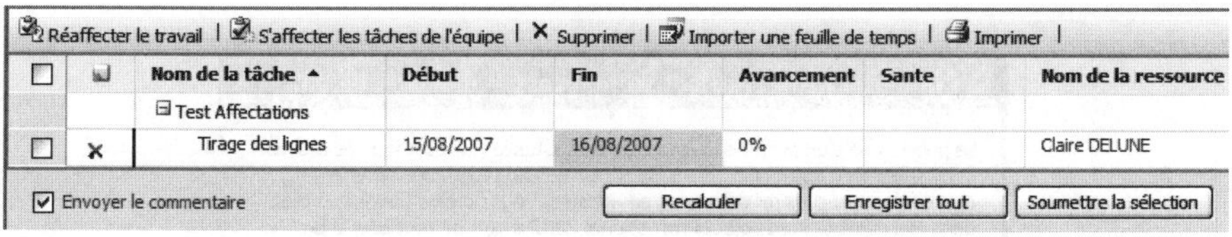

		Nom de la tâche ▲	Début	Fin	Avancement	Sante	Nom de la ressource
☐		⊟ Test Affectations					
☐	✗	Tirage des lignes	15/08/2007	16/08/2007	0%		Claire DELUNE

☑ Réaffecter le travail | ☐ S'affecter les tâches de l'équipe | ✗ Supprimer | ☐ Importer une feuille de temps | ☐ Imprimer |

☑ Envoyer le commentaire   [Recalculer]   [Enregistrer tout]   [Soumettre la sélection]

Figure 11.23. *Visualisation par la ressource de la décision*

11.2.2. *Depuis Project Web Access*

Le chef de projet peut travailler directement depuis Project Web Access, sans ouvrir Project Professional 2007. Il devra vérifier les modifications, puis les publier lui-même. La page de mise à jour (identique à celle déjà vue dans Project Professional 2007) est accessible à tout moment et pour tous les projets par la barre de lancement rapide, menu *Approbations > Mise à jour des tâches*.

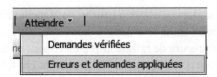

Figure 11.24. *Obtenir la liste des approbations*

Après avoir accepté ou refusé les modifications, il devra les publier. En développant le menu *Atteindre > Erreurs et demandes appliquées*, il obtient la liste de toutes les mises à jour, publiées ou non (voir la colonne *Publié ?*). Un filtre automatique en tête de colonne permet de ne montrer que les non publiées. Il lui faudra ensuite cocher la case à gauche des tâches à publier, puis cliquer sur le bouton *Publier*.

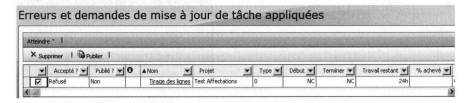

Figure 11.25. *Publication d'une tâche*

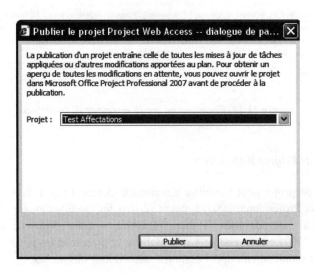

Figure 11.26. *Choix du projet à publier*

La liste présentant toutes les tâches de tous les projets, une fenêtre demandera confirmation du projet devant être publié. Si la publication concerne plusieurs projets, il faudra renouveler la commande une fois par projet.

11.2.3. *Les règles d'approbation*

Pour éviter un travail fastidieux, le chef de projet peut définir des règles d'approbation, afin d'automatiser le mécanisme : les modifications conformes à un modèle seront automatiquement validées. Sur la page de mise à jour des tâches (menu *Approbations > Mise à jour des tâches*), il faut développer le menu *Actions > Gérer les règles*. Sur la page des règles, une nouvelle règle sera créée par le bouton *Nouvelle règle*. La nouvelle règle reçoit un nom, un descriptif facultatif, et une option à cocher permet de l'exécuter automatiquement, dès qu'une ressource soumet une modification.

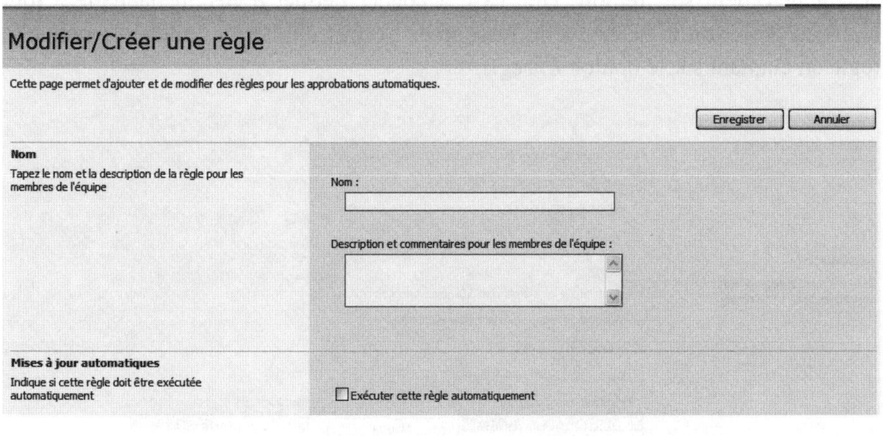

Figure 11.27. *Création d'une règle*

La section suivante permet de choisir un ou des types de demandes : nouvelles, réaffectations, suppressions, mises à jour. Dans ce dernier cas, on peut filtrer les valeurs mises à jour. L'exemple ci-dessous vérifie la correspondance entre la nouvelle valeur du champ *Fin* et son ancienne valeur : la mise à jour sera automatiquement acceptée si la nouvelle valeur lui est inférieur ou égale, par contre sera soumise à une approbation manuelle si elle lui est postérieure. La ressource aura donc le droit de finir à l'heure ou en avance, mais sera contrôlée si elle finit en retard.

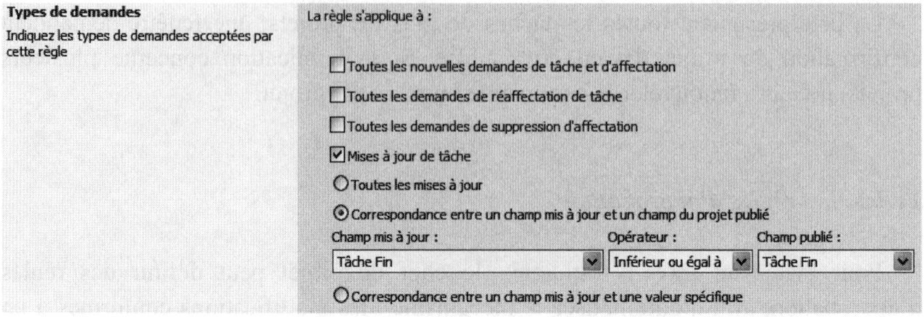

Figure 11.28. *Filtrage d'un type de mise à jour*

La règle peut s'appliquer à tous les projets et toutes les ressources, ou seulement à certains d'entre eux. Dans l'exemple ci-dessous, une seule ressource pourra bénéficier de l'acceptation automatique de la règle, à condition bien sûr que le critère précédent soit rempli. Une case à cocher permet d'étendre la règle à tout nouveau projet ou toute nouvelle ressource. Ne pas oublier de valider la nouvelle règle en cliquant sur le bouton *Enregistrer*.

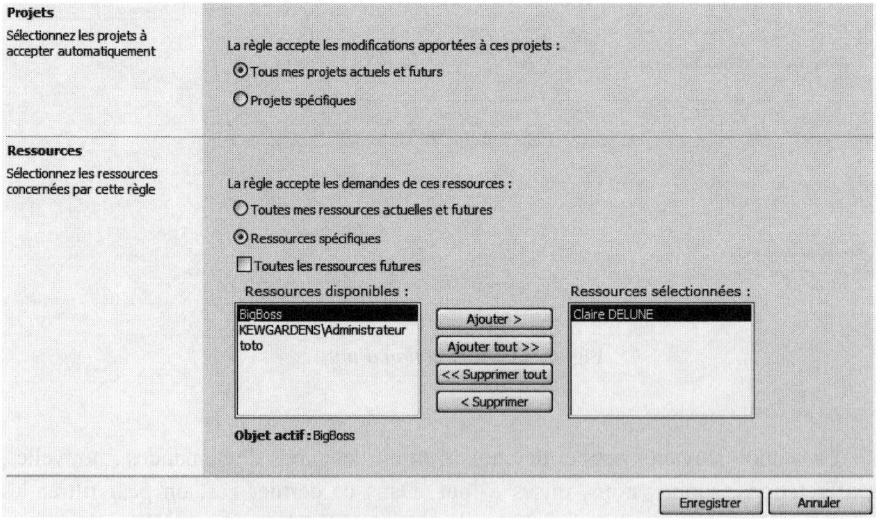

Figure 11.29. *Choix d'une ressource spécifique*

De retour dans la liste des règles, il est possible de sélectionner une règle, et de l'exécuter sur demande (dans le cas où l'on n'a pas prévu d'exécution automatique) par le bouton *Exécuter la règle*. Le bouton *Exécuter toutes les règles* permet d'exécuter la totalité des règles de la liste. La liste peut se trier en cliquant sur les tâtes de colonnes concernées. Une règle sélectionnée peut être modifiée, copiée ou supprimée.

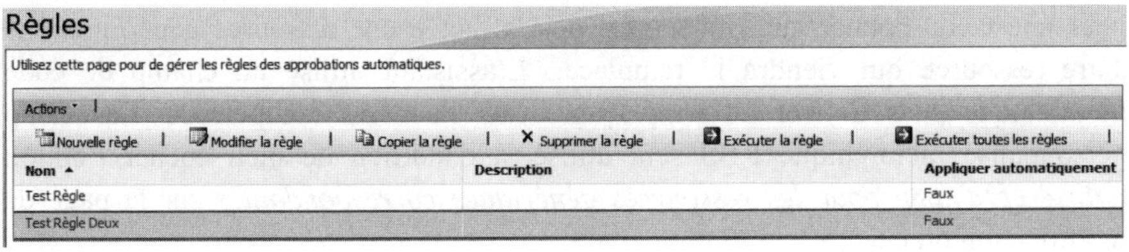

Figure 11.30. *La liste des règles*

11.3. Substituer des ressources

11.3.1. *Tâches de l'équipe*

Nous avons vu, au chapitre du centre de ressources, qu'une ressource pouvait être rattachée à une équipe (ne pas confondre avec l'équipe de projet, il s'agit ici d'un ensemble de ressources appartenant à une qualification ou un service communs). Pour cela, il est créé dans le centre de ressources une ressource représentant l'équipe, rattachée à une liste d'affectation d'équipe dans la section *Détail de l'équipe*. Puis sont créées les ressources physiques, pour lesquels on indique, dans cette même section, le nom de la liste d'équipe.

Le responsable de projet procède aux affectations, mais en affectant l'équipe à la tâche, et non pas les ressources physiques. Puis chacune des ressources de l'équipe peut, sur la page *Mes tâches*, cliquer sur le bouton *S'affecter les tâches de l'équipe* pour consulter la liste des tâches affectées à l'équipe. La ressource s'affectera à une tâche d'équipe en cochant le carré à gauche, puis en cliquant sur le bouton *M'affecter à cette tâche*. Cette réaffectation sera soumise à l'approbation du responsable de projet.

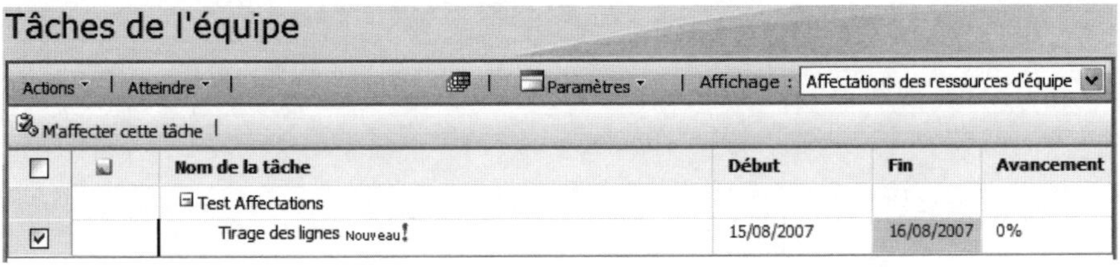

Figure 11.31. *Affectation aux tâches de l'équipe*

11.3.2. *Assistant substitution de ressources*

Le responsable de projet peut se faire aider, dans Project Professional 2007, par un assistant chargé de substituer une ressource à une autre. Cet assistant recherchera, pour une tâche donnée sur laquelle est déjà affectée une ressource générique, une autre ressource qui viendra la remplacer. L'assistant utilise un champ de code hiérarchique pour trouver un remplaçant ayant la même compétence. Le champ personnalisé hiérarchique RBS sera utilisé, à condition de bien cocher l'option *Utilise ce champ pour les ressources génériques correspondantes* sur la page de modification du champ.

L'assistant se lance, dans Project Professional 2007, par le menu *Outils* > *Remplacer* les ressources. Il se déroule en 8 étapes. La première étape permet de sélectionner un ou plusieurs projets pour lesquels sera effectuée la substitution, parmi les projets ouverts. La deuxième étape permet d'utiliser les ressources des projets sélectionnés, ou par l'option *Spécifiées ci-dessous* d'*Ajouter* des ressources provenant du centre de ressources.

En troisième étape, apparaissent les projets apparentés (à la suite d'un lien interprojet), une case à cocher indique s'il convient de les prendre en compte dans la substitution. La quatrième étape permet d'indiquer des priorités, ainsi quel groupe de ressources à utiliser. La cinquième étape résume les options, et le bouton *Exécuter* déclenche le travail de l'assistant.

Après exécution, le bouton *Suivant* devient disponible pour conduire à une sixième étape listant les modifications proposées. La septième étape permet de valider la mise et jour, et le bouton *Suivant* met définitivement à jour le projet, l'étape huit ferme l'assistant.

CHAPITRE 12

Suivi de l'avancement

Le projet rentrant dans sa phase active de réalisation, le suivi de l'avancement peut être confié aux ressources elles-mêmes. Deux possibilités sont offertes :

– une solution directe, en permettant aux ressources de modifier leur tâches afin d'indiquer soit un pourcentage d'avancement, soit une quantité d'heures de travail. Cette solution est plus rapide, mais ne donne qu'une vision globale sur la tâche, sans indications sur la répartition chronologique de la charge de travail ;

– une solution plus élaborée, en proposant à la ressource une feuille de temps, présentant un découpage chronologique par défaut à la journée, et dans laquelle la ressource indiquera au jour le jour la quantité de travail exécutée et sur quelle tâche. Après validation, les tâches concernées seront automatiquement mises à jour.

Le responsable de projet peut aussi faire la demande aux ressources de rapports d'état, solution décrite plus haut, en première partie, au chapitre des clients de Project Server 2007.

12.1. La feuille de temps

Les feuilles de temps permettent aux équipiers du projet de saisir eux-mêmes les temps effectivement passés sur les tâches du projet. Cette saisie s'effectuera au travers d'un affichage qui lui est dédié dans Project Web Access. En fait, dans Project Server 2007, toute personne ayant un droit d'accès à Project Web Access, même sans être assigné comme ressource à un projet, pourra saisir des entrées dans la feuille de temps.

12.1.1. *Paramétrage des options*

Avant de pouvoir utiliser les feuilles de temps, l'administrateur doit les paramétrer convenablement, à partir, dans Project Web Access, à partir du menu *Paramètres du serveur* et de la section *Gestion du temps et des tâches*. Nous en examinerons les options essentielles.

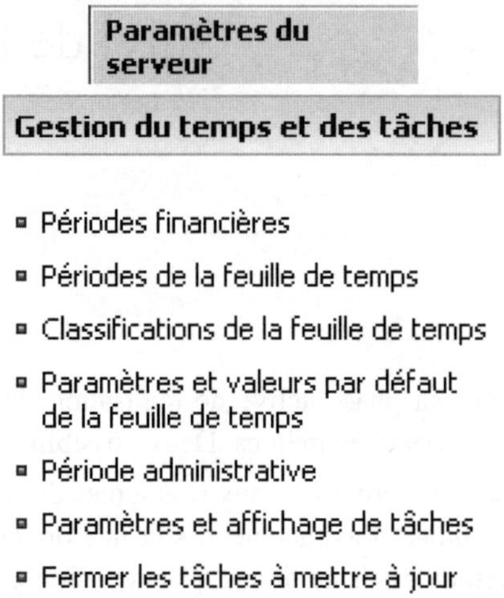

> **Paramètres du serveur**
>
> **Gestion du temps et des tâches**
>
> - Périodes financières
> - Périodes de la feuille de temps
> - Classifications de la feuille de temps
> - Paramètres et valeurs par défaut de la feuille de temps
> - Période administrative
> - Paramètres et affichage de tâches
> - Fermer les tâches à mettre à jour

Figure 12.1. *La section Gestion du temps et des tâches*

12.1.1.1. *Périodes de la feuille de temps*

Pour rendre les feuilles de temps utilisables, il convient au préalable d'en définir les périodes. Ensuite, chaque période, représentant une fourchette de dates, sera ouverte pour permettre la saisie de l'utilisateur, puis fermée et donc réservée à la lecture seule. Cliquez sur le menu *Périodes de la feuille de temps*.

Un traitement en bloc, permettra de créer une série de périodes construites sur le même modèle : dans notre exemple, nous créons 52 périodes de 7 jours à partir du 1er janvier.

Elles seront nommées grâce à un préfixe et éventuellement un suffixe, qui serviront de masque de formatage, et se distingueront par un numéro d'ordre automatiquement calculé, commençant à la borne inférieure indiquée. Ne pas oublier de saisir les espaces éventuellement nécessaires, une zone *Exemple* montre le résultat appliqué à la première période.

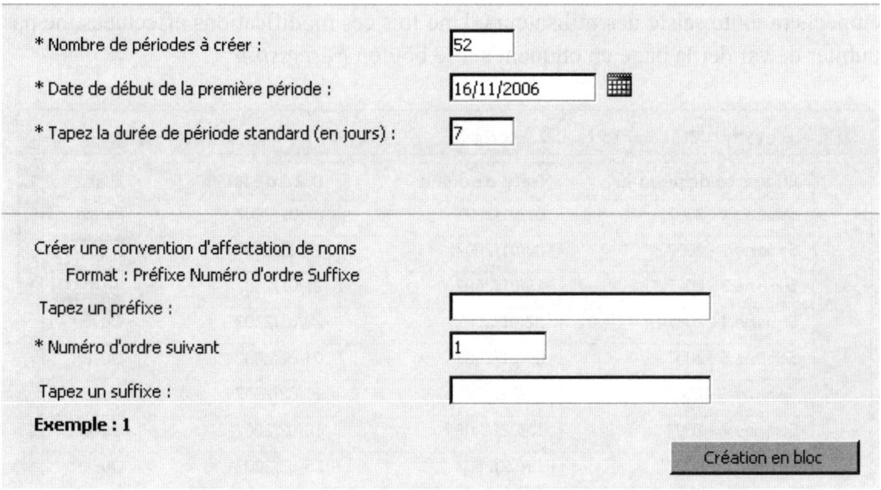

Figure 12.2. *Paramètres de création des périodes*

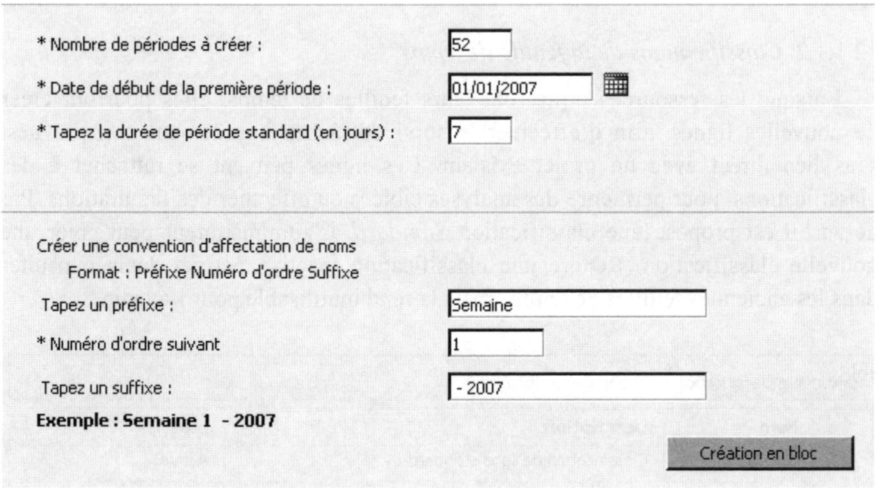

Figure 12.3. *Paramètres de création des périodes*

Les paramètres étant indiqués, un clic sur le bouton *Création* en bloc permet de remplir en une fois la liste des périodes. Ensuite, chaque période peut être éditée séparément, supprimée, ou des périodes nouvelles peuvent être insérées. Chaque période, par défaut déclarée *Ouverte*, peut être positionnée sur *Fermée*, ce qui empêchera toute saisie des utilisateurs. Une fois ces modifications effectuées, ne pas oublier de valider la page en cliquant sur le bouton *Enregistrer*.

Étiquette de période	Date de début ▲	Date de fin	État
Semaine 1 - 2007	01/01/2007	07/01/2007	Fermé
Semaine 2 - 2007	08/01/2007	14/01/2007	Ouvt ▾
Semaine 3 - 2007	15/01/2007	21/01/2007	Ouvert / Fermé
Semaine 4 - 2007	22/01/2007	28/01/2007	Ouvert
Semaine 5 - 2007	29/01/2007	04/02/2007	Ouvert
Semaine 6 - 2007	05/02/2007	11/02/2007	Ouvert
Semaine 7 - 2007	12/02/2007	18/02/2007	Ouvert
Semaine 8 - 2007	19/02/2007	25/02/2007	Ouvert
Semaine 9 - 2007	26/02/2007	04/03/2007	Ouvert

Figure 12.4. *Paramètres de création des périodes*

12.1.1.2. *Classifications de la feuille de temps*

Lorsque les ressources utiliseront leurs feuilles de temps, elles pourront créer de nouvelles lignes, afin d'effectuer le suivi de tâches initialement non prévues, sans lien direct avec un projet existant. Ces lignes peuvent se rattacher à des classifications, pour permettre des analyses ciblées ou effectuer des facturations. Par défaut, il est proposé une classification *Standard*. L'administrateur peut créer une nouvelle classification. Rendre une classification inactive permet de la consulter dans les anciennes feuilles de temps, mais la rend inutilisable pour l'avenir.

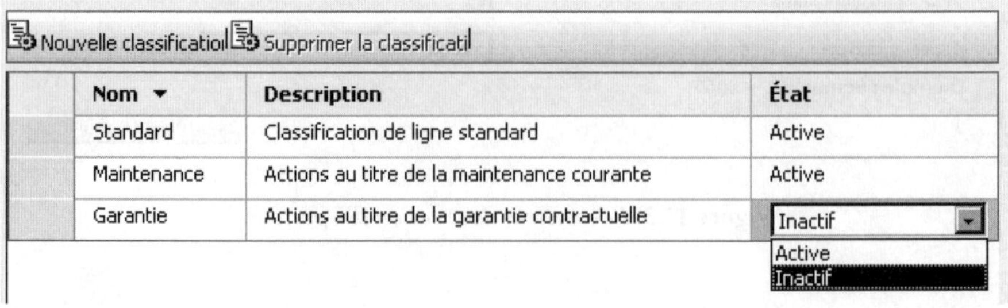

Nom ▾	Description	État
Standard	Classification de ligne standard	Active
Maintenance	Actions au titre de la maintenance courante	Active
Garantie	Actions au titre de la garantie contractuelle	Inactif ▾
		Active / Inactif

Figure 12.5. *Paramètres de création des périodes*

Ainsi, dans cet exemple, il sera possible de distinguer, et de budgéter différemment, des actions effectuées au titre d'opérations de maintenance de celles dues au titre d'une garantie contractuelle.

12.1.1.3. *Paramètres et valeurs par défaut de la feuille de temps*

Parmi ces différents paramètres, nous retiendrons :

– l'unité de suivi par défaut en Semaines permet d'avoir une colonne par semaine, au lieu d'une colonne par jour ;

– l'unité de la feuille de temps par défaut permet d'opérer une saisie en heures ou en fraction de jour. Le nombre d'heures standard d'une journée sera choisi pour être compatible avec les options de calendrier ;

– les stratégies de la feuille de temps permettent d'empêcher des saisies sur des périodes futures, ou de soumettre les saisies aux validations de Project Server (ces deux fonctions étant autorisées par défaut) ;

– un itinéraire d'approbation fixe permettrait de ne plus donner le choix de l'approbateur au niveau de la saisie de la feuille de temps, mais d'automatiser ce processus.

12.1.1.4. *Période administrative*

Le temps administratif permet de suivre les temps non travaillés, ou les temps d'indisponibilité sans lien avec un projet existant. Par défaut, trois catégories de temps administratif sont disponibles : *Administration*, *Congés maladie*, *Vacances*.

Dans Project Server 2007, ces temps administratifs sont désormais directement gérés et suivis au niveau de Project Server, sans passer par l'intermédiaire d'un projet administratif comme dans la version 2003. L'administrateur peut créer de nouvelles catégories ou modifier des catégories existantes.

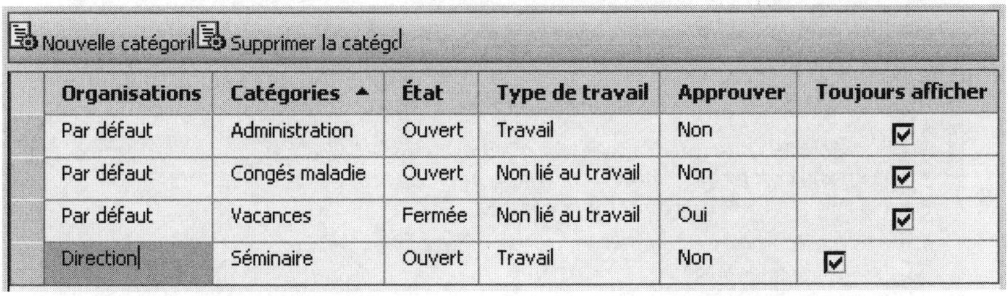

Organisations	Catégories ▲	État	Type de travail	Approuver	Toujours afficher
Par défaut	Administration	Ouvert	Travail	Non	☑
Par défaut	Congés maladie	Ouvert	Non lié au travail	Non	☑
Par défaut	Vacances	Fermée	Non lié au travail	Oui	☑
Direction|	Séminaire	Ouvert	Travail	Non	☑

Figure 12.6. *Paramètres de création des périodes*

La catégorie peut se rattacher à une organisation (une branche de votre activité, par exemple en lien avec le champ hiérarchique personnalisé RBS). L'état *Ouvert* la rend utilisable. L'état *Fermée* la laisse consultable, mais de nouvelles périodes ne peuvent être rentrées. Le type de travail permet de savoir si ces heures doivent êtres prises en comptes dans les calculs budgétaires. La colonne *Approuver* permet de soumettre ou non la saisie utilisateur à l'approbation hiérarchique, et l'option *Toujours afficher* permet de toujours présenter par défaut dans la feuille de temps de l'utilisateur une ligne correspondant à cette catégorie.

12.1.1.5. *Paramètres et affichage de tâches*

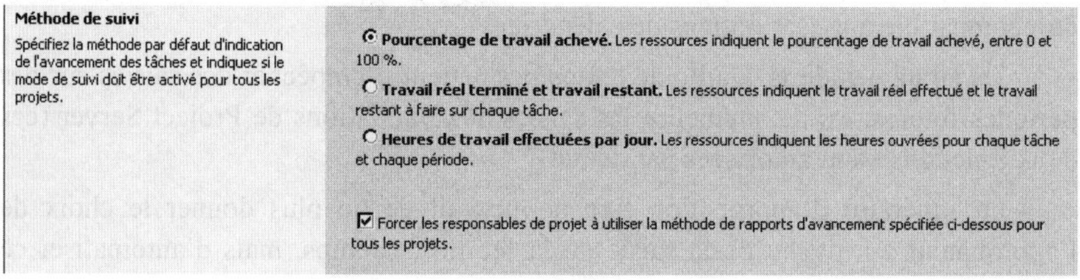

Méthode de suivi

Spécifiez la méthode par défaut d'indication de l'avancement des tâches et indiquez si le mode de suivi doit être activé pour tous les projets.

⊙ **Pourcentage de travail achevé.** Les ressources indiquent le pourcentage de travail achevé, entre 0 et 100 %.

○ **Travail réel terminé et travail restant.** Les ressources indiquent le travail réel effectué et le travail restant à faire sur chaque tâche.

○ **Heures de travail effectuées par jour.** Les ressources indiquent les heures ouvrées pour chaque tâche et chaque période.

☑ Forcer les responsables de projet à utiliser la méthode de rapports d'avancement spécifiée ci-dessous pour tous les projets.

Figure 12.7. *Choix de la méthode de suivi par défaut*

Trois méthodes sont proposées pour permettre aux ressources de saisir leur temps de travail :

– saisir un pourcentage de travail réellement effectué ;

– indiquer le travail effectué, et le travail restant ;

– saisir le nombre d'heures de travail réellement effectuées par jour.

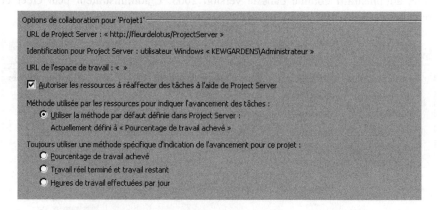

Figure 12.8. *Choix de la méthode de suivi pour le projet en cours*

En décochant l'option « *Forcer les responsables de projet...* », les responsables de projets peuvent modifier à partir de Project Professional la méthode choisie par défaut (menu *Collaborer > Options de collaboration*). Il est fortement recommandé de choisir cette option à la création du projet, et d'éviter de la changer ultérieurement.

Cette option pourra se combiner avec un deuxième choix, permettant de contraindre la ressource à saisir les heures travaillées soit par jour (choix par défaut), soit à la semaine.

Figure 12.9. *Choix du mode de saisie des heures travaillées*

12.1.1.6. *Fermer les tâches à mettre à jour*

Cette option permet, pour un projet déterminé, de verrouiller certaines tâches afin d'empêcher leur mise à jour par les ressources. Ce choix ne prendra effet qu'après la prochaine publication du projet concerné.

12.1.2. *Saisie des données par les ressources*

La ressource accède à sa feuille de temps, depuis la barre de lancement rapide sur la gauche, par le menu *Mon Travail > Mes feuilles de temps*. Une liste déroulante *Affichage* permet de filtrer la liste par périodes. Par défaut, la première feuille est celle de la semaine en cours, et en dessous celles des trois derniers mois. Chaque feuille de semaine doit, à la première utilisation, être créée en cliquant sur le lien *Cliquez ici pour créer* dans la première colonne.

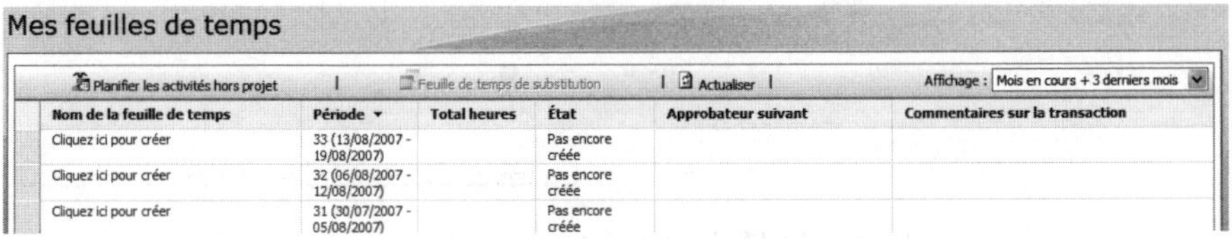

Mes feuilles de temps

Planifier les activités hors projet		Feuille de temps de substitution		Actualiser	Affichage : Mois en cours + 3 derniers mois
Nom de la feuille de temps	**Période** ▼	**Total heures**	**État**	**Approbateur suivant**	**Commentaires sur la transaction**
Cliquez ici pour créer	33 (13/08/2007 - 19/08/2007)		Pas encore créée		
Cliquez ici pour créer	32 (06/08/2007 - 12/08/2007)		Pas encore créée		
Cliquez ici pour créer	31 (30/07/2007 - 05/08/2007)		Pas encore créée		

Figure 12.10. *La liste des feuilles de temps vue par la ressource*

Sur la page de la nouvelle feuille ouverte, le bouton *Paramètres* fait apparaître (ou masque) un bandeau d'options. Il est possible de donner un *Titre* personnalisé à la feuille (par exemple en rappelant le numéro de semaine). Les options de propriétaire et de soumission de sont pas modifiables.

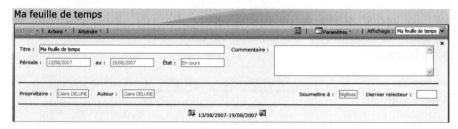

Figure 12.11. *Les propriétés d'une feuille de temps*

La feuille de temps elle-même se divise en deux parties :

– en partie supérieure, les tâches auxquelles la ressource est affectée dans les différents projets, ainsi que les lignes personnalisées que la ressource peut créer par le bouton *Insérer des lignes*, permettant ainsi de justifier de temps de travail sur des affectations non prévues cette semaine-là (une fenêtre intermédiaire permettra d'en saisir les valeurs) ;

– en partie inférieure, la liste des activités hors projet (liste préparée par l'administrateur, voir plus haut), destinée à couvrir des périodes administratives.

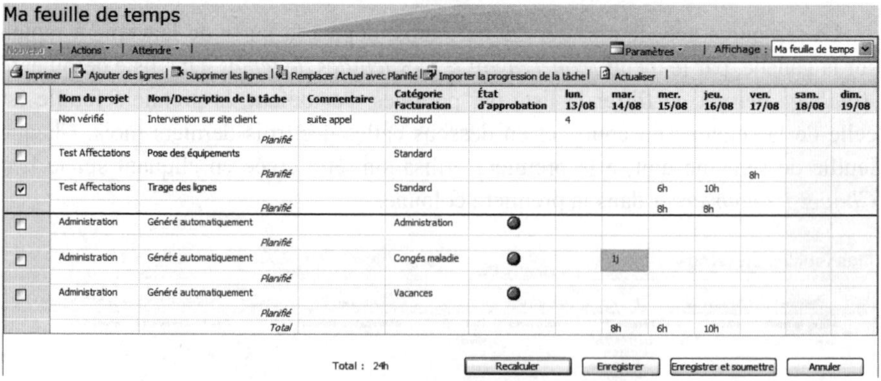

Ma feuille de temps

	Nom du projet	Nom/Description de la tâche	Commentaire	Catégorie Facturation	État d'approbation	lun. 13/08	mar. 14/08	mer. 15/08	jeu. 16/08	ven. 17/08	sam. 18/08	dim. 19/08
☐	Non vérifié	Intervention sur site client	suite appel	Standard		4						
☐	Test Affectations	Pose des équipements		Standard								
		Planifié										
☑	Test Affectations	Tirage des lignes		Standard				6h	10h			
		Planifié						8h	8h	8h		
☐	Administration	Généré automatiquement		Administration	◉							
		Planifié										
☐	Administration	Généré automatiquement		Congés maladie	◉		1j					
		Planifié										
☐	Administration	Généré automatiquement		Vacances	◉							
		Planifié										
		Total					8h	6h	10h			

Total : 24h   [Recalculer] [Enregistrer] [Enregistrer et soumettre] [Annuler]

Figure 12.12. *Le détail d'une feuille de temps*

La ligne jaune *Planifié* rappelle la charge de travail prévue. La ressource procédera, pour chaque tâche, à la saisie, dans la ligne blanche disponible, des valeurs réelles du temps passé. Par défaut, les unités sont des heures, la saisie peut se faire en d'autres unités (exemple : 2 j) mais sera reconvertie en heures. Le bouton *Remplacer Actuel avec Planifié* permet de remplir automatiquement la ligne du réel avec le planifié lorsque tout est conforme.

En bas de la page, le bouton *Recalculer* force le calcul de la ligne *Total*. Le bouton *Enregistrer* sauvegarde les modifications, mais seul le bouton *Enregistrer et soumettre* transmet la feuille au responsable. Une fenêtre intermédiaire permettra de confirmer l'approbateur, et d'ajouter un commentaire facultatif. La ressource devra constater, dans sa liste des feuilles de temps, l'état de l'approbation.

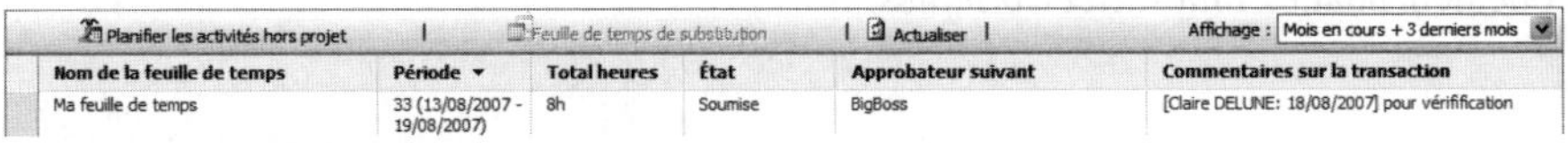

Nom de la feuille de temps	Période ▾	Total heures	État	Approbateur suivant	Commentaires sur la transaction
Ma feuille de temps	33 (13/08/2007 - 19/08/2007)	8h	Soumise	BigBoss	[Claire DELUNE: 18/08/2007] pour vérification

Figure 12.13. *La liste des feuilles après soumission par la ressource*

12.1.3. *Contrôle par le chef de projet*

La page d'accueil de Project Web Access pour le responsable du projet l'avertit d'une approbation de feuille en attente. Il cliquera sur le lien *feuilles de temps des ressources* ou choisira le menu *Approbations > Feuille de temps*. Une liste (filtrable) lui donne l'ensemble des feuilles de temps en attente. Le détail de chaque feuille est visible en cliquant sur le nom de la feuille. En cochant la case à gauche d'une feuille, le responsable fera le choix (par les boutons) *d'Approuver* ou *Refuser* la feuille. Si son propre nom est mentionné dans la ligne *Approbateur suivant*, il devra le supprimer.

Pour les activités administratives hors projet (congés, maladie…), le responsable effectuera une démarche similaire, à partir du menu *Approbations > Activités hors projet*.

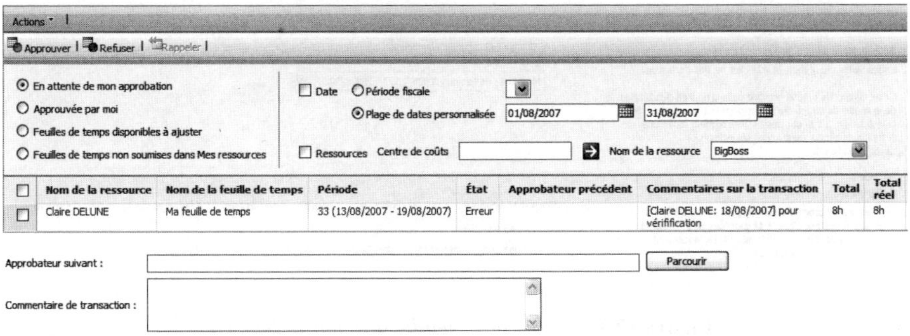

Nom de la ressource	Nom de la feuille de temps	Période	État	Approbateur précédent	Commentaires sur la transaction	Total	Total réel
Claire DELUNE	Ma feuille de temps	33 (13/08/2007 - 19/08/2007)	Erreur		[Claire DELUNE: 18/08/2007] pour vérification	8h	8h

Approbateur suivant :

Commentaire de transaction :

Figure 12.14. *La liste des feuilles en attente d'approbation par le responsable*

Des questions de droits d'accès peuvent empêcher le responsable de valider la feuille de temps. Pour chaque ressource, il faut vérifier sur la page du détail de la ressource (à partir du *Centre de ressources*) si le responsable de la feuille de temps est bien la personne attendue.

L'approbateur doit aussi être membre du groupe *Responsable de ressources*. Etre responsable de projet ne suffit pas. De plus, en cas d'utilisation du code RBS, l'approbateur doit être un supérieur hiérarchique de la ressource. Exemple : dans nos copies écran, l'approbateur BigBoss a le code RBS *Etudes* et la ressource Claire a le code dépendant *Etudes.Electroniques*.

12.1.4. *Importation par la ressource*

Dernière étape, la feuille de temps ayant été approuvée, la ressource doit l'incorporer pour mise à jour définitive des tâches concernées.

A partir de la page *Mes tâches*, le ressources cliquera sur le bouton *Importer une feuille de temps*. Dans la page d'importation, une liste déroulante permet de choisir la feuille à importer, et un aperçu d'en vérifier les données. Un clic sur le bouton *Importer* valide l'importation, et la mise à jour de la tâche, avec son pourcentage d'avancement. De retour sur la page des tâches, ne pas oublier de cocher la ou les tâches concernées, puis de cliquer sur le bouton *Soumettre la sélection* ! Une validation par le responsable de projet (qui n'est peut-être pas l'approbateur de la feuille de temps) est nécessaire.

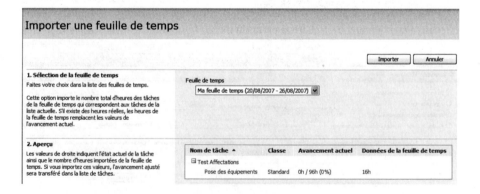

Figure 12.15. *Choix de la feuille de temps à importer*

Figure 12.16. *La liste des tâches mise à jour par l'importation*

12.2. Mise à jour directe des tâches

12.2.1. *Saisie par la ressource*

Si le niveau de détail proposé par les feuilles de temps n'est pas un objectif du projet, alors il est possible de simplifier le suivi en permettant à la ressource de mettre à jour directement les tâches, en indiquant directement le réalisé, en travail et en date, sans entrer dans le détail d'une saisie chronologique quotidienne.

Une première solution consiste à travailler sur la page *Mes tâches*, et à saisir le pourcentage d'avancement dans la colonne *Avancement*. Les dates de *Début* et de *Fin* peuvent si nécessaire être modifiées, une icône à côté de la date permet d'appeler un calendrier.

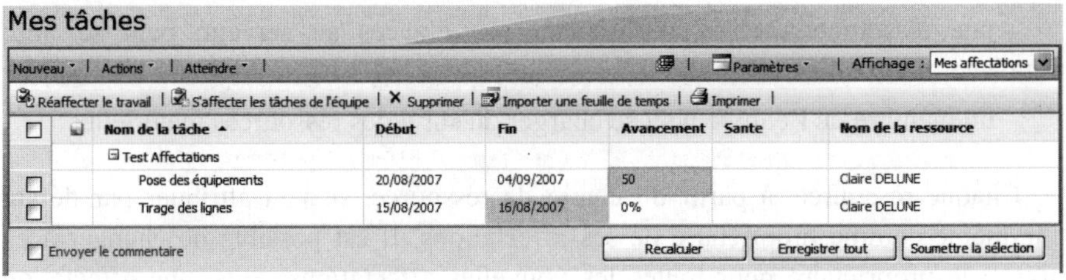

Figure 12.17. *Saisie d'un avancement dans la liste des tâches*

Une deuxième solution consiste ouvrir la tâche (en cliquant sur son nom). En plus des éléments précédents, il est possible d'agir sur le *Travail restant*. Ces différents champs sont liés par les formules de calcul de Project. Ainsi, si l'on change la date de fin, alors Project Server 2007 recalculera le travail restant, en tenant compte du pourcentage d'achèvement.

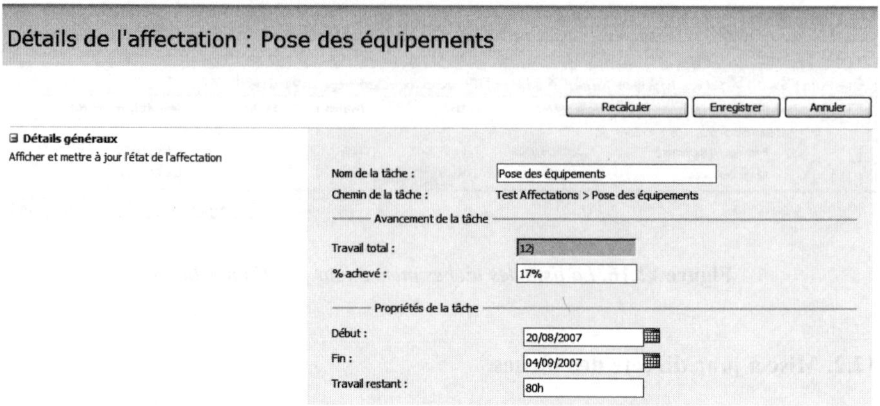

Détails de l'affectation : Pose des équipements

	Recalculer	Enregistrer	Annuler

☐ **Détails généraux**
Afficher et mettre à jour l'état de l'affectation

Nom de la tâche :   Pose des équipements
Chemin de la tâche :   Test Affectations > Pose des équipements

——————— Avancement de la tâche ———————

Travail total :   12j
% achevé :   17%

——————— Propriétés de la tâche ———————

Début :   20/08/2007
Fin :   04/09/2007
Travail restant :   80h

Figure 12.18. *Saisie d'un avancement dans le détail de l'affectation*

12.2.2. *Propriétaire de l'affectation*

Normalement, c'est la ressource affectée à une tâche qui est responsable de la saisie de son avancement. Il est possible de déléguer cette saisie à un autre membre de l'équipe de projet en modifiant la valeur par défaut du champ *Propriétaire de l'affectation*. Exemples d'utilisation :

– s'il existe plusieurs ressources affectées sur une même tâche, on peut déléguer la responsabilité de la saisie de l'avancement à une seule d'entre elles ;

– une ressource absente, ou n'ayant pas d'accès au serveur, peut se faire remplacer provisoirement ;

– un membre de l'équipe peut se charger du suivi des ressources matérielles.

Chaque ressource, à partir du centre de ressource, se voit attribuer par défaut elle-même comme propriétaire de ses affectations. Il est possible de changer à ce niveau le propriétaire pour toutes les nouvelles affectations. Puis, une affectation étant réalisée, il est possible, depuis Project Professional 2007 et dans l'affichage *Utilisation des tâches* (ou des ressources), de modifier ponctuellement chaque affectation, en insérant la colonne *Propriétaire de l'affectation*.

Ce champ n'est disponible que pour les ressources d'entreprise, et n'est pas utilisable pour les ressources locales. Dans Project Web Access, c'est le propriétaire de l'affectation qui verra la tâche listée sur la page *Mes tâches*. La ressource réellement affectée ne verra plus la tâche.

ⓘ	Nom de la tâche	Propriétaire de l'affectation	Travail
1	⊟ a	Claire DELUNE	8 hr
	Claire DELUNE	*Claire DELUNE*	*8 hr*
2	⊟ b	BigBoss	8 hr
	Claire DELUNE	*BigBoss*	*8 hr*

Figure 12.19. *Modification d'un propriétaire d'affectation dans Project Professional 2007*

TROISIEME PARTIE

Analyse et communication

CHAPITRE 13

Propositions et plans d'activité

Il s'agit de projets à part entière, comportant des tâches, des liens entre les tâches, pouvant se voir affecter des ressources, et pouvant faire l'objet d'un suivi élémentaire. Ces projets sont créés et suivis uniquement à l'aide de Project Web Access. L'utilisateur n'a donc pas besoin d'investir dans une licence Project Professional. Le plan ou projet pourra plus tard se mettre à niveau pour devenir un véritable projet, géré par Project Professional.

Un *plan d'activité* sera utile pour gérer un projet de portée limitée, dans une interface simple. La disponibilité globale des ressources tiendra compte des affectations effectuées dans ce plan.

Une *proposition* sera utile pour prototyper un futur projet réel. Les affectations effectuées dans la proposition n'affecteront pas la disponibilité des ressources (affectations *proposées* et non validées).

13.1. Création d'un plan d'activité

A partir de Project Web Access, choisir le menu *Projets > Propositions et activités*, puis le bouton *Nouveau*. Le choix entre *Proposition* et *Activité* se fera sur ce bouton, le reste de la procédure restant identique. Le plan recevra un nom, une description, une date de début.

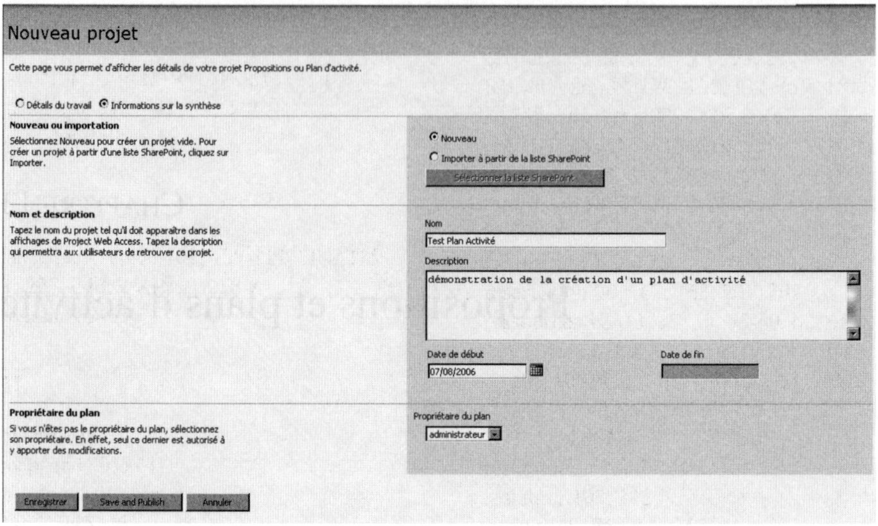

Figure 13.1. *Création d'un plan d'activité : information sur la synthèse*

Comme dans Project Professional, le bouton *Enregistrer* permet l'enregistrement dans la base de données de travail, et le plan ne sera pas utilisable pour les autres utilisateurs. Le bouton *Enregistrer et Publier* permet en plus de le publier dans la base publiée, le rendant disponible aux autres utilisateurs. Un plan d'activité publié est de plus visible dans le *Centre de projets*, identifié à gauche par une icône particulière.

13.2. Saisie des tâches du plan d'activité

Après enregistrement, l'affichage *Détail du travail* est automatiquement proposé. Les tâches seront saisies selon des règles similaires à celles de Project Professional. Ainsi, il est préférable de ne pas indiquer leurs dates *de début* et *fin*, mais seulement leur *durée*. Une coche dans la colonne *Jalon* permet de déclarer une tâche comme jalon (un jalon a en général une durée nulle, mais ce n'est pas une obligation). L'icône *Lier les tâches* permettra de créer des liens de type Fin-Début entre les tâches sélectionnées (Ctrl + clic ou Maj + clic dans la marge à gauche des tâches). Les icônes Retrait droit et Retrait gauche (les grosses flèches vertes) permettent de créer un plan de projet.

Les dates non saisies seront automatiquement calculées lors de l'enregistrement, le moteur de planification ne travaillant pas en temps réel mais se déclenchant après validation de la saisie. Le bouton *Nouvelle tâche* permet d'insérer une tâche dans le tableau, et le bouton *Supprimer* permet de supprimer la tâche sélectionnée.

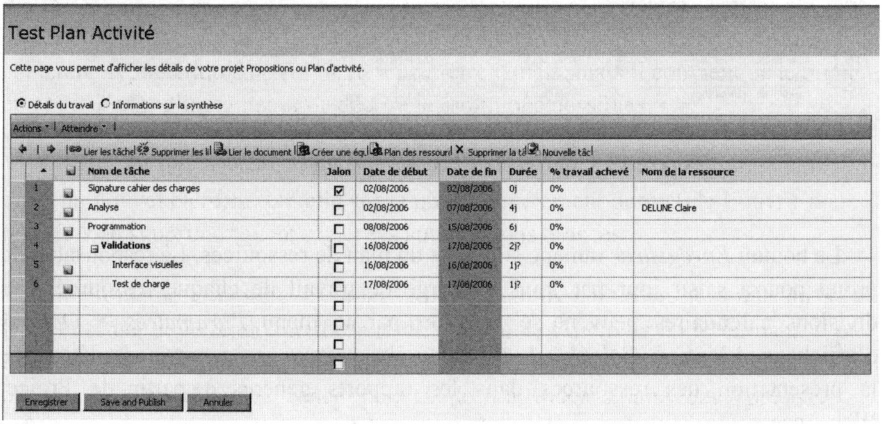

Figure 13.2. *Création des tâches du plan : détail du travail*

L'icône *Créer une équipe* permet de créer l'équipe du projet, selon les règles examinées plus haut. Les ressources sélectionnées seront alors disponibles pour être affectées aux tâches dans une liste déroulante de la colonne *Nom de la ressource*.

La création est validée par le bouton *Enregistrer*. Comme pour les projets classiques, le faut aussi publier le projet pour le rendre visible par tous les intervenants : c'est le bouton *Enregistrer et publier* (disponible après un premier enregistrement). L'état de la publication est visible dans la colonne *Publié*.

13.3. Le plan des ressources

Le plan des ressources est une alternative à l'affectation classique des ressources aux tâches. Il permet de constituer une équipe, et d'affecter dans un tableau chronologique des charges de travail, indépendantes de toutes tâches, par période (jour, semaine…). Cette solution est intéressante dans le cas d'une ébauche de projet, lorsque la liste des tâches n'est pas encore arrêtée.

Pour créer le plan de ressources, il convient de cliquer sur le bouton *Plan des ressources*. La page du plan apparaît, avertissant qu'il n'y a pas encore d'équipe pour le plan de ressources : ce plan a besoin d'une équipe distincte du projet (attention à ne pas les confondre), elle sera crée en cliquant sur le bouton *Créer une équipe* depuis la page du *Plan des ressources*, sur les principes vus précédemment.

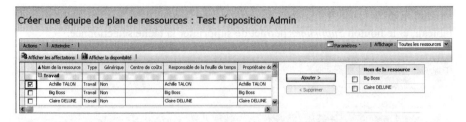

Figure 13.3. *Création de l'équipe du plan de ressources*

Le bouton *Enregistrer* ramène à la page du plan de ressources. Le responsable du projet pourra saisir jour par jour la charge de travail de chaque ressource. Les divisions calendaires peuvent se modifier par le menu *Paramètres* > *Options* d'affichage. L'option *Calculer l'utilisation des ressources à partir de* détermine la présentation des ressources dans les rapports générés à partir de Project Web Access.

Plan des ressources : Test Proposition Admin

Nom de la ressource	Type de réservation	19/08/2007	20/08/2007	21/08/2007	22/08/2007	23/08/2007	24/08,
Big Boss	Validé	0h	0h	0h	0h	0h	0h
Claire DELUNE	Validé	0h	0h	0h	0h	0h	0h
Achille TALON	Validé	0h	0h	0h	0h	0h	0h

Figure 13.4. *Saisie des charges de travail*

13.4. Etat du plan d'activité

Un plan d'activité peut avoir trois états :

– *Proposé*, encore à l'état d'ébauche ;

– *Approuvé*, lorsqu'il a été révisé et validé ;

– *Rejeté*, lorsque le plan a été refusé et doit être supprimé par un administrateur.

L'état du plan est visible dans la liste des plans, sous une colonne *Etat*. L'état du plan peut être modifié soit à partir de Project Web Access (en ouvrant le plan), soit à partir d'un « *workflow* » (un flux de travail, la modélisation informatisée de procédures d'entreprise) de Windows SharePoint Services.

Pour que la modification soit possible depuis Project Web Access, il convient :

– de vérifier, dans le menu *Paramètres du serveur > Stratégies opérationnelles > Paramètres serveur supplémentaires*, si l'option *Champ d'état du projet* est bien réglée sur *Non*. Sinon, cette modification ne pourra se faire qu'à partir d'un workflow de Windows SharePoint Services ;

– d'appartenir à un groupe (comme *Administrateurs*) ayant l'autorisation de modifier l'état du projet (et ce n'est pas le cas pour les *Responsables de projet*).

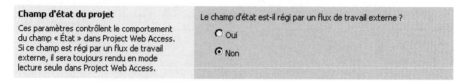

Figure 13.5. *Contrôler le champ Etat*

13.5. Supprimer ou mettre à niveau un plan d'activité

Dans l'affichage *Propositions et plans d'activité*, l'icône *Supprimer* permet de supprimer un plan d'activité, à condition qu'il n'est pas été publié. Dans ce cas, seul l'administrateur pourrait le supprimer à partir des *Paramètres du Serveur > Supprimer les objets d'entreprise*.

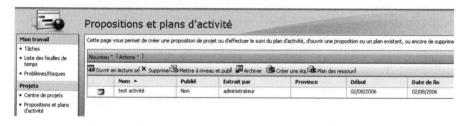

Figure 13.6. *La liste des propositions et plans d'activité*

L'icône *Mettre à niveau* permet de convertir le plan d'activité (ou la proposition) en véritable projet. Le plan disparaîtra de cette liste, et devra être rouvert depuis Project Professional pour être modifié et publié. Un inconvénient sera la création, involontaire, de nombreuses contraintes, visibles dans Project Professional, qu'il conviendra de réviser et supprimer si nécessaire.

Figure 14.5 : Compte en ...

14.6. Supprimer ou mettre à abras un plan d'action

Figure 14.6 : Achevez ...

CHAPITRE 14

Analyser avec le cube OLAP

Le terme OLAP (*online analytical processing*), désigne une base de données multidimensionnelle (aussi appelées cube) destinées à des analyses complexes sur des données. Dans Project Server 2007, une base de données (la base *ProjectServer_Reporting*, créée à l'installation de Project Server 2007) est dédiée au stockage des données de base chiffrées de l'ensemble des projets. Cette base est mise à jour régulièrement, à partir des projets eux-mêmes. Une autre base de données, destinée à contenir les cubes eux-mêmes (les agrégats de données), sera crée dans Analysis Services (composant de SQL Server) par l'administrateur, et paramétrée pour une mise à jour régulière. Des affichages personnalisés, du type *Analyseur de données*, permettent de créer des tableaux d'analyse en sélectionnant les données concernées à l'intérieur des cubes.

14.1. Création des cubes OLAP

14.1.1. *Pré-requis d'installation*

Les versions 2000 (SP4) ou 2005 (SP1) d'Analysis Services sont utilisables, et habituellement installées en même temps que SQL Server. Project Server 2007 utilise, pour communiquer avec Analysis Services, une bibliothèque d'interface nommée *Decision Supports Objects* (DSO), propre à la version 2000. Dans le cas d'une version 2005, la bibliothèque DSO n'est pas fournie, et doit être installée manuellement, puis référencée dans les propriétés d'Analysis Services. Des indications détaillées sont données sur le site TechNet de Microsoft, ou sur le site personnel de l'auteur (voir les références en fin d'ouvrage).

14.1.2. *Création de la base de données de reporting*

Elle s'effectue depuis Project Web Access, par le menu *Paramètres du serveur >
Cube > Paramètres de construction*. Les paramètres obligatoires sont le nom du
serveur, et le nom de la base de données contenant les cubes dans Analysis Services,
nom librement choisi lors de la création, et repris lors de chaque synchronisation. Il
faudra ensuite choisir une plage da date encadrant les données collectées :

– par défaut, prendre l'ensemble des projets en cours ;

– prendre une plage de dates relatives par rapport à la date actuelle ;

– prendre une plage de date en valeur absolue.

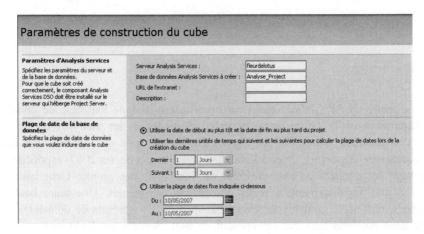

Figure 14.1. *La liste des propositions et plans d'activité*

On peut ensuite choisir une option de mise à jour périodique du cube, en
indiquant la fréquence et le point de départ. Prévoir bien sûr la disponibilité du
serveur à l'heure prévue. Le bouton *Enregistrer* se contente de mémoriser les
options, le bouton *Enregistrer et construire maintenant* lance aussi la construction
du cube, processus qui peut être long.

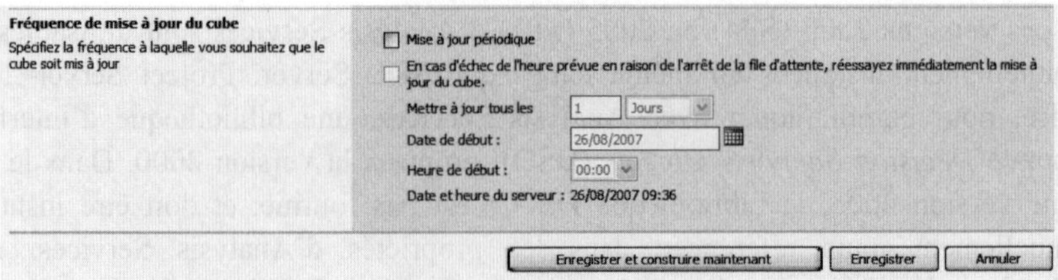

Figure 14.2. *Programmer la fréquence de mise à jour du cube*

Par le menu *Paramètres du serveur > Cube > Etat de construction du cube*, il est indispensable de vérifier à la première création si celle-ci s'est bien déroulée. C'est la zone *Commentaire sur le suivi de la construction* qui sera la plus intéressante, notamment pour indiquer les causes d'un éventuel échec. En général, ils sont dus soit à une bibliothèque DSO mal référencée, soit à des droits d'utilisateur insuffisants (le compte *Administrateur* de Project Server est à ce stade suffisant).

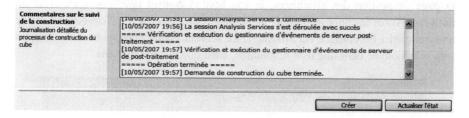

Figure 14.3. *Une création de cube terminée avec succès*

Par le menu *Paramètres du serveur > Cube > Configuration*, il est possible d'ajouter des champs personnalisés aux dimensions du cube. Vous pouvez aussi concevoir vos propres requêtes MDX, le langage d'interrogation dédié au cube OLAP. A titre d'exemple pour illustrer ce qu'est une dimension, il est possible d'analyser le chiffre d'affaire d'une entreprise dans les 4 dimensions suivantes[1] :

– *Géographie* : continent > pays > région > département > ville ;

– *Temps* : année > trimestre > mois > semaine > jour ;

– *Gamme de produits* : gamme > type > famille > référence ;

– *Organisation* : département > secteur > responsable > vendeur.

14.2. Visualisation des données

14.2.1. *Création des affichages*

Avant de pouvoir visualiser les données du cube OLAP, il faut construire l'affichage nécessaire à cette visualisation. Des conditions de droits d'utilisateur sont nécessaires :

– le compte d'administrateur des services partagés de SharePoint (celui que vous avez utilisé lors du paramétrage des sites SharePoint) doit être ajouté au groupe des

---

1. Cet exemple est tiré de l'encyclopédie en ligne Wikipédia (voir références des sites en fin d'ouvrage).

utilisateurs locaux OLAP (il se trouve dans la gestion des utilisateurs Windows, ou dans Active Directory, sous le nom *SQLServer2005MSOLAPUser$*, suivi du nom du serveur, suivi de *$MSSQLSERVER* ;

– ce même compte doit être utilisé pour se connecter à Project Web Access.

Le menu *Paramètres du serveur > Aspect > Gérer les affichages* permet d'ouvrir la page de gestion des affichages, et son bouton *Nouvel affichage* d'en créer un nouveau. Après le choix *Analyseur de données* comme *Type d'affichage*[2], on donne un nom choisi librement à cet affichage. Le serveur étant choisi, la base de données sera sélectionnée dans une liste déroulante, ainsi que le cube souhaité.

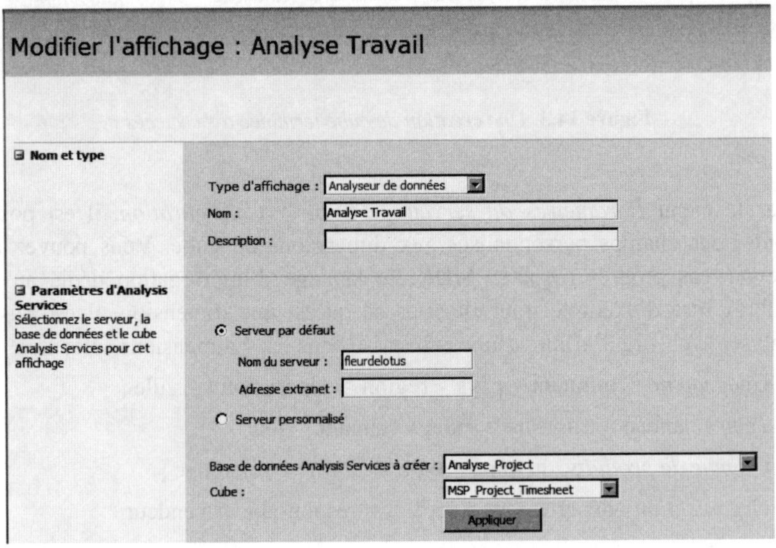

Figure 14.4. *Connexion aux données pour le nouvel affichage*

Cette base de données d'Analysis Services contient quatorze cubes. Le terme *Timephased* peut être traduit par chronologique. Ainsi, dans Project Professional 2007, l'affichage *Utilisation des tâches* est, dans la grille de couleur jaune, de type chronologique. Par exemple, pour une tâche, une donnée *Non Timephased* donnera le travail total de la tâche, alors que des données *Timephased* permettront de décomposer, heure par heure ou jour par jour, la répartition du travail.

---

2. Ce choix entraîne une réactualisation de la page, avec plusieurs messages d'avertissement concernant la sécurité du serveur.

Project Server 2007 propose huit cubes élémentaires : *Project Non Timephased, Task Non Timephased, Resource Non Timephased, Resource Timephased, Assignment Non Timephased, Assignment Timephased, Timesheet* et *EPM Timesheet*. Trois autres cubes appartiennent à Windows SharePoint Services : *Risks, Issues* et *Deliverables*.

Les trois derniers cubes sont des cubes virtuels, issus de la consolidation des cubes précédents :

– *MSP_Project_Timesheet*, qui combine les cubes Assignment Timephased, Resource Timephased, et EPM Timesheet ;

– *MSP_Project_WSS*, qui combine les cubes Project Non-timephased, Issues, Risks, et Deliverables ;

– *MSP_Portfolio_Analyzer*, qui combine les cubes Assignment Timephased et Resource Timephased. Ce Portfolio Analyzer cube est rétrocompatible avec le cube Project Server 2003 MSP_Portfolio_Analyzer.

Après avoir choisi d'afficher un *diagramme* (graphique), un *tableau*, ou les deux, la construction de l'affichage se fera sur le principe de l'analyse croisée dynamique d'Excel. En cochant la case *Afficher la liste des champs*, une fenêtre propose la liste des champs disponibles. L'utilisateur sélectionne le champ concerné, et le fait glisser avec la souris dans les zones du tableau *Filtre, Lignes, Colonnes* et *Données*.

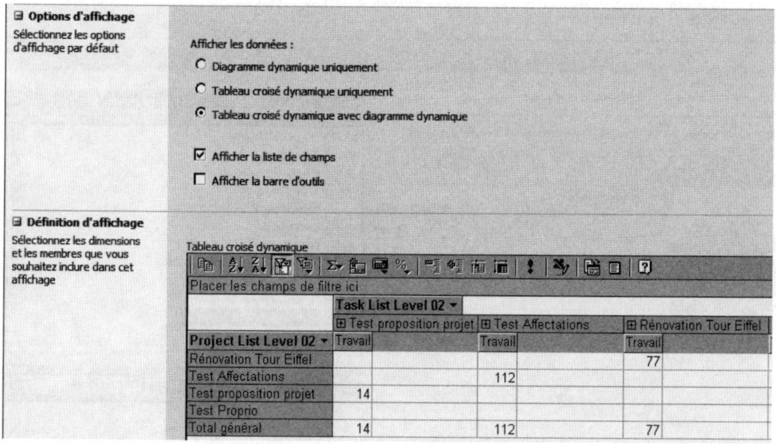

Figure 14.5. *Construction du tableau à partir de la liste des champs*

Il ne reste plus qu'à définir les catégories de sécurité autorisées à voir cet affichage. Dans notre exemple, les différents responsables (de projets ou de ressources ainsi que membres de la direction et l'administrateur) y auront accès.

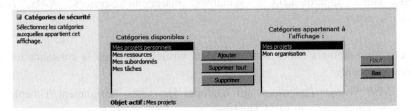

Figure 14.6. *Gérer la sécurité de l'affichage*

14.2.2. L'analyseur de données

A partir de la barre de lancement rapide sur la gauche, le menu *Rapports > Analyseur de données* permet d'accéder aux affichages des cubes, choisis dans la liste déroulante en haut à droite. Le bouton *Paramètres* permet d'afficher ou non la barre d'outils du tableau. Le bouton *Afficher la liste* des champs permet de faire apparaître les champs contenus dans le cube, et ainsi de modifier l'affichage en les faisant glisser sur le tableau. Un champ peut être supprimé du tableau par la manœuvre inverse, en le faisant glisser du tableau vers la liste.

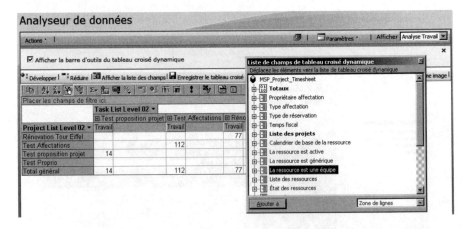

Figure 14.7. *Gérer les champs dans l'analyseur de données*

Dans la barre d'outils du tableau, le point d'exclamation rouge permet de réactualiser les données (ne pas oublier que le cube ne se construit qu'aux intervalles périodiques définis plus haut), et l'icône représentant le logo d'Excel permet d'envoyer les données vers Excel, toujours sous forme d'un tableau croisé dynamique, en lien avec la base Analysis Services. Alors que les boutons *Enregistrer le tableau croisé dynamique comme image* (ou le graphique) se contente de proposer un fichier .gif, figé, sans lien avec les données d'origine.

CHAPITRE 15

Communiquer :
Outlook et SharePoint

15.1. Travailler avec Outlook

Les utilisateurs peuvent utiliser Outlook (version 2003 minimum) comme client de Project Server 2007, en complément de Project Web Access. Ainsi, les tâches Project peuvent être visualisées soit comme des éléments du calendrier Outlook, soit comme des tâches Outlook, avec des possibilités de mise à jour depuis Outlook.

Pour cela, un complément (« *Add-in* ») doit être installé sur Outlook, à partir de chaque poste utilisateur. Depuis la barre de lancement rapide sur la gauche, le menu *Mon travail* > *Mes tâches* affiche la page des tâches. Sur celle-ci, le bouton *Actions* propose l'option *Configurer la synchronisation avec Outlook*. Sur la page synchronisation, le bouton *Télécharger* permet d'installer le complément (choisir l'option *Exécuter* dans les boîtes de dialogue).

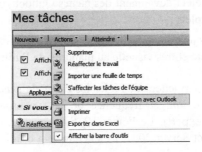

Figure 15.1. *Téléchargement du complément Outlook*

Après ouverture d'Outlook, deux nouveaux éléments apparaissent :

– une barre d'outils nouvelle *Project Web Access*, avec deux boutons permettant de déclencher manuellement une importation de Project Server vers Outlook, ou au contraire une mise à jour d'Outlook vers Project Server, ces mêmes fonctions étant aussi disponibles par le menu *Outils > Project Web Access* ;

– dans le menu *Outils > Options*, un nouvel onglet *Project Web Access* permettant de régler les paramètres de la synchronisation.

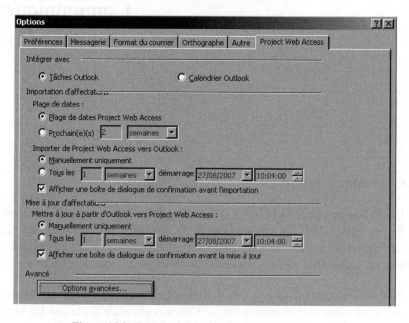

Figure 15.2. *Options de synchronisation depuis Outlook*

Le choix *Intégrer avec* permet de prendre l'option suivante :

– soit les tâches Project deviennent des tâches Outlook, ce qui permet la gestion et le suivi les plus complets ;

– soit les tâches Project deviennent des rendez-vous du calendrier, ce qui permet une intégration complète et très visuelle au planning de l'utilisateur.

Les autres options permettent de régler les choix de synchronisation : plages de dates limitant l'importation, et fréquence de la synchronisation dans les deux directions (import ou export). Le bouton *Options avancées...* permet de redéfinir l'URL d'accès à Project Server 2007. Ce chemin sera d'ailleurs demandé, ainsi que le compte utilisateur, lors de la première synchronisation.

Au moment de la synchronisation, une fenêtre intermédiaire rappelle à l'utilisateur la liste des nouvelles tâches. L'ouverture de la tâche se fera sur une fenêtre particulière, proposant toutes les options de mise à jour. Le transfert vers Project Server 2007 se fera par le bouton *Enregistrer dans Project Web Access*. Sinon, l'icône habituelle *Enregistrer & Fermer* sauvegardera les modifications, dans l'attente de la prochaine synchronisation.

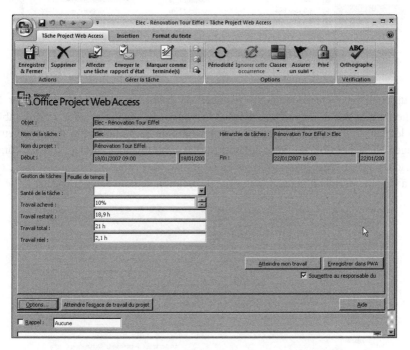

Figure 15.3. *Vue d'une tâche Project depuis Outlook*

15.2. Les espaces SharePoint

15.2.1. *Espace global de Project Web Access*

SharePoint offre un espace général, indépendant des projets, accessibles à tous les utilisateurs, et permettant l'enregistrement centralisé de documents communs. Cet espace global est accessible depuis la barre de lancement rapide sur la gauche, par le menu *Documents > Documents partagés*. Un nouveau document Word peut être créé depuis le bouton *Nouveau*, alors que d'autres types de fichiers peuvent être appelés depuis le bouton *Télécharger*. Le bouton *Actions* permet notamment d'ouvrir l'explorateur Windows pour y gérer les fichiers.

Figure 15.4. *Les documents partagés de l'espace global*

Sur cette page des documents partagés, la barre de lancement rapide sur la gauche permet par le menu *Afficher tout le contenu du site* d'accéder à l'ensemble des éléments du site global SharePoint. En plus de la bibliothèque de documents partagés, il est possible de créer notamment des bibliothèques d'images, des forums de discussion ou d'accéder aux espaces de travail de projets. Le bouton *Créer*, en haut à gauche, permet d'accéder à la page de création de nouveaux éléments.

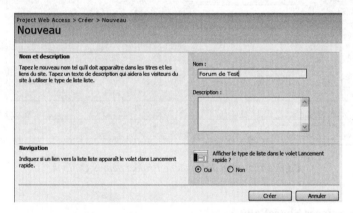

Figure 15.5. *Exemple de création d'un forum de discussion*

Dans ces exemples, nous créons un nouveau forum, lequel devient visible dans le volet de lancement rapide, sur la gauche, dans la page d'accueil de Project Web Access. Sur la page du forum (notez le fil d'Ariane en haut de la page, qui permet à tout moment de naviguer dans l'espace global), le bouton *Nouveau* permet de créer une nouvelle discussion. L'utilisateur pourra ensuite cliquer sur le nom de la discussion, pour en ouvrir le fil complet, et aura la possibilité par un bouton *Répondre* de créer un nouvel élément. Un clic sur le bouton *Accueil* permettra ensuite de revenir vers l'espace de Project Server.

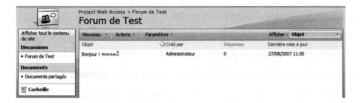

Figure 15.6. *Le forum vu sur la page de l'espace global*

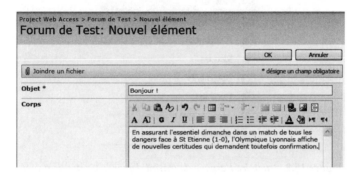

Figure 15.7. *Création d'une nouvelle discussion sur le forum*

15.2.2. *Espace de travail du projet*

Chaque projet possède un espace de travail dédié. Cet espace a été créé au moment de la première publication du projet (voir chapitre 10, élaboration d'un projet), en respectant les paramètres du menu *Paramètres du serveur > Stratégies opérationnelles > Paramètres de mise en service de l'espace de travail de projet* (décrit au chapitre 5, administrer Project Server). Un site non créé pourrait être créé ultérieurement par le bouton *Actions du site*, puis les menus *Créer > Sites et espaces de travail*. L'espace de travail d'un projet peut être ouvert depuis le tableau en bas de la page d'accueil de Project Web Access, ou depuis le menu *Atteindre* du Centre de projets.

Un site de projet contient des catégories principales. Chacune de ces catégories comporte un ensemble d'éléments, qui peuvent être créés, modifiés et supprimés à volonté. Les principales catégories sont :

– des *Documents*, sur le modèle de ceux de l'espace global ;

– des *Problèmes* et *Risques*, outils permettant de prendre des notes sur l'environnement d'un projet, et détaillés ci-dessous ;

– des *Livrables*, déjà détaillés au chapitre 3 (les clients de Project Server) ;

– un *Calendrier* et des *Tâches*, permettant, sur le modèle d'Outlook, de créer des éléments autonomes, indépendamment du réseau des tâches du projet ;

– des *Discussions d'équipe* permettent de tenir un forum de discussions ;

– le lien des *Sites* permet de créer des sous-sites secondaires ;

– le lien vers les *Personnes et groupes*, permettant de gérer les droits d'accès ;

– une *Corbeille* permettant de récupérer les éléments supprimés.

Figure 15.8. *Atteindre l'espace de travail depuis le Centre de projets*

L'accueil de l'espace de projet s'ouvre dans une nouvelle fenêtre, et affiche une barre de lancement rapide, comportant tous ces éléments (dont certains peuvent néanmoins être accédés directement, depuis les menus de Project Server). Elle comporte un bouton *Afficher tout le contenu du site* permettant à tout moment d'en voir le contenu détaillé. On pourra par exemple y voir une nouvelle catégorie d'éléments : *Annonces*, permettant de placer des messages sur le site d'accueil.

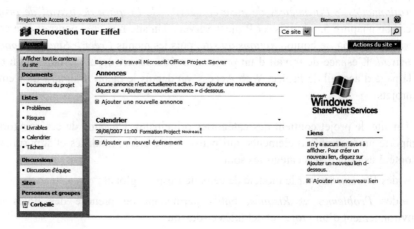

Figure 15.9. *Accueil de l'espace de projets*

15.2.2.1. *Problèmes et risques*

Problèmes et risques sont des notes prises sur des événements extérieurs pouvant interférer dans le cours du projet. Un problème est à caractère certain, c'est une contrainte qui pèse sur le projet et qu'il convient de résoudre. Un risque à un caractère hypothétique, ne surviendra peut-être jamais, mais il convient de le prendre en compte afin d'imaginer et de décrire les solutions possibles.

Un clic sur le lien *Problèmes* ou *Risques* en affiche la liste. Un bouton permet de créer un nouvel élément. Un clic sur le nom d'un élément permet de l'ouvrir pour le modifier, le supprimer ou en régler les autorisations d'accès.

Un problème comporte un *nom*, un *propriétaire* et un responsable du suivi. L'*état* permet de le rendre actif, de le différer ou de l'archiver en le fermant. Il peut être classé selon son degré d'importance dans une catégorie, et se voir affecter un niveau de priorité. L'échéance permet de l'agender à une date précise. Ces informations permettront plus tard de trier et classer la liste des problèmes.

Un problème comporte aussi une *Discussion*, destinée à en exposer le détail. Les solutions apportées seront, elles, saisies dans la rubrique *Résolution* au moment de la fermeture du problème.

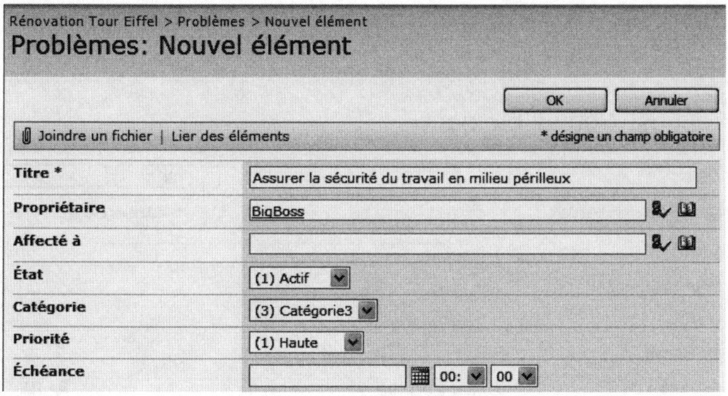

Figure 15.10. *Création d'un nouveau problème*

Un risque comporte en plus une probabilité de réalisation, une estimation de l'impact plus ou moins fort sur la poursuite du projet et une estimation de son coût éventuel. Les commentaires sont destinés à une réflexion préalable avant la réalisation du risque, et portent sur un plan d'atténuation et un plan d'urgence. La description de son déclencheur est l'estimation du seuil à partir duquel on estime que le risque est réalisé, et qu'il convient de déclencher le plan d'urgence. Par exemple, face au risque *Vent violent*, on indiquera à quelle vitesse de vent (le déclencheur) le chantier devra être arrêté et les grues mises en position de sécurité (le plan d'urgence).

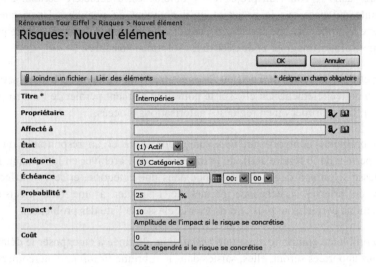

Figure 15.11. *Création d'un nouveau risque*

15.2.2.2. *Tâches*

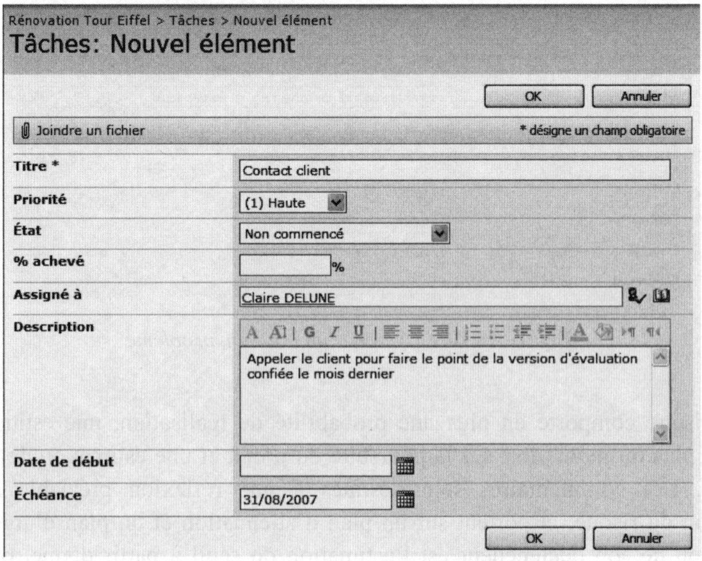

Figure 15.12. *Création d'une nouvelle tâche*

Depuis la page des tâches, le bouton *Nouveau* permet la création d'une nouvelle tâche. Il s'agit d'une tâche autonome, certes rattachée à l'espace de projet, mais totalement indépendante du plan de projet lui-même, et donc gérable à volonté. En plus du *Titre*, elle comporte une *Priorité*, un *Etat*, peut être *Assigné à* une ressource, et faire l'objet d'un suivi. Dans la liste des tâches, le nom de chaque tâche est une liste déroulante, permettant d'en effectuer la maintenance. Toujours sur cette page des tâches, le bouton *Paramètres* permet de modifier l'affichage de la liste, et notamment de créer de nouvelles colonnes. Des pièces jointes peuvent être rattachées à la tâche par le bouton *Joindre un fichier*.

15.2.2.3. *Administration du site de projet*

L'administrateur peut régler les droits d'accès au site par la page *Personnes et groupes*. Des comptes individuels ont été automatiquement créés, en reprenant les utilisateurs de Project Server 2007. Il est possible de créer des groupes, avec des droits d'accès types, puis d'y affecter des utilisateurs depuis Active Directory.

Depuis la page d'accueil du site, le bouton *Actions* du site permet de créer ou modifier des bibliothèques, des pages web, et de gérer les paramètres du site. Ces techniques relèvent de la prise en main de Windows SharePoint Services.

SITES DE REFERENCE

Sur les principes de la gestion de projets, le Project Management Institute :
  http://pmi-fr.org

Le site de la gestion de projets en français :
  http://www.gestiondeprojet.com

Documentation Microsoft Technet :
  http://technet2.microsoft.com/Office/en-us/library

Forum Project en français (chercher Project et Project Serveur) :
  http://www.microsoft.com/france/communautes/webnews/technet/default.mspx

Forum Project en anglais (beaucoup plus actif) :
  http://www.microsoft.com/technet/community/newsgroups/server/project.mspx

Guide Microsoft sur le langage MDX (pour la construction des cubes OLAP) :
  http://msdn2.microsoft.com/fr-fr/library/ms145595.aspx

Encyclopédie Wikipédia sur le cube OLAP :
  http://fr.wikipedia.org/wiki/Hypercube_OLAP

Compléments et errata à propos de cet ouvrage sur le site de l'auteur :
  http://www.bavitot.com

Alain Desroches *et al.* – La gestion des risques, 2ᵉ édition, 2007

Tru Dô-Khac – Externalisation des télécoms d'entreprise, 2005

Luc Dorrer – Hommes et projets informatiques, 2004

Philippe Fenoulière – Vers une informatique ouverte, 2004

Philippe Fenoulière – La qualité de l'informatisation, 1996

Franck Franchin et Rodolphe Monnet – Le business de la cybercriminalité, 2005

Jean-François Gautier et Alan Fustec – Informatique de compétition, 1997

Thierry Harlé et Florent Skrabacz – Clés pour la sécurité des SI, 2004

Pierre Jaquet – Les réseaux et l'informatique d'entreprise, 2003

Gérard Jean – Urbanisation du business et des SI, 2000

Didier Joliot – Management des SI, 2003

Didier Joliot – Performances des SI, 2003

Henri Kloetzer – La maîtrise d'ouvrage des projets informatiques, 2002

Pierre Kraus – Prévision et maîtrise des performances d'un système informatique, 2005

Pierre Laigle – Dictionnaire de l'infogérance, 2000

Jean-Luc Lapon – La direction informatique et le pilotage de l'entreprise, 1999

Bernadette Lecerf-Thomas – L'informatique managériale, 2006

Bernard Le Roux et Joseph Paumier – La gouvernance de l'évolution du SI, 2006

Bernard Le Roux *et al.* – Urbanisation et modernisation du SI, 2004

Nicolas Lesca et Marie-Laurence Caron-Fasan – Veille anticipative, 2006

Jean-Noël Lhuillier – Le management de l'information, 2005

Henry Ly – L'audit technique informatique, 2005

René Mandel – De la stratégie business aux systèmes d'information : l'entreprise et son écosystème, 2006

Pierre Maret – Ingénierie des savoir-faire, 1997

Jean-Pierre Meinadier – Le métier d'intégration de systèmes, 2002

Dominique Moisand – CRM, gestion de la relation client, 2002

Dominique Mollard – Systèmes décisionnels et pilotage de la performance, 2006

Jacques Moulinec *et al.*– Management des opérations informatiques et ITIL, 2006

Pascal Muckenhirn – Le SI décisionnel, 2003

Gilbert Nzeka – La protection des sites informatiques face au hacking, 2005

Jean-Louis Peaucelle – Informatique rentable et mesure des gains, 1997

Dany Provost – An 2000, la transition réussie, 1998

Didier Quan – L'impossible conduite du projet de SI, 2006

Claude Quélennec – ERP, levier de transformation de l'entreprise, 2006

Luc Rubiello – Techniques innovantes en informatique, 1997

Alain Rugy (de) – Management et gestion du parc micro, 1998

Gunes Sahillioglu – Gestion de portefeuille de projets informatiques, 2007

Pablo Santamaria – Les enquêtes en entreprise, 2007

Jacques Sassoon – Urbanisation des SI – épuisé, 1998

Pascal Silvestre – Le développement des SI, 1996

Marcel Soberman – Développement rapide d'applications, 1996

Sys-com – La bascule du SI vers l'euro – 2e édition, 2000

Philippe Tassin – Systèmes d'information et management de crise, 2005

Marc Thorin – L'audit informatique, 2000

Zouheir Trabelsi et Henri Ly – La sécurité sur internet, 2005

Jean-Pierre Vickoff – Estimation et architecture des développements Agiles, 2005

Jean-Pierre Vickoff – Systèmes d'information et processus Agiles, 2003

Jean-Baptiste Waldner – Nano-informatique et intelligence ambiante : inventer l'ordinateur du XXIe siècle, 2007

COLLECTION ETUDES ET LOGICIELS INFORMATIQUES
sous la direction de Nicolas Manson

Alain Amghar et Frédéric Sitbon – Microsoft Office Project 2003, 2004

Yves Constantinidis – Définition des besoins pour le logiciel, 2006

Yves Constantinidis – Le logiciel à valeur ajoutée, 2001

Yves Constantinidis – Outils de construction du logiciel, 1998

Erol Giraudy *et al.* – Le portail Microsoft Sharepoint, 2004

Pierre-Erol Giraudy *et al.* – Microsoft Office Sharepoint Serveur, 2007

Guy Lapassat – Architecture fonctionnelle des logiciels, 2003

Guy Lapassat – Urbanisme informatique et architectures applicatives, 2003

Jean-Pierre Meinadier – Ingénierie et intégration des systèmes, 1998

Michel Priem – Trafic et performances des réseaux multi-services, 2004

Jacques Printz et Bernard Mesdon – Ecosystème des projets informatiques, 2006

Jacques Printz *et al.* – Coûts et durée des projets informatiques, 2001

Jacques Printz – Productivité des programmeurs, 2001

Jacques Printz – Puissance et limites des systèmes informatisés, 1998

Yvon Rastetter – Le logiciel libre dans la mondialisation, 2006

Yvon Rastetter – Le logiciel libre dans les entreprises, 2002

Marcel Soberman – Les grilles informatiques, 2003

Sys-com – Stratégie de test e-business, 2001

Spyros Xanthakis *et al.* – Le test des logiciels, 2000

COLLECTION NOUVELLES TECHNOLOGIES INFORMATIQUES
sous la direction de Nicolas Manson

Jean-Louis Bénard – Les portails d'entreprise, 2002

Jérôme Besancenot *et al.* – Les systèmes transactionnels, 1997

Christian Bonjean – Helpdesk, 1999

Jean-Pierre Briffaut – Systèmes d'information en gestion industrielle, 2000

Jean-François Goglin – La cohabitation électronique, 2005

Jean-François Goglin – La construction d'un datawarehouse – 2ᵉ édition, 2001

Jean-François Goglin – Le Datawarehouse, pivot de la relation client, 2001

Jean-François Goglin et Philippe Usclade – Du client-serveur au web-serveur, 1999

Marc Langlois *et al.* – XML dans les échanges électroniques, 2004

Bernard Manouvrier et Laurent Ménard – Intégration applicative EAI, B2B, BPM et SOA, 2007

Bernard Manouvrier – EAI, Intégration des applications d'entreprise, 2001

Norbert Paquel et Olivier Bezaut – XML et développement des EDI, 2002

Yvon Rastetter – La fusion de la téléphonie dans l'internet, 2005

René-Charles Tisseyre – Knowledge Management, 1999